W I Z A R D

WIZARD BOOK SERIES Vol. 80

Trading With
DiNapoli Levels
The Practical Application of Fibonacci Analysis to Investment markets

ディナポリの秘数
フィボナッチ売買法
押し・戻り分析で仕掛けから手仕舞いまでわかる

Joe DiNapoli
ジョー・ディナポリ［著］
成田博之［監修］　株式会社ゼネックス［訳］

Pan Rolling

監修者まえがき

元祖フィボナッチトレーダー、ジョー・ディナポリ

フィボナッチといえばディナポリという名前が自然と頭に浮かぶほど有名なアメリカ人トレーダー、ジョー・ディナポリ。1980年代の後半からセミナーなどを通して彼は積極的に自然界が与えてくれたこの不思議な数字を使うことで収益を生む手法を公開している。

また、早くからアジア市場に目を向けて、彼自身、現在はタイに移り住んでいる。彼は、アメリカ市場の代名詞ともいえるS&P500先物を1980年代にアクティブにトレードをしていた。そのトレード数はかなりの量になっていた。実は、デイトレードにジョーはこのフィボナッチ級数を使っていた。今までにデイトレーディングに役立つ手法としていろいろな数字やルールが世間一般に公表されてきたが、先行役としての役割を成している指標を目にすることは少ない。

ジョーはフィボナッチ級数を用いて導き出したエリアで取引に出る。一般に知られているデイトレードのブレイクアウト手法ではなく、マーケットの押しや戻りで仕掛けていく売買手法がジョーのアプローチである。

また、損ぎりポイントがマーケットに近く、低リスクで取引をするのが彼の特徴でもある。トレンドの定義にもジョー独自の考えが使われている。これらの貴重な情報を彼は惜しむことなく一般に公表してきた。また、そのスタンスはこの先も変わらないだろう。そのため、今では、フィボナッチトレーダーと名乗る多くのトレーダーがいる。しかし、元祖はジョー・ディナポリ！　彼のオリジナルワークを楽しんでください。

2004年９月

成田　博之

免責事項

この本で示してある方法や技術、指標が利益を生む、あるいは損失につながることはないと仮定してはなりません。過去の結果は必ずしも将来の結果を示しものであはありません。この本の実例は、教育的な目的でのみ用いられるものであり、売買の注文を勧めるものではありません。

以下の声明はNFA（National Futures Association＝米先物協会）の勧告によるものです。
「仮定に基づいた、あるいは実験によって得られた成績は、固有の限界があります。実際の成績記録とは異なり、模擬的なものは実際の取引を示しているのではありません。また、取引は実際行われたわけではないので、流動性の不足に見られるようなある種の市場要因によって、利益が上下に変動する可能性があります。実験売買プログラムは、一般に、過去の事実に基づく利益を元に設計されがちです。本書の記述によって引き起こされたと考えられるあらゆる不利益に関する抗議は、一切行われるべきではありません」

この本を私の父と母、ジョーとオリビア・ディナポリに捧げる。彼らの愛情と永続的な指導と思いやりがなければ、何もなし得ることはできなかっただろう。

CONTENTS

CONTENTS

CONTENTS

第3部　ディナポリレベル

CONTENTS

CONTENTS

謝辞

この本の製作は困難な仕事だった。多くの人々の助力がなければ、この本が完成することはなかっただろう。心からの感謝とお礼を申し上げたい。

パット・リチャードの忍耐、努力、愛情、そして強さに。

リーとデイブ・ウィンフィールド夫妻の寛大さ、才能、そして私のために割いてくれた時間に。

エリス・ピチオッティとスティーブ・ロールの多くのスキルとそれらを私に活用させてくれた寛大な姿勢に。

ティム・スレーター、ニール・ヒューズ、ダイアン・ベランジャーによるこのプロジェクトを改善するための惜しみない指導に。

私の素晴らしい生徒たちとクライアントが私に助言し、そしてこのプロジェクトを始める私を励ましてくれたことに。

ダン、ハンク、カールが、この本に命を吹き込んでくれたことに対して。

アスペン・グラフィクス社が、卓越したグラフィックソフトウエアからチャートを引用することを許可してくれたことに。

そして、私の同僚たちに。匿名を希望した一部の人も、言及することを望まなかった多くの人も含めて。私に率直かつ無条件に知識を分け与えてくれた人々に感謝している。ラリー・ペサベント、ジェイク・バーンスタイン、ビル・ウィリアムズ、シカゴのフロアマネジャーで、「神」として知られているために名前をずっと忘れていたがスティーブ・コンロン、そして最後に大切なロバート・クラウツに。

書名について

ディナポリレベルという言葉は、私がアジアで行った講演旅行のひとつで、講演開催前の宣伝活動に携わっていたオーストラリアのコピーライターが作り出した造語である。ぴったりの言葉だったし、聴衆もそのタイトルが演説内容をうまく表現していると感じたようだった。私はまた、私と同年代のジョン・ボリンジャー（ボリンジャーバンド）、ラリー・ウィリアムズ（ウィリアムズの％R）、ジョージ・レイン（レインストキャスティックス）をはじめとする大勢の人に、このようなタイトルをつける勇気を私に与えてくれたことに感謝したい。しかし究極のところ、このタイトルを付けるのを本気で検討するようになった理由は、あるひとりの個人が相場の高値と安値を継続的に予測し、しかも市場で生き残っただけではなく、それを通じてリッチになったことによるものであることを告白したい。

※参考文献　ジョン・ボリンジャー著『ボリンジャーバンド入門』、ラリー・ウィリアムズ著『ラリー・ウィリアムズの短期売買法』（共にパンローリング刊）

まえがき

テクニカル分析一色の世界に足を踏み入れる前に、多少の歴史的背景を知りたいという読者は、このまま読み進めてほしい。そうでない読者は第１章、もしくは第２章まで読み飛ばしても、私のトレード手法を理解するのにはまったく問題ない。

では、なぜこの本を、なぜ今書いたのか。本音の質問をぶつけるならば、「なぜあなたは、それほど効果のあるトレード手法を公開してしまうのか。なぜ、自分ひとりだけで使い続けないのか。あまりに多くの人がそのトレード手法を使えば、その手法の有効性が低下するとは考えないのか」ということになる。答える価値のあるもっともな質問である。端的に言ってしまうと、マーケットは私にずっと寛大で、私に行動範囲の広さと快適なライフスタイルを与えてくれたのである。また、私は最近、生命にかかわる病気を経験した。このことは、自分自身を見直すためのきっかけとなった。この本を執筆することで、私は何らかの恩返しができるのである。詳しく説明するには、私の経歴から話さなくてはならない。

私は1986年に、過剰なトレードと睡眠不足が原因となって、精神的にも肉体的にも、燃え尽きた状態に陥った。お金と同僚からの称賛を得る引き換えとして、自分の健康と安らぎを犠牲にしたのである。人生には、S&Pの次のティックよりももっと重要なことがあると悟ったのはそのときだった。友人であるジェイク・バーンスタインの助言に従い、私は講演活動をやってみることにした。1986年も終わりに近いころのラスベガスでのフューチャーズ・シンポジウム・インターナショナルでのことだった。私はまったく意外な聴衆の反応に直面したのであった。

講演は、１時間ずつの２部構成となっており、第１部が午前に、第２部が午後に行われた。ベテラン講演者のひとりは、私にこう助言した。「説明は、上げ、下げ、上げ、引け、そして買いでいい。単純にするんだよ」。さらに「価値のある話なんて、だれも理解しないし、喜びもしないよ」と続けた。「でも、私はそんな方法でトレードしないですよ」と私は反論した。すると彼は、「だからどうだっていうの」と切り捨てたのだった。私は彼の皮肉な見方に驚愕した。講演の主催者であるジェイクに、私が何を話すべきか、彼の考えを聞かせてほしいと尋ねると、彼の答えは明確で簡潔だった。「自分が教えるべきだと思うことを話せばいい。聴衆がそれを理解しなかったとしたら、彼らが損するだけだ」。私はそのとおりにした。午前の講義には35人ほどの参加者がいた。彼らの関心は高く、質問も知性にあふれたもので、私は自分の知識を伝えながら質疑を楽しんだのだった。

午後になって講義を再開した。今度は部屋は満員だった。廊下やほかの部屋から椅子を拝借してきている人もいた。通路や床に座っている人や部屋の後ろにあるテーブルに腰掛けている人もおり、部屋の外にも何とか中に入ろうと、おそらく50人ほどがひしめいていた。講義を始めて20分ほどたったところで、2人の出席者が議論を始めた。ひとりは比較的簡単な質問に対する答えを求め、もうひとりは私にそのまま講義を続けるよう求めていた。時間は非常に限られており、乱闘を回避するために私ができたことは講義を続けることだけだった。

講演が終わると、私のオフィスマネジャーのパットと私のプログラマーのジョージ・ダマシスのもとには、さらなる情報を求める人々が殺到した。講演の聴衆は、もらえるものは何でももらおうとしたのである。われわれは講義のトレンドとオシレーターの特徴を説明するために使用した終値表示のグラフィックソフト（CISトレーディングパッケージ＝the CIS TRADING PACKAGE）は持っていたが、私が講義したフィボナッチ分析に関するものはほとんど何も持っていなかった。幸運なことに、フィブノード（FibNode）のソフトの説明書が何部かはあった。これらはディナポリ形式のフィボナッチを教えるのに大変役立った。正直、このソフトの数本のコピーも含めて、全部取られてしまったのである。本当に全部！

その後の数年間は、講演の仕事やテレビ出演、インタビュー、資金運用の申し出、ニュースレターやファクスサービスなどを始める計画などでスケジュールがぎっしりと詰まっていた。私は、この分野で成功したことを喜び、教えることを心から楽しみ、その過程で傑出した人物との出会いもあったが、一方ではすべてが若干の重荷になりつつあった。そのうえ、自分の開発したものが過度に露出すれば、それが市場や自分自身のトレード、さらには自分の生徒たちのトレードに影響を及ぼすのではないかという、絶え間ない不安にさいなまれていた。この可能性と闘うために、私は本の出版、資金運用、すべての種類のニュースレターの発行・宣伝することすらも断固として拒否していた。講義を無許可でビデオ録画されていたために、講義の中断を要求したことも三度あった。また、1990年にコースト主催で行った2日間の講演を録画した完全ビデオ講座の計画についても、教材が過度に露出することを恐れて、見送ったのである。しかし、どうにかして程よくバランスを取るために、私は自習トレード講座として、『フィボナッチ、マネーマネジメント・アンド・トレンド・アナリシス（FIBONACCI, MONEY MANAGEMENT AND TREND ANALYSIS)』を作った。また、フィブノードのソフトウエア開発も続けていたし、CISトレーディング（グラフィックス）パッケージを改良した。さらには、出席者の人数を厳しく制限したプライベートレッスンも何度か行った。

私がここで自分の過去を振り返っているのは、いくつかの非常に重要なことを強調するためである。多くの同業者とは違って、私は、トレード方法論（たとえ裁量的要素が含まれている方法論であっても）が過度に露出することを心配しており、こうした懸念は正当かつ妥当なものだと信じている。これには哲学的な意味合いもある。万人の好みに迎合し、需要があればどのような商品でも作ろうとするプロフェッショナルは、最後には燃え尽きてしまうのである。仕事のなかで燃え尽きた人は、いくらでも挙げられる。私はむしろ自分の専門分野を維持することにした。

露出が制限されていても、私は1987年半ばから1990年にかけての市場で、自分の講義が直接原因になっていると考えられる影響を目の当たりにした。その影響は控え目ではあったが、それでもなお明確に分かるものだった。率直に言おう。そこに何か良い方法があれば、それは伝播するのである。それが伝播しているならば、私たちは警戒する必要がある。その実用性が有効であることは変わらないだろうが、その戦略の実行がより困難になるという可能性が常にあるのだ。

1984年ころから1987年にかけて、フィボナッチ分析は、私がこれからこの本でお教えするすべての重要な要素と相まって、驚くほど正確な結果を生んだ。それは恐ろしいほどだった。1989年終盤までには、フィボナッチの押し・戻り水準やその目標水準に設定された大量の売買注文と、その前後数ティックに設定された損切りの逆指値注文が未熟なフィボナッチプレーヤーのトレードの障害となり始めた。私自身は、自分が目の当たりにしたものを自分のテクニックで補正することができたが、軽い気持ちでフィボナッチを使っていたプレーヤーたちは痛手を受け始めた。大勢のトレーダーが本当に良いものを使い始めても、市場はやはり、多くの人が損をするように取り計らうのだろう。市場が機能するためには、そうあるべきなのだ（ジョー・ディナポリ制作のホームトレード講座『フィボナッチ、マネーマネジメント・アンド・トレンド・アナリシス』）。

幸いにも、1989年12月に発行されたテクニカル・アナリシス・オブ・ストックス・アンド・コモディティーズ誌は、純粋数学の博士号を持つ教授タイプの人物による論文を掲載した。彼は、市場におけるフィボナッチムーブメントの妥当性について「研究」をした。そしてその結果、あらゆる理性的かつ知性的なタイプの人間にとって反論の余地のない幾何学的論理を用いて、市場にフィボナッチ分析を適用してもまったく機能しないということを「証明した」のである（ハーバート・H・J・リーデル著『ドゥ・ストック・プライシズ・リフレクト・フィボナッチ・レシオ？』テクニカル・アナリシス・オブ・ストック・アンド・コモディティーズ誌1989年12月号）。

私がこの「権威のある」論文について知ったのは、1989年にシカゴの経済会議で講演を行っているときだった。私が良き友人でありクライアントであるプロのフロアトレーダーと共にいると、複数の参加者が興奮しながら私たちに詰め寄ってきた。最初の人物はストックス・アンド・コモディティーズ誌を振りかざし、私が次回予定している講義の主題が「完全なる誤りであることが証明した」とするこの論文に興奮していた。

彼らの興奮の理由が判明したとき、クライアントと私は同時に、トレーダー式の

「ハイファイブ」を交わしたのである。それは戦の前の踊りのようなものだ。講義の参加者らは素人であり、私たちの喜びを理解することができなかった。フィボナッチの第一人者がなぜ、ストックス・アンド・コモディティーズ誌に掲載されたフィボナッチ分析が機能しないと主張する論文を喜ぶのか。私たちがプロとして望んだことは、そしてそれは新人トレーダーには理解できるはずのないことだが、それは、プロのトレーダーとしての私たちの仕事がこれからはより容易に、しかも大いにたやすくなるということだった。何となくフィボナッチを使っているというプレーヤーにとって市場の状況が難解になっていたことと、雑誌の論文のおかげで、その後の数週間から数カ月間に現実は私たちの期待どおりの動きとなった。

つまり私にとって自分のトレード方法を明かすことは、そうした暴露がもたらす可能性のあるマイナスの影響と、のちに自分の専門分野における権威として認められるような膨大なメリットとの間の綱渡りなのである。現在、単にトレードに成功するだけのために懸命に努力している読者の多くは、トレードの専門家という立場があなたにどんな道を開くのか、想像することもできないだろう。それは米国だけではなく、世界中どこでもそうだ。

1991年ころから、私の関心はアジアへと移り始めた。アジア諸国の市場は崩壊し始め、アジアをはじめとする世界各国にいる顧客からは、私の手法がライバルたちを丸焼きにしているという情報がひっきりなしに入っていた。私は生徒たちに対して常に、最も簡単に利益を得られる場所に行くべきだと教えており、また私自身は常にアジアに行きたいと思っていた。そこで私は米国で最高の講演会の契約を除くすべての援助を断ち、アジアに密集しているすべての不思議を解き明かすべく旅に出発したのである。プロとして、各国の主要都市で講演を行った私は、文化への洞察力を得ることができ、自分が訪問した各国の市場がどのように機能しているのかについて、「要求にかなった情報」を収集することができた。素晴らしい経験だった。米国に戻ると、なかには依然として私とどうにか接触してくる顧客もいたが、その人数は対処可能な数であったし、もっと重要なことは、市場への影響は依然として目立たなかったという点だった。第2刷の出版にあたり執筆している現在（2001年）、この書籍を世に出すのに絶好の環境が整っているように見える。新たにフィボナッチの専門家となった人は大勢おり、そのなかには私の元生徒もいる。素晴らしい業績も残されている。一部のこの手法に関する本は、「役に立たない」本と呼んでもいい。このことについて考えみよう。フィボナッチ分析に関して「役に立たない」本が書かれ、人々がその手法を活用して損を出しているとすれば、それは良いことなのである。適切な形式の概念を利用するということからかけ離れた方向へトレーダーを導くものであれば、それはどんなものでも、概念の利用方法に熟練したトレーダーにとっては好都合となる。私たちにとって重要な価格水準での「破壊的な」動きは少なくなるだろう。同様に重要なのは、オンラインでのデイトレーダーが大量に出現したという点である。手数料は大幅に値下げされ、ECN（電子取引ネットワーク）によって、大口トレーダーと小口トレーダーがトレードに支払う金額の格差はほとんどなくなった。データやソフトウエアの価格も低下を続けており、インターネットはトレード環境に革命を起こした。こうした現象によって、これまで私が見たこともないほど大勢の無知なアマチュアトレーダーがトレードに参入している。ニュースを追いかける感情的なアマチュア集団ほど、テクニカルに基づいた私たちのトレードの正確さを強化してくれるものはない。そうした人々の苦しい立場に対して私が無感覚だというわけではけっしてないが、彼らがもっと勉強しないかぎりは、いずれは食われてしまうのである。私たちは、こうした事実を有利に活用するべきである。

端的に言うと、こうした現在進展中の状況は、私にとってトレードしやすい環境を作り出し、また私がこの本を執筆することを可能とし、さらにはこの本が売れ続けている背景となっている。単純な事実を言うと、無知で感情的なトレーダーや、フィボナッチ分析の間違った、あるいは役に立たない手法を教える人が増えれば増えるほど、私と読者にとっては好都合なのである。概念のすべてが完全に否定されるということは、実質的には不可能だ。この手法に賭けて、多額の資金でトレードを行っている人があまりに多いのである。もしも彼らがその手法を適切に活用する方法を知っていれば、の話だが。

フィボナッチの手法やインターネット、オンライントレードに加えて、市場には新しいテクニックや手法がたくさんある。教えることに熱心な新米のエキスパートに、熱心な新米トレーダーがいて、新しいのトレード手法が教えられている。分かりにくいシステム構築型の手法が搭載されたトレードステーションやその他のソフトウエアによって、これまでよりずっと多くの市場で膨大な注文が出される。これらはすべて朗報だ。結果として、この本に書かれていることをきちんと理解すれば、多大な利益を得られる可能性が高まるためだ。ただし、気をつけなくてはならない。もしもこの本が大ヒットし、もしもここに書かれている手法が広く活用され始めたら（それには多大な労力を使うために可能性は低いが）、いずれは何らかの影響が出るかもしれない。どんな手法でも、あまりに広く普及すると、市場は概して、その手法の真の潜在力と利点を完全に理解するために、徹底的に研究し、微妙な違いにも気づくトレーダーのみを受け入れるようになる。さあ、あなたの興奮に満ちた冒険が今、始まろうとしている。

第 1 部

序論

SECTION1

この本は、慎重でありながら非常に効果的であると私が判断した総合的でモジュール的なトレーディング方法を紹介したものである。投資市場におけるフィボナッチ級数の実践的な活用方法が説明されている。フィボナッチを基本とした戦略を成功させるためには、しっかりとした基礎と構造化された状況を整える必要がある。この本には、情報が満載された15の章、総合的な付録、参考資料、まえがきというかたちでの入門案内が含まれている。フィボナッチ戦略については第８章まで触れられておらず、基礎をしっかりと身につけることができる構成となっている。こうした基礎を駆け足で斜め読みする場合には、強力な先行指標テクニック、すなわちこの本でいうところのディナポリレベルを活用するための総合的なコンテクスト（環境）を自分のなかで確立されていることが望ましい。

第１章

トレーディング手法——裁量的トレード手法VS非裁量的トレード手法とポジショントレードVSデイトレード

CHAPTER1 TRADING METHODS——JUDGMENTAL VS. NON-JUDGMENTAL TRADING SYSTEMS, POSITION TRADING VS. INTRA-DAY TRADING

概説

裁量的アプローチの場合、トレーダーはある特定の基準もしくはコンテクスト（環境）の範囲内で決定を下さなくてはならない。一方、非裁量的システムは完全にテクニカルに依存した戦略である。

私が活用するトレード方法には判断力が必要とされる。このトレード方法を気に入っているためだが、その理由は、裁量的戦略には非裁量的戦略にはないさまざまな利点が内在すると確信しているからだ。人の心が生み出す柔軟性と、市場環境の変化に対応するために必要な修正のスピード、この２点が裁量的戦略によるトレードを行う最大の理由である。とはいうものの、私はこれまで人に教えてきた経験から、現実と矛盾した異なるトレーディング戦略に関して多くの人々が先入観を持っているということも認識している。いかなる分野で成功するにも、まずはその基礎的条件（ファンダメンタルズ）を理解しなくてはならず、したがって基礎的なトレーディングアプローチに関してある程度の実態を見ておくことが、読者にとって得策だと考えたのである。まずは現状を把握すること（リアリティチェック）から始め、次に過去のデータに目を通せば、なぜ私が前述した結論に達したのかがお分かりになるだろう。まずここでは、裁量的トレード手法と非裁量的トレード手法、そしてポジショントレーディングとデイトレーディングを比較してみよう。

リアリティチェックをしてみよう

「そうだったらいいのに（Wouldn't it be nice...）」で始まるビーチ・ボーイズの有名な歌がある。不変の愛の美しさと楽しさを称えた歌で、恋人たちはデイジーの花のなかをスキップしながら言葉に尽くせぬ至福の理想郷へ行くことができる、という内容だ。しかしその数年後には、ビーチ・ボーイズのメンバーの何人かは離婚訴訟という法的対決を含めて、結婚生活の現実に直面する結果となった。離婚にまで至らなかったメンバーも、これまでの最高のパートナーだったはずの人が自分の隣にできたベッドのくぼみと大差ない存在になったという事実を、内心では認めているはずだ。

期待と現実とのギャップは常にこれほど大きいのだろうか？　それはもちろん違う。十分な努力をすれば、その中間のそこそこの成果が出せる望みはある。同様に、裁量的トレーディングシステムと非裁量的トレーディングシステムにも同じことがいえる。まずは非裁量的トレーディングシステムを見ることにしよう。

非裁量的アプローチ

そうだったらいいのに……

1．開発が完了すれば、それでリサーチと作業は完了となる。あなたのトレーディングシステムは確立され、固定され、変更されることはない。意思決定作業はあなたの管理を離れ、機械の設定範囲内で行われるため、ストレスはまったくない。徹底的かつ厳密な検証を行うことから、出たとこ勝負となる可能性はまずない。すべての要素が考慮されているため、あなたの自信が揺らぐことはない。

2．契約しているトレーダーやブローカーによるトレードの執行条件を事前に決めておくこともできる。そうすれば、自分自身でモニターを見続けるという退屈な時間を過ごさずにすむ。

3．「それ」（例えば「システム」「プログラム」「解決策」）が十分な利益を生み出すため、あなたはフィジーへ旅行に行き、ビーチでのんびりできるようになる。おそらくは「それ」が生み出す利益で慰謝料や子供の養育費すら支払えるようになり、あなたはベッドのくぼみを埋めてくれる新たなパートナーを探せばよい。

現実は……

1．作業が完了することはない。システムに設定した過去データの上限や下限がブレイクされた場合、あなたはパラメータの微調整や再検証をやり直す必要が生じる。

1A．実際は、株価の変動格差をならすためには2種類といわず3種類、あるいは4種類の独立したシステムを活用することが望ましい。もちろん、ちょっとした微調整や再編だけではなく、1種類ないしは2種類がまったく使い物にならないということが判明した場合には、これらのシステムを完全に交換しなくてはならなくなる場合のほうが多い。

1B．ストレスはどうか。ストレスがどんなものかは、あなた自身が道を踏み外した無力感を経験をするまで分からないだろう。（1種類または複数の）システムが次々と不合理な注文を指示し続けるなかで、あなたは結果を達成することに虚脱感を感じる。利益が吹き飛んでしまい、すぐに損失に変わるということが分かる。こうなったとき、あなたは何もできず、システムがもたらす指示を見て、それに従うことしかできないのだ。おいマック！　そこの胃薬を貸してくれ……早く！

１Ｃ．法外な水準だと考えていたスリッページ（注文執行時における価格成立のズレ）と手数料のための100ドルが、実はまったく不十分だったということに、あなたは気づくだろう。ストップ高やストップ安が連続する可能性を考慮していなかったり、相場が何の修正もなしで40ポイントも飛ぶこと、最悪の値段での注文執行などなど。事前の検証データは十分満足のいくものだと思われたが、実際はそれほど良くもなかった。データ検証技術に対するあなたの自信は、取引口座の金額の減少とともに新安値を付けることだろう。

２．あなたがトレードを委託したブローカーは、相場が大きく変動するときに限って注文執行に失敗するし、……なぜか損切りの逆指値注文を正しく執行することもできない！　あるいは、あなたが契約したトレーダーは自分の膨大な経験（１年間）を生かして、あなたが長年奮闘して完全にした戦略を「改善」するためにおせっかいをするだろう。

３．あなたは、十分なシステムを分散化するためには４種類のシステムを使用し、15種類の先物商品をトレードする必要があると判断するが、それぞれに対して十分な運用資金を供給するためには、資金を調達し、それを管理しなければならない。あなたは、開示文書を用意し、CFTC（米商品先物取引委員会）の監視を受け、スタッフがいて、NFA（米国先物協会）からは想像もしなかったほど多くの順守規定が用意されている。法人税の申告を順守することを難しいと思ったりするだろうか。マニュアルは非常に厚く、あなたは疑問を感じ始める。種をまいたデイジーの芽は出るのか、ましてや日の光を拝むことはあるのだろうか、と。

裁量的アプローチ

そうだったらいいのに……

１．有力なプロのなかでも最高と称される専門家のもとで学ぶ。卓越した市場の理解力を駆使して勝率90％を達成する。

２．好きな場所に住み、好きなときにトレードを行い、何年間もの悩みの種となってきた従業員とのもめ事からも解放される。

３．ささやかだった資金は、手腕と不断の努力によって正真正銘の巨大な財力へと転じる。増え続ける財産の一部を高利回りの金融商品の口座に預け、その収益で好きなときにフィジーへ旅行することができる。そして……そこからは想像にお任せする。

現実は……

１．ある有力なプロから学び、別の有力なプロからも学ぶ。断片的にある程度の役立つ知識を吸収するものの、期待には程遠いことを実感する。
１A．より現実的には、トレードを開始して何年もたち、セミナーや教本、ソフトウエア、トレード講座などに３万ドルを費やしたにもかかわらず、収益はこの出費をカバーできるかできないかという程度にすぎない。しかも、過去のトレードで出した５万ドルの損失は、まだ取り返すことができずにいる。
２．実際に収益が得られ、大きなホームランを打てる手段が見つからなければ、口座の残高は何カ月間かで尽きてしまうだろう。あなたはだれかのもとで働くサラリーマンになることを考え始める。
３．四六時中モニターを見ていなくてはならないうえ、寄り付きには必ず立ち会わなくてはならず、夜間のグローベックス取引に悪戦苦闘する。こうしたストレスと時間的な拘束によって、あなたは近場のビーチにすらいつ行けるのか分からないと考えるようになる。フィジーといえば、フィジーに関する商品はあるのだろうか。呼値はいくらなのだろう。……フィジーの人はどこでトレードをするのだろう。

さて、物事は私が上記でざっと説明したほどには楽観的でも悲観的でもないが、現実にそうなるのも簡単だ。実際は、もっと悪い状況すらあり得るのだ！　以降に記すことは、私が直接経験したことに基づく無資格の所見であり、私の体験した冒険旅行の手記だ。これら出来事は作り話ではなくて、実際に私が体験した話である。したがって、私がどのようにしてある結果に辿り着いたのかが分かるだろう。そして、おそらくはあなたも、自分に最適な場所を決めるのに、自身にとってより有利な判断を下せるようになるだろう。

経歴

1980年ごろ、私は先物市場に投資することを決めた。それまで生業としていた自動車販売業を辞め、最も過酷で最も潜在利益が高いと思われた選択肢を採用するという計画だった。転職の時期は、人生における私の地位に対する自分の考えと関係があった。転職を決めたときには、私には、苦しい時期となることが予想された移行期を乗り越えられるだけの十分な「資産」があった。さらには、自分の知識とトレード技能は、この新たな挑戦に対応しうる水準に達していると考えていた。間もなく私は２つのことを実感することになる。自分が「資産」を構築するまで転職を待ったことは幸運だったということ、そしてこの挑戦は自分が予想していた以上に過酷なものであったということだ。私の冒険旅行のハイライト、それは先物取引をどのように始めたか、そして最終的にどのように成功をつかんだかという点にある。

1年ほど下手なトレードを続けたあと、私は人づてに非常にやり手ながら隠遁したあるCTA（商品投資顧問）との会合をようやく実現することができた。この人物は過去5年間に農産品先物で何兆億ドルを稼いだと言われている。この風変わりな人物について、ここで説明したいところではあるが、彼の素性に気づく人もいるだろう。彼の指導を受けるひとつの前提条件は、彼の素性を明かさないということだった。もちろん、私は今でもこの条件を破ったことはない。

一通りのあいさつが終わると、この「知的人物」は私たちの会合でこんな話題を持ち出し始めた。「もしも君が火星人で、商品をトレードするために地球にやって来たとしたらどうするだろうか」。うーん……。「君は、こちらの相場、あちらの相場、それからそっちの相場と、いろいろな相場を見るだろう。英語を話すことができないために、ただ相場を見ているだけだ。相場はその間も変動する」。彼はさらに続けて、「君は火星人の友だちにこれらの相場について話をし、適切な対応について考えをめぐらす」。私は彼を、十戒を刻んだ石版を背負い、サンダルが自分に合っているかを黙想している、モーゼ（旧約聖書の予言者）であるかのように見つめていた。1時間に及ぶ謎めいた「ご宣託」を聞き終えた私は、極めて困惑、混乱して、大豆相場がどちらに動くかを教えてもらえれば、それだけで良しとする気持ちになっていた。願わくばその情報が、彼に会うために支払った旅費を取り戻すのに役立ちますように！

彼は、私が幸運にも出会うことのできた3人の良き指導者の最初の人物だった。私を指導してくれた彼らの親切心と意欲が重要な決め手となり、1986年に私は人に教えることを決意した。

そこでだが、火星人の話は一体何だったのか。解明するのにかなりの時間を要した。彼は宝箱を開ける鍵を持っていたが、それを目的も興味も誠実さも分からないような他人と共有するつもりはなかったのだ。この会合はその後約3年間にわたり何回も行われた会合の第1回目となった。非裁量的システムの基礎に忠実かつ完全なトレードを行うこの人物からは多くを学んだ。しかし、不思議な話だが、私が学んだことのなかに、あの最初の会合で私が追い求めていたものはひとつもなかったのである。彼が私に教えたことは、次のとおりである。

1．完全無欠のヒーローなどいない。賞味期限のあるヒーローがいるだけである。

2．すべての非裁量的システムは、いずれは機能しなくなる（利益を出せなくなる）。機能している間だけ活用することが望ましい。

3．あなたの知識基盤に対する信頼性、適格性、事前必須要素が確立されれば、良い情報は真のエキスパートから収集することができる。
4．非裁量的システムの場合は50％の勝率を達成できれば幸運であり、30％でも許容範囲である。
5．非裁量的システムによるトレードは、困難でストレスも多い。驚異的な集中力、不断の努力、自己規律が要求される。
6．トレードの全プロセスにおいて、最高レベルのチャレンジ、達成感、発見が得られる。

いくつかの項目について詳しく説明しよう

1．ヒーローたち

70年代の市場では、私の友人は本当に素晴らしく調和のとれたヒーローとなった。非裁量的、ファンダメンタルズベース、数学的な彼のシステムは非常に巧妙に組み立てられていた。しかし、70年代の終わりにインフレがピークを過ぎ、海外からの（穀物）供給の道が開かれると、システムは崩壊した。

2．システム障害

膨大な個人的情報と財産と経験を用いて、彼は失ったものを取り戻そうと、再び熱心にスタッフとメーンフレームの模索を開始した。彼が研究したなかでも興味深い行き詰まりのひとつとなったのは、トレード可能なトレンドが存在するかどうかを判断する点においてのランダム性、もしくはそれの欠落を発見したことだった。言ってみれば、DMI（ディレクショナルムーブメント・インディックス）が狂ってしまったようなものだ。このシステムは2年間は非常に有効に機能したが、その後は利益を生まなくなった。後にそのシステムが損を出したときには、その被害は巨額となった。ほかのトレーダーや共同出資パートナーらとの話し合いを経て、彼はシステム開発を行っている私の多くの友だちと同じ道をたどり、同じ結論に達することになった。それはつまり、時間のテストを処理するには、ある種のボラティリティブレイクアウト・システムが最適だということである。しかし、多くの人が同意見だと思うが、こうしたタイプのシステムの損益レシオ（win/loss ratio）が芳しいとはいえず、分散投資をしなければならないため、運用には多額の資金がかかるのが一般的だ。こうしたすべての複雑な計算のなかから収集できるさらなる希望もある。例えば、システムのなかには、機能しなくなるまでに5年、あるいは10年かかるものすらある。そうしたシステムのひとつを幸運にも初期に手に入れることができたならば、少なくともしばらくの間は、素晴らしい好成績を残すことができるはずである。

３．実習期間

初対面の人に、これまで得てきた知識を伝授してもらえると期待した私の考えは、非常に浅はかだった。彼が私の誠実さ、私の価値に気づいてくれるだろうという考えも甘かった。彼に何年間も貢献してようやく、知識を伝授してもらった。彼の知識を理解するには、そのための準備が必要だということを、彼は知っていたのだ。それだけではなく、彼が知っていることを私に伝授すれば、彼が知っていることが非常に少ないということに私が気づくということを知っていたのである。

これがすべての出来事だった。われわれがこの点に達したとき、私は先へと進んだ。その後の16年間に、定着したシステムを活用して成功した素晴らしいトレーダーとの出会いは多くあったが、最初の恩師から学んだことを大きく覆すような理論には一度も出合っていない。

この人物と仕事をしていた時期に、私は思いがけず、トレードに成功するための素晴らしいコツを得ることができた。これは私の２人目の恩師によって与えられたものだ。彼は極めて成功した裁量的トレーダーで、人情からだと思うが、私にDMA（ずらした移動平均線＝Displaced Moving Averages）を勉強することを勧めた。もちろん、私にDMAの勉強を勧めたあとは、DMAの何たるかを私に説明しなくてはならなかったわけだが、説明が終わってようやく、私から解放された彼は自分のメーンフレームに戻ることができた。

当時私が知っていた真に成功したトレーダーは、全員がメーンフレームを持っていたようで、全員が非常に変わり者で隠遁者的だった。私がこの人物とかかわった時間は15分に満たないが、そのときに私は進むべき方向を見つけたのである。３年後、私の調査結果を彼のものと比較してみると、２つは驚くほど類似していた。２つの調査内容を照らし合わせるのにさらに15分かかったほどだ。これがこの人物と話した二度目で最後の機会となった。今では私も、収益性があり、合理的に一貫性のある裁量的方法でトレードを行っている。

しかし、この方法はそれほど劇的だったというわけではない。勝率は50％ほどだが、見返りは大きかった。妥当な手法ではあったが、私は完全には満足していなかった。必要は発明の母の諺のとおり、必要が私の最初の重要な独自の発見につながった。真の先行指数である「オシレータープレディクター（Oscillator Predictor）」の発見だ。この指数によって、私は収益を手にし、リスクの高い仕掛けを回避することができるようになったのである。

私の手法が本当にうまくいき始めたのは三番目の恩師に出会ってからだ。彼は私にフィボナッチというイタリアの数学者について話をした（ピサのレオナルドとして知られる人物で、グイリエルモ・ボナッチ・ボナッチの息子。イタリア語で「フィグリオ」は「息子」を意味し、「フィグリオ・ボナッチ［ボナッチの息子］」と呼ばれていたが、年月を経てフィボナッチに短縮された。当時の傑出した数学者であった）。この三番目の師も一風変わっていた。自分のメーンフレームを持たず、隠遁とは無縁の人物で、私が今までに出会ったなかで最も輝かしいトレーダーであることは間違いない。完全なる裁量的トレードが基本で、彼が高値や安値、中期的な上昇相場の天井や、中期的な修正安の水準を的中させるのを、私はこの目で見た。すべて彼の望むがまま！　彼のトレーディングスタイルは、私がそれまでに考えたことのあるいかなる合理的期待をも超越しており、しかも彼はそれを私の目の前で実際にやって見せたのだ！　ある日の午後の短い時間に彼が自分の手法を教えてくれたときに初めて、私は彼の手法には一貫性がなく、収益性のあるトレードから程遠いということに気づいたのである。経験（時間）が再び私からヒーローを奪い去り、彼は金持ちから無一文へと転落し、破産し、債務者となった。聖杯にはきっと修理の必要な多くの穴が開いていたのだ。何年もの経験を経て私がようやく得た下記の結論が、トレードの本質を構築しているのである。

裁量的トレード

1．トレードを行うときに最も重要な道具、それはコンピューターでも、データサービスでも、方法論でもない。それはあなた自身だ！　あなたが正しくないならば、トレードはしないほうがいい。

1A．トレードを休むことは、特にデイトレーダーにとって不可欠だ。私が割り出した自分に最適な休息ペースは、3～6週間に一度、3～7日間程度の休暇をとることだ。

1B．デイトレードを行うのであれば毎年3～6カ月間、デイリーベース以上のトレードならば毎年最低でも1～3カ月間の大型休暇をとること。

1C．1週間のうち4～5日は、マーケットやコンピューターに関係のない自分の好きなことをする時間を、少なくとも1時間は作ること。私自身は手を使う作業が好きなので車の修理を行ったり、物を直したり作ったりしている。

1D．プロフェッショナルの定義とは間違いの最も少ない人を指し、まったく間違いのない人のことではない。もしも重大な間違いをひとつ犯したときは、3日間トレードを休むこと。短期間（2営業日以内）に3つの間違いを犯してしまったときも、やはりトレードを3日間休むこと。

1E．上記の1Dに記したルールを破った場合は、罰金としてこの世で一番嫌いな人に10万ドルを進呈すること。興味深いことだと思うが、私が教えた多くのトレーダーのなかで、強制されずに１Ｄのルールを守った者はほとんどいない。間違いの定義は第２章の「基本的ルールと定義」で説明する。間違いについては、この著書のなかで何度も言及されるために明確になるだろう。間違いを犯したという事実といつ間違ったのかを認識することが重要だ。

１Ｆ．10日間以上トレードしていないときは、最低でも１週間は大量（多くのポジション）のトレードを控えること。

１Ｇ．自分自身をトレーダーとマネジャーの２つの役割に分けること。トレーダーは、マネジャーの明白な許可なしではトレードできない。マネジャーは「健康」に対する重大な兆候を注意してみること。例えば、間違い、イライラ感、トレーダーの私生活におけるストレス、目の下のくま、鼓腸などだ。お分かりだろうか。大惨事が起きる前にトレーダーを電話から引き離すのはマネジャーの役目なのである。優秀なマネジメントの必要性を疑うのならば、ベアリングス社が崩壊したケースを考えるべきだ。

80年代終わりのことだが、私が教えていたある人物がそれまでは一貫してかなりの収益率をはじき出してきたというのに、突然に損失を出し続け始めたのである。彼の性格に変化が生じているらしく、彼の私生活に何らかのストレスがあることは明らかだった。ある日の夜、私たちはマーケットについて話し合っていた。彼が「原因不明」の損失について大いに愚痴をこぼしていたとき、私は彼に、子供が生まれるまであと何カ月かと尋ねた。「３カ月です」と彼は答えた。「一体どうしてそのことを知っているのですか？」

トレードをするうえで「健康」であることがいかに重要かは、もうすでにお分かりのはずだ。自由裁量が反映されるシステムや方法は、トレード執行のタイミングとトレード枚数の双方における裁量の質に依存している。その自由裁量次第では、数カ月かかって築き上げたものを１週間で失うこともあり得るのだ。

２．この世界には、教えることが好きで、自分の意思を伝える資格を持つ博識で正直かつ誠実なトレーダーがいる。そういった人物を探し、余裕があるのならば彼らの資質を伝授してもらい、彼らと交流を深めることだ。日常の会話を通じて彼らから得たものの多くは、あなたの成功にとって極めて有益なものとなるだろう。彼らもだれかの助力を得てきたのだ。彼らへのアプローチが正しければ、彼らはできるかぎりあなたを手助けしてくれるはずだ。

３．裁量的トレードは信じられないほど有利な損益レシオをもたらすが、いい気にならてはいけない。

３Ａ．非常にスピーディに膨大な利益を実現すると、自尊心が必要以上に大きくなることがある。たった１回のトレードで、謙遜さを身をもって知らされるということを常に忘れてはいけない。

４．トレードの意思決定時間には、まったく邪魔が入らないようにすること。いかなるものも、完全に遮断すべし！　あなたのオフィスが自宅にあり、デイトレードを行っているならば、鍵をかけて、その家を共有しているだれからも自分を遮断し、その場をひとりで使うこと。このことで、あなたの配偶者や家族との間に問題が生じるのであれば、トレードをしないか、別の配偶者と家族を見つけることだ。

私の顧客のひとりにカイロプラクターを営む人物がいた。彼はカリフォルニア州北部にある自宅からトレードを行っていたが、私はこのことを繰り返し警告した。彼の妻が軽い気持ちで彼に近づき、収穫状況報告の発表直前に彼の腕に赤ん坊を渡したことで、この人物は４万ドルの損失を被ったのである。経験は厳しい師だが、多くの人にとってはそれが唯一の師なのである。

５．市況の変化に対応できるスピードは、非裁量的戦略よりも裁量的戦略のほうが相当に速い。これによって、判断力のない（固定された）システムの障害に付随して発生する巨額のドローダウンを防ぐことができる。あなたがエンジニアならば、エネルギー変換機のスピードに付随する機能として、反応を無視したり、反応に焦点を合わせたりするメカニカルフィードバックシステムを考えてみてほしい。そのフィードバックシステムの速度が十分に速いならば、市場の変化にもついて行くことができるだろう。しかし遅れをとるようならば、180度位相がずれて、対応できなくなる可能性もあるのだ！　トレードにおいても同じことがいえる。

６．裁量的システムを使ったトレードは困難であるうえ、驚異的な集中力、不断の努力、自己規律が要求される。

７．トレードの全プロセスにおいて、最高レベルのチャレンジ、達成感、発見が得られる。

結論を言えば、どちらのトレード方法にも、それぞれ特定の長所と短所が存在するということだ。私は裁量的方法を選んだ。あなたの素質、精神力、財源、目標が、前述したやりがいや長所と一致しているかという点が最大の問題となる。私の知るかぎり、多大な労力と膨大なストレスを回避する方法はない。覚悟を決めなくてはならない。もしも熱すぎて耐えられないと感じたら、すぐに台所から出ていくことだ。

まとめ

裁量的トレードテクニックの特徴

１．非常に柔軟な市場への取り組みアプローチを活用できる。
２．かなり融通の利くスケジュールを組むことができる。
３．短期間に膨大な利益（もしくは損失）を実現する可能性がある。
４．極めて有利な損益レシオをもたらす可能性がある。
５．厳格な個人管理が絶対に必要である。
６．トレードに適切な孤立した環境が絶対に必要である。
７．相対的に「少額」の資金で自分の目標を達成することが十分に可能だ。
８．相対的に少数の市場に焦点を絞ることは、可能だというだけでなく、むしろそのほうが望ましい。

非裁量的トレードテクニックの特徴

１．一般的に損益レシオはあまり良くない。
２．過去データによるつもり売買は、さまざまな理由から、概して深刻な欠陥を示す。
３．大半の非裁量的システムは、最終的には機能しなくなる。目標としては、それが機能している間だけ活用することを試みることだ。
４．ボラティリティブレイクアウト・システムは、時間の経過とともに古くなるということがないようだ。
５．エクイティカーブをならすには、幅広い市場でトレードを行う複数のシステムが必要となる。
６．システムと投資先を分散し、また回避することのできないドローダウンのためは、相対的に多額の資金が必要となる。
７．もしシステムと投資先の分散化が達成されたならば、多額の資金を運用することが可能となる。
８．トレードのシグナルを常に執行し続けることが肝心だ。つまり休息はない。
９．システムのシグナルを執行するための適切なヘルプを得ることは、それ自体がチャレンジである。

非裁量的トレードと裁量的トレードの特徴

１．トレードの目標を達成できれば、素晴らしいライフスタイルを得ることができる。

2．トレード経験を通じて、達成感、やりがい、新たな発見を得る可能性がある。
3．ストレスにうまく対処できないと、ストレスの圧力で心身ともに完全に破壊される場合もある。
4．軽率あるいは身勝手なアプローチは破産につながる。
5．仕事量は膨大で、終わりがない。適切に管理する必要がある。
6．この世で最も優秀で才能にたけた人物にめぐり合う、あるいは友だちや同僚となるチャンスを得ることができる。

ポジショントレード vs デイトレード

裁量的トレードか、非裁量的トレードかの選択だけではなく、自分に最も適した時間枠（タイムフレーム）も考えなくてはならない。次に、自分の選んだ時間枠が自分の実行しているアプローチに最適であることを確認する必要がある。

この本で教えている方法を利用するならば、事は簡単だ。原則的には、月足チャートで適用しているのと同じ一般的な基準を、５分足チャートにも適用するのである。あなたに最適の時間枠を探すのは、もっと至難の業だ。

私の経験に基づけば、フロア以外の場所で働いている新米トレーダーがデイトレードを行うのは、自殺行為である。「新米」とはだれを指すのか。「新米」とは、活発なトレードを始めて１年未満のトレーダーすべてを指す。あなたがパートタイムのトレーダーや、気軽なトレーダーならば、デイトレードを行うのに３年から５年の経験を積んだほうがいいだろう。しかしもっと鋭い質問は、デイトレードとは何か、ということだ。私の定義付けでは、１日の相場動向を積極的に観察し、自分がこうだと確信したそのときの相場展開に基づいて決定を下すトレーダーを指す。

デイリーベース（あるいはそれよりも長期枠）のトレーダーは、翌日に執行される仕掛けや手仕舞いの水準を設定することも可能で、デイトレーダーとはみなされない。

ポジショントレーダーとは何か。観点によって異なるというのが正しい答えだ。フロアトレーダーにとっては、５分間ポジションを維持するトレーダーはポジショントレーダーだ。デイリーベースのトレーダーにとっては、週間ベースのトレーダーはポジショントレーダーである。しかし目的上、ここではデイリーもしくはそれよりも長期の時間枠ベースのトレーダーをポジショントレーダーとみなすことにしよう。時間枠を小さくするほど、意思決定の時間は圧縮され、ストレスも大きくなる。時間枠を小さくすると、意思決定回数は急増する。時間枠をデイリーベースから１時間ベースに小さくすると、意思決定の回数は７倍に増える計算となり、１時間ベースから５分間ベースでは12倍となる。チャンスは明らかに増えるが、やり手のボクシング興業主は、期待の新人が一流プレーヤーと対等に戦う術をより短時間に得ることができるかどうかを確認するためだけに、その新人をマイク・タイソン相手のリングに立たせるようなことはしないだろう。何しろ、試合の途中で耳を失うだけでは済まないかもしれないのだ！

デイトレードの短所

1．注文執行（オーダーエントリー）のテクニックとフロア業務の精通に特に重点を置いた豊富な経験が必要である。
2．最高のブローカーと清算サービスが必要である。
3．ソフトウエア、リアルタイムデータの情報料、設備、売買手数料など、高額な諸経費がかかる。
4．自分の時間のほとんどをトレード業務に費やすことになり、儲けた利益で何かほかのことをすることができない。
5．ストレスの度合いは格段に高まる。

デイトレードの長所

1．一定額の資金で、より多くの商品をトレードすることができる。
2．ポジショントレーダーよりもトレードの機会が多い。
3．十分に資格を持っていながら、トレード資金が非常に限られているという場合には、デイトレードならば、ずっと近い水準に損切りの逆指値注文を置いてトレードする機会がある。5分足チャートの一般的な価格レンジが、日足チャートの一般的な価格レンジよりも小さいのは当然だ。これは1番で指摘した利点の変化形といえる。

ポジショントレーダーの長所と短所の定義は、上述したデイトレードの長所と短所を反対にすればよいだけだ。

別の方法

今日のテクノロジーがあれば、伝統的な手法をミックスして膨大な利益を手にするという方法もある。方法は次のとおりだ。

資格のある情報ベンダーからディレイのイントラデイのデータを入手し、それをイントラデイの時間枠ベースでバーチャートにして表示できるようにしておく。30分足や60分足のチャートなどでいいが、それを使えば、翌日に実行するデイリーベースのトレードの決定をするのに役立てることができる。発想としては、仕事が終わって帰宅したあとの静かな夕暮れどき、イントラデイのチャートを分析する頭脳の冴えも柔軟性も増しているなかで決定を下すということだ。損切りの逆指値注文を設定したり、仕掛けの水準を決めたり、翌日のトレードを決定することができる。あなたの職場の環境やブローカーとの関係にもよるが、不測の事態に備えた注文を設定することすら可能かもしれない。そのメリットはかなりのものだ。最高級の仲介サービスを受ける必要も、フロア業務に精通する必要もなくなる。費用のかかるソフトウエアやオンライン情報、設備をそろえる必要もなくなる。ほかのことをしながら儲けることも可能だ。従来のポジショントレーダーよりも若干多くの商品をトレードできるうえに、トレードの機会は格段に増える。近い水準に損切りの逆指値注文を設定することもできる。トレードの機会に関しては徹底した分析が行われることになる。しかしなかでも最も重要なのは、デイトレーダーに比べて受けるストレスが少ないという点で、トレード特有の性質や一見予測不可能と見える相場におびえるよりはむしろ、トレード経験を積む機会を得ることができる。選択肢はそろった。さあ、ポジションを建てよう。

第2章

必要条件、基本原則、そして定義

CHAPTER2 PREREQUISITES, GROUND RULES & DEFINITIONS

必要条件

まずはこの本が基礎的なテクニカル分析の本ではないということを理解していただきたい。この本は、慎重でありながら非常に効果的であると私が判断したモジュール的で総合的なトレーディングアプローチを紹介したものである。私は常に、だれもが当然持っていると思っている知識を基準に話を始めることを心掛けているが、読者には、ある程度の有名なテクニカル分析指標に関する実用的な知識があると推定して話を進めたい。もしも移動平均線、ストキャスティックス、MACD（移動平均収束拡散法）、RSI（相対力指数）、一般的な相場・時間チャートの表示方法を理解していない場合は、この本を読み進む前に、**参考資料**の項目にリストアップしてある多くの本を参考にしていただきたい。

基本原則と定義

私のトレード方法論を理解してもらうことを期待する前に、私と読者の考えが同じであることを確実にする必要がある。つまり、ある特定の用語や概念が私たち双方にとって同じ意味を持っていなくてはならない。そのためにトレンド、方向性、動向などの用語については私が本書で定義した意味で用いられていることに注意してほしい。

トレンド

私が講義をするときに尋ねるお気に入りの質問がある。「S&P、債券、なんでも構わないが、現在のトレンドは？」という質問だ。返ってくる答えは常に、「上昇、下降、横ばい」のいずれかだ。「どの時間枠で」という質問はめったにしない。時間枠を限定せずに、「……の現在のトレンドは何か」と尋ねることは実は意味がない。

次に同一商品の4種類のチャートを用意した。トレンド指標としてDMA（ずらした移動平均線）を使い、これらのチャートに重ねてみよう。このDMAの期間と種類はここでは重要ではない。当面の問題は、私たちにとってのトレンドの定義である。終値がこのDMAを上回っている場合を上昇トレンド、下回っている場合を下降トレンドと定義すると、２月28日に関しては、同じ日の終値であるにもかかわらずさまざまなトレンドを確認することができる。Ｔボンド（米財務省債券）は、15分足チャートでは上昇トレンドだが、日足チャートでは下降トレンドであることが示されている。週足チャートではトレンドは下向きだが、月足チャートでは上向きだ。自分のトレード方法の決定要素のひとつとしてトレンドを活用しているにもかかわらず、自分の時間枠を知らないとすれば、まったく無謀である。

チャート2.1

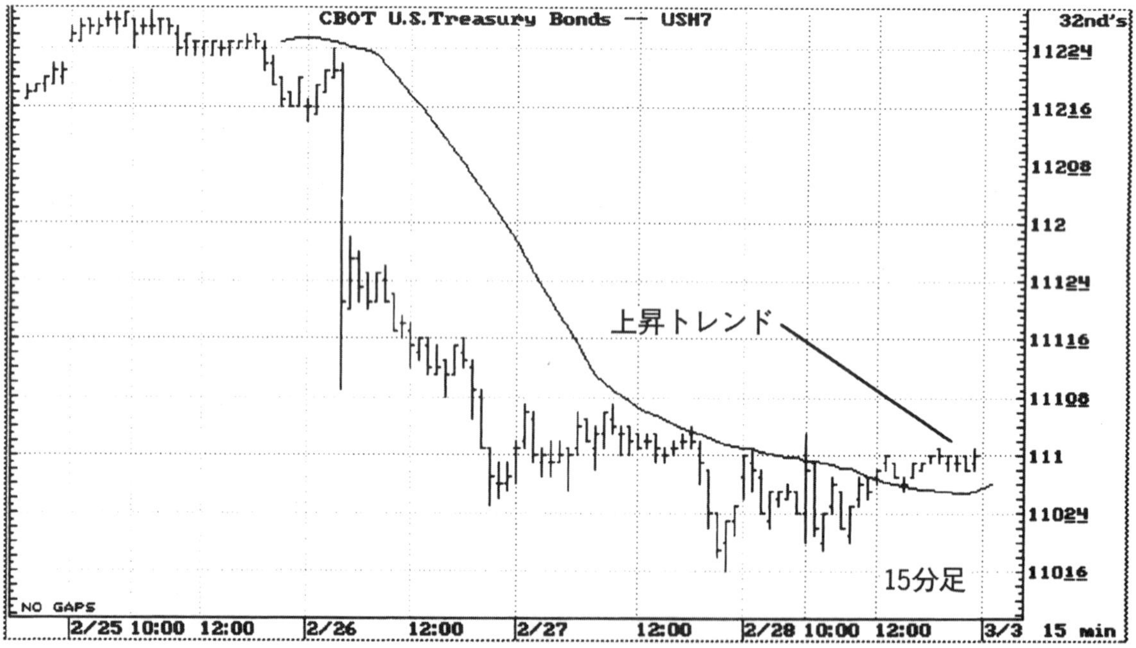

チャート2.2

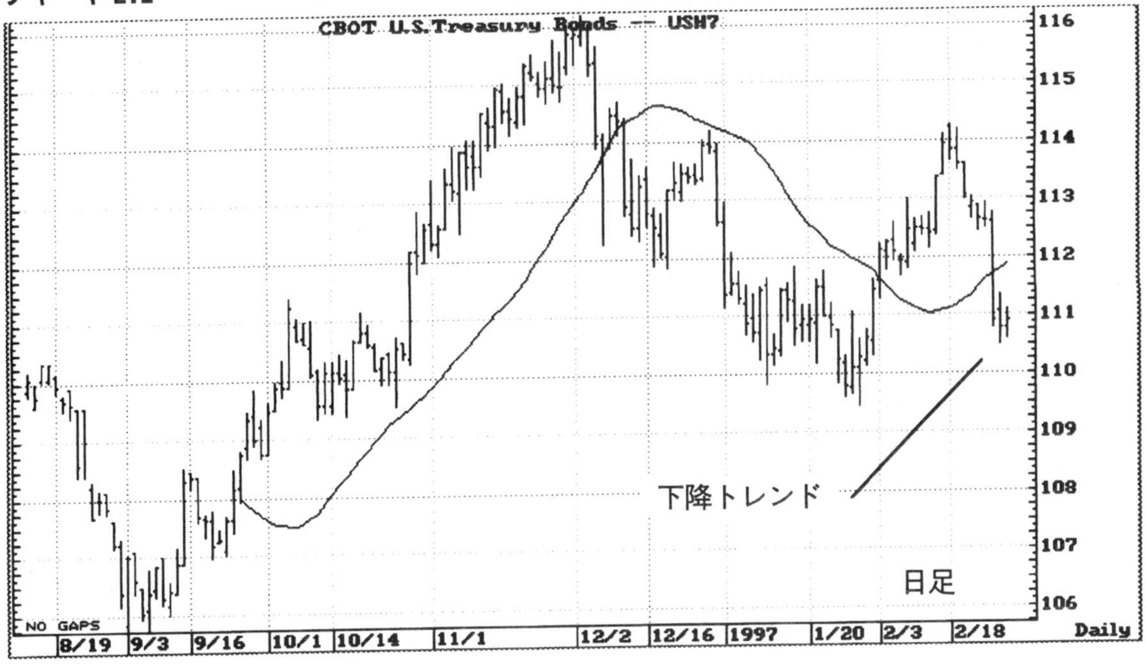

チャート2.3

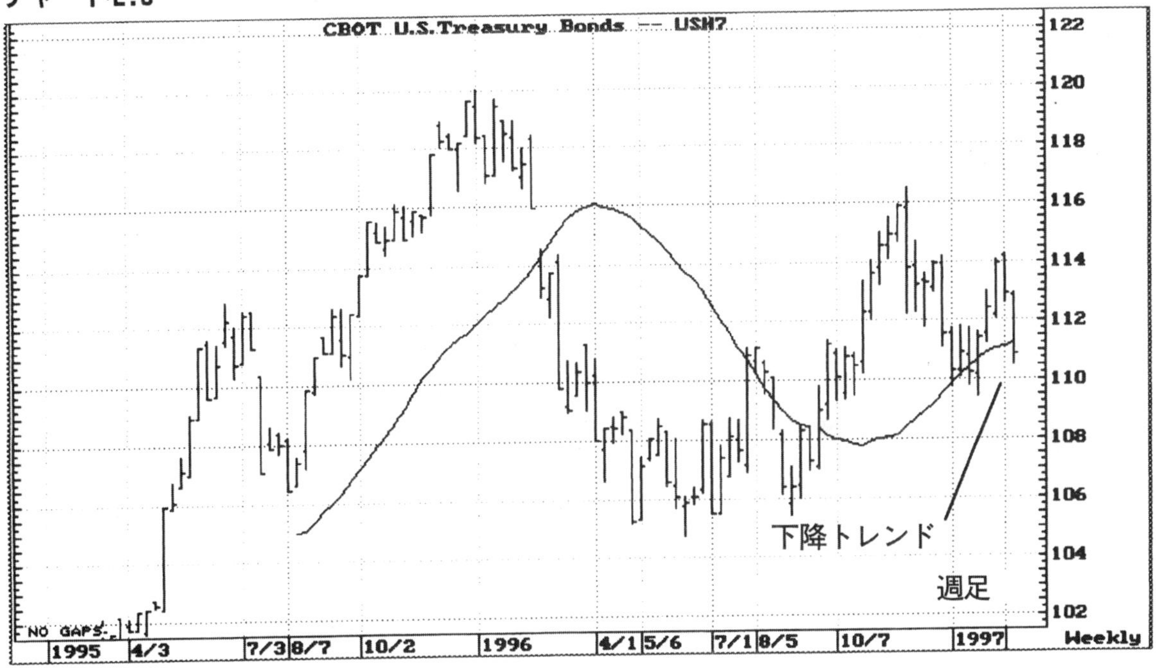

チャート2.4

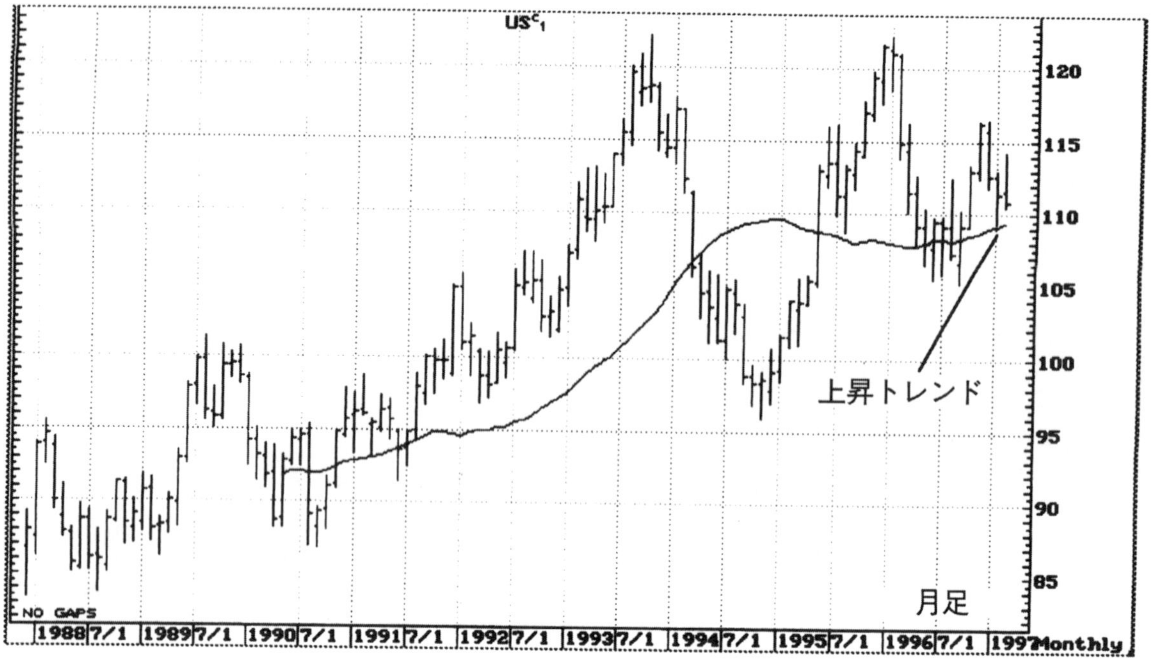

そのうえ、私が複数の指標や別の基準を使ってトレンドをあらかじめ定義する場合、チャートが主観的にどう見えようとも、所要の基準なしではそのトレンドを判定することは不可能だ。次ページの２つのチャートを見ていただきたい。これらは両方とも、上記にある月足チャートを、日足で表示したものだ。**チャート2.5**には私たちの所定のトレンド指標、DMAが書き込まれていない。**チャート2.5**のデータを見ただけでは、日足のトレンドは上向きだと安易に判断してしまうだろう。

ところが、私たちのトレンドの定義によれば（**チャート2.6**参照）、これは単に進行中の下降トレンド内での動きでしかない。もっと長期間のチャートを見れば、この場合のトレンドを正確に判断することができたはずだ、と思われるかもしれない。ひょっとするとできたかもしれない。では別のチャートではどうだろうか。トレードの真っ最中に突然、自信を喪失した場合はどうか。あなたの実行力はどうだろうか。

私が使っているのは２種類のトレンド指標で、それ以外は使わない。その２つとはDMAとMACD・ストキャスティックスのコンビネーションだ。それ以外では、トレンドについてコメントするつもりはない。

私の目的はあなたの思考を構築することにある。優れた裁量的トレード手法を作り出すためのひとつの鍵は、それをできるかぎり非裁量的なものに近づけることだ。

横ばいの相場は一般的に、保ち合いとかトレンドがないと言われる。私のトレンドの定義では、「保ち合い」という用語が使われる余地はほとんどない。日足のチャー

チャート2.5

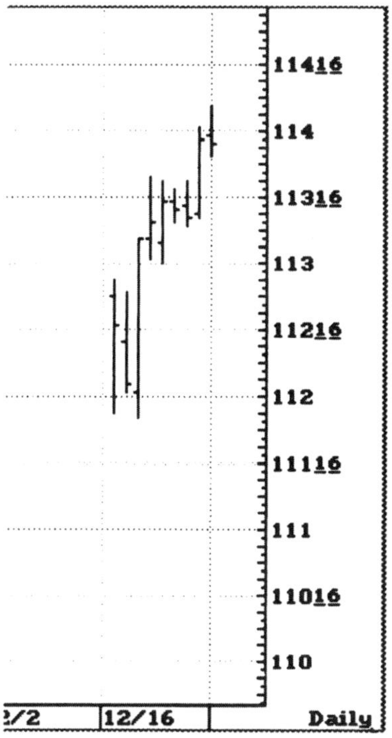

チャート2.6

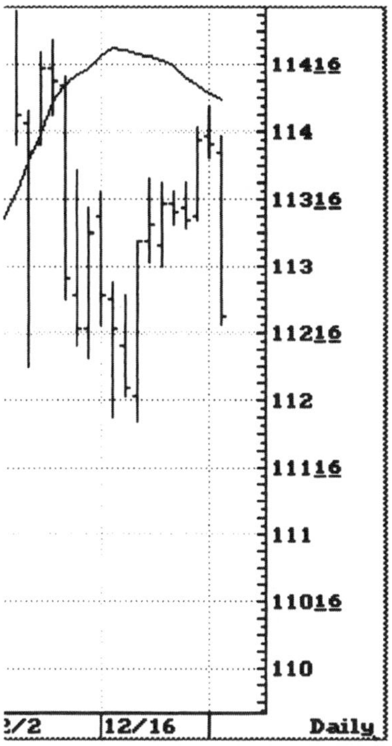

トで形成される保ち合いも、別の時間枠、例えばイントラデイのチャート上では明確なトレンドを形成している場合があるということを理解するのに、それまでの考え方を大きく変える必要はない。日足の**チャート2.7**を見ると、終値は描かれたトレンド指標の上下を往来していることが分かる。ところがイントラデイの**チャート2.8**で、縦の軸の価格レンジを拡大してみると、同じDMAを使っても明確なトレンドが現れるのである。相場に顕著な動きがみられないかぎり、私はトレードすることには興味がない。退屈な保ち合い相場は私の興味を引かないのである。時間枠を短縮してもトレンドが現れない場合、私はとにかく見送りに回る。この概念を理解できないという読者のために、「保ち合い」の定義を理解するのに役立つ別の方法を、あとの章で紹介することにする。

方向

方向とは、トレンドと同じく相場の動き、つまり上昇か下降かを定義する観念である。ただし、２つの重要かつ独特な意味で、トレンドとは異なる。まず第一に、方向はトレンドも征すのである。つまり、方向が上向きで、トレンドが下向きの場合、いずれ相場は上昇すると考えることができるということである。私たちはその原則に基づいて相場に対応することになる。第二に、方向を決定する基準はトレンドを決定す

チャート2.7

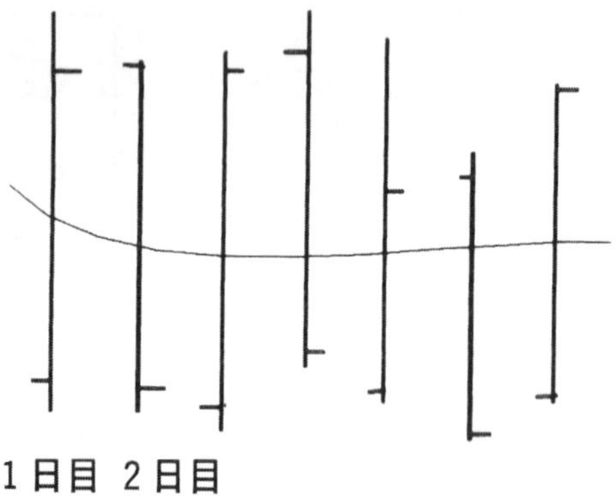

日足チャート上のDMA

チャート2.8

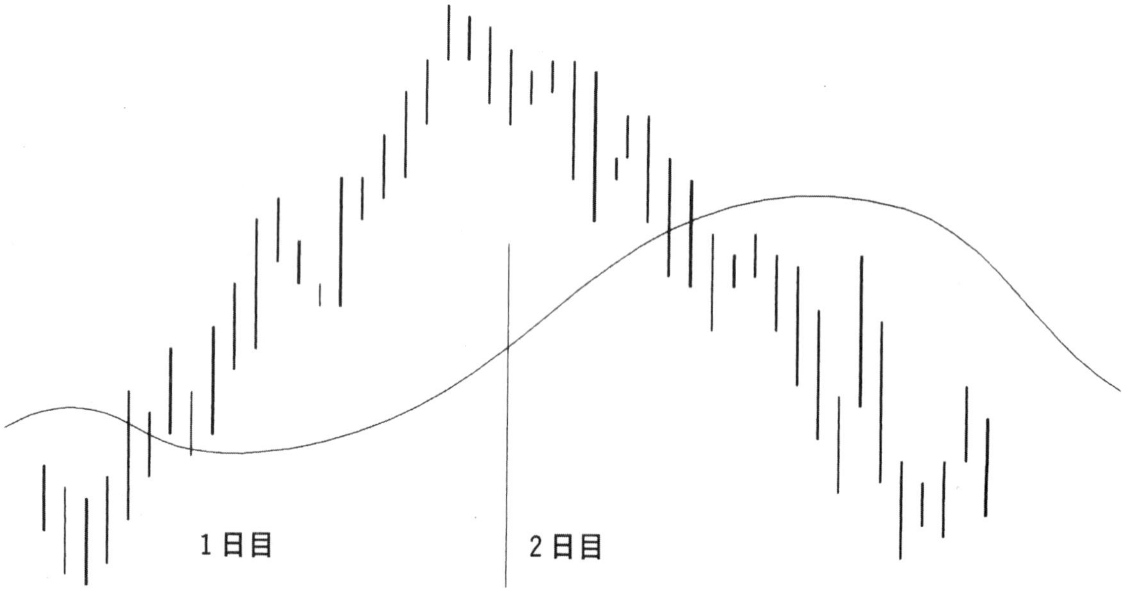

イントラデイチャート上のDMA

る基準とは異なる。用語の意味が混乱してきたと思われるので、ここでもう一度ポイントを押さえてみよう。この章を読む前、読者には方向という言葉が持つ意味が何かという概念があったはずだ。チャートを見て、この相場の方向はこう、あちらの相場の方向はこうと言うことができただろう。先入観を持って理解していた方向という言葉の意味を忘れていただきたい。それは、この本で展開される論議では、あなたの役に立たないためだ。

私が相場の方向について語るとき、それは具体的に定義され、その後の相場動向はかなりの確率で予測することが可能になるはずだ。

値動き

相場の値動きとは、方向とトレンドのいずれかか、両方を含む用語である。いずれかのトレンドが上昇しているから相場の値動きは上向きであるとか、ある方向性指標が下降を示しているために値動きは下向きなどと言うことができる。基準が不十分でトレンドや方向を明確に確定できない場合は、相場の値動きを断定することもできない。指標やパターンが直接的に相場の流れを明示することはない。トレンドと方向だけが相場の流れを示すことができる。

フェイラー

再定義する必要があると思われるもうひとつの用語は、私が使う「フェイラー（失敗)」という用語だ。市場がフェイラーを経験すると、具体的な特徴が明確になり、その後の相場の流れはかなりの確率で予想することができるはずだ。あなたがこれまで持っていたフェイラーという言葉に対する認識や定義は、この本では当てはまらない。フェイラーは方向性指標の種類なのである。

読者がいくつかの一般的な用語の意味を定義し直すことは、ここでは必要不可欠だ。なぜならば、トレーダーに対する講義を始めて10年がたつが、これらの概念を説明するためのより良い方法がほかに見つからないためだ。この概念を完全に理解してもらうには明確な表現が必要なのである。

トレンドはどうなっている？

ハイテンションのハンク　上昇です。明らかに上向きです。買いましょう。

勤勉なダン　待ってください。あなたはトレンドを判断する方法を説明しましたが、あなたが使っている指標のいずれもこのチャートには示されていません。

チャート2.9

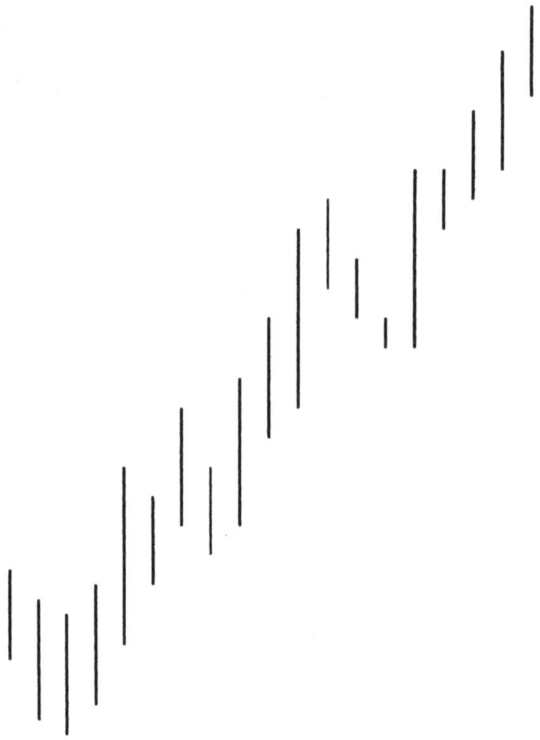

方向性はどうか？

ハイテンションのハンク　つまらないことを問題にしますね。

勤勉なダン　同じ理由で、分かりません。

相場の値動きはどうだろう。

ハイテンションのハンク　いい加減にして、この上昇相場を逃さないうちに買いましょう！

勤勉なダン　そうですね、相場の流れはトレンドや方向性に左右されますが、このチャートに関してはどちらの判断材料も与えられていないので、結局は断定できないということになると思います。ただ、確かに上昇のようには見えます。

先行指標

先行指標とは、相場がそこにたどり着く前に、どこに支持線や抵抗線が現れる可能性があるかを示すものだ。こうしたタイプの指標は、一般的な講義では取り上げられない。正しく活用されないことが明らかなためだ。利用できる先行指標のなかで、重要な価値のあるものはわずかしかない。私が卓越していると判断した２つの先行指標は、フィボナッチの押し・戻りと拡張分析（Fibonacci Retracement and Expan sion Analysis)、そして80年代初期に私が開拓したデトレンディッドオシレーター（Detrended Oscillator）から派生したオシレータープレディクター（Oscillator Predictor）である。あまり使い勝手が良くないと私が思った先行指標の例を挙げると、相場動向から直接導き出されたタイムサイクルがそうだ。しかし、ウォルト・ブレッサート氏やピーター・エリアデス氏など、なかにはこの指標を使って素晴らしい業績を上げた人物もいる。少しは利便性があると思われる先行指標は、フィボナッチ数列を基本とする天文学的（占星術的ではない）データとある特定の時間予想だ。もちろん、これらの指標は具体的な支持価格を予測することはできないが、むしろ、価格の水準には関係なく、支持線が現れる時期を予測するという特徴がある。

遅行指標

遅行指標は、それが変化を示すためには相場のアクションを必要とする指標である。これは支持線や抵抗線を予測するというよりも、それらを確認する指標となる。要するに相場に遅行するのである。

遅行指標の例を挙げると、DMA、標準的な移動平均線、ストキャスティックス、RSI（相対力指数）、トレンドラインなどがある。論点が混乱する恐れがあるかもしれないが、前述した指標のいくつかは一致指標ということもできる。言い換えるとそれらの指標は、相場が動く前でも後でもなく、相場と同時に動くのである。一般的には先行指標のほうが遅行指標よりも良いと考えられていることを理解していただきたい。なぜなら先行指標は、何らかの措置を取るべきだという警告や予見を与えてくれるためだ。このことは、前日や15分前に何かすべきだったということをあとで知ることとは大違いだ。こうしたいくつかの遅行指標の提唱者やそれを教えている人は、その遅行指標のステータスを高めるために、それらを先行指標とか一致指標とみなすことに利点を見いだしているのかもしれない。私が考える真相は、先行指標と遅行指標の双方の最善の点を活用し、最大の成功を達成するために双方を合わせて使うべきだということだ。

この考え方をもう少し深く掘り下げてみよう。分かりやすいケースとしては、いったんトレンドラインが形成されると、それも先行指標になるのである。すなわち、それ以降は相場がその指標に接近すると、それがすべて潜在的な支持線とみなされる可能性があるのである。

チャート2.10

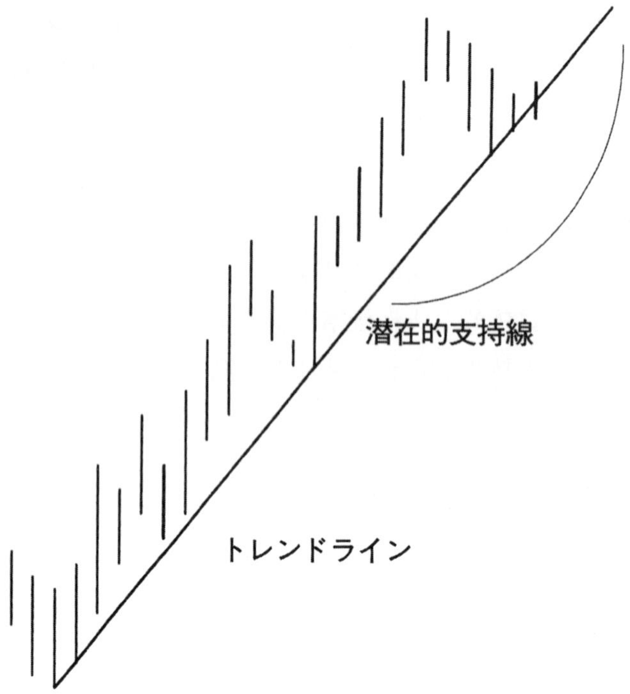

DMAによるトレンド内包機能についても、同様のことがいえる。

チャート2.11

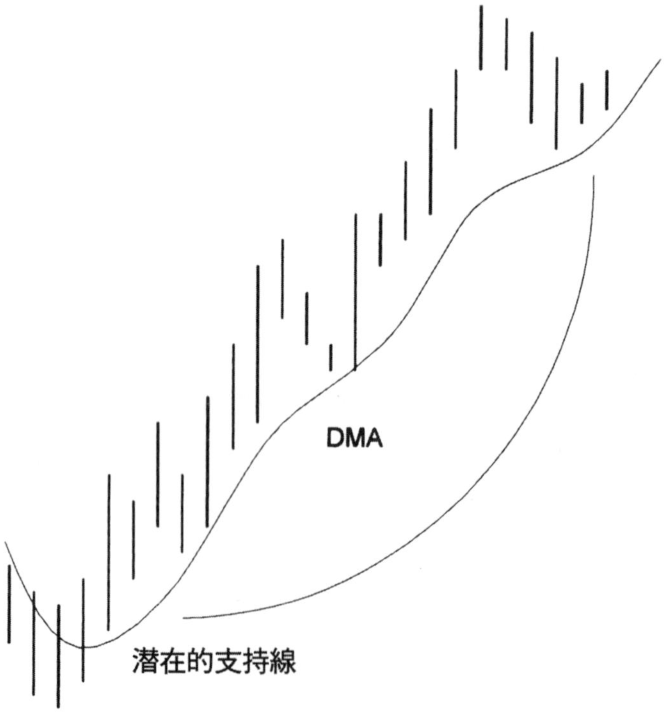

こうしたケースもあり得るだろう。しかし、例えばDMAの場合、この最高の遅行指標をなぜ並みの先行指標に変える必要があるだろうか。また、並みの遅行指標（トレンドライン）をなぜお粗末な先行指標に変える必要があるのか。われわれは、両方を最高の状態で活用できるのに。

先行指標、遅行指標、一致指標の問題については、知識が深まるほどに矛盾やその意味合いも深まるのだが、この本の目的は別のところにある。私たちはこれから、知的アプローチの基礎をもう十分だというくらい学ぶのである。この話題はここまでにしておこう。

論理的収益目標

論理的収益目標とは、相場がさらに先へ進むのに大きな抵抗がかかると考えられる価格帯、例えば自分の既存のポジションとは反対の大量の注文が設定されている価格水準を指す。この価格水準で、必ずしも自分のポジションを反転させる必要はなく、この水準に相場が達したからといって、相場の流れがここで止まるという保証もない。この価格水準は単に、相場の流れがそのまま継続される確率が大幅に低下するポイントなのである。フィボナッチの拡張分析では、相場がそこに達すれば論理的収益を獲得できるという価格水準を割り出すことができる。トレンドや方向性（相場の流れ）が変わらないかぎりは、それは実現される。力強く動いている相場では、通常はトレード可能なリトレイスメント（押し・戻り）のあとに、すべての収益目標が最終的に達成される可能性が高い。これらの価格水準を、必ず実現できる目標水準ととらえることは賢明でも有益でもない。

時間枠

トレードに活用できるチャートの時間枠は原則的に無限にあるわけだが、私は5分足、30分足、60分足、日足、週足、月足のチャートを使う。時には1分足や3分足のチャートを見ることもあるが、5分足以下の時間枠のチャートを使うということは、フロアトレーダーとの衝突が始まるということであり、わざわざトラブルを呼び寄せているようなものだ。前にも指摘したが、あなたがトレードする「世界」が短時間であればあるほど、ブローカーや清算会社のサービスに質の高さが要求される。30分足チャートを使ってトレードしているトレーダーを「出し抜く」（バカげた考えだ）ために私が7分足や19分足、25分足のチャートを使わない理由については、第5章（MACD・ストキャスティックスのコンビネーション）で説明する。

確認されたものと未確認のもの

すべての証拠が、ある特定のシグナルを示していた場合には、それは確認されたことになる。しかし最後の証拠を待っている場合、テクニカルなシグナルは未確認となる。確認されたシグナルの一例は、相場が特定の移動平均線を上回って引けたという場合だ。未確認シグナルの例は、引けよりも前に特定の移動平均線を上回った場合である。

間違い

もう経験済みと思うが、間違いは自分のトレード計画に従わず、変わった行為を行ったときにだけ起きる。しかし間違えたからといって必ず多額の損失を伴うとは限らない。実際は、間違いが多額の利益を生むということがときどきある。あなたのトレード計画の出来がいまひとつだったり、トレード計画の策定に慣れていない場合は、何が間違いかを明確にすることが難しくなる。経験を積んで初めてトレード計画が形になるのであり、間違いの意味を明確にすることが可能になる。大きな間違いや小さな間違いを犯したときにそれを知ることは重要なことだ。自分の犯した間違いの数と大きさは、自分の進歩の度合いや、まったく進歩していないかを判断する最善の方法なのである。

うまいトレード

だれでも１年間のなかで最も好成績を上げることのできる時期がある。それがゴルフだろうが、他人との交流だろうが、物事がうまくいっているときにそれを特定できるということが大切なのである。ゴルフの場合は、自分のスコアを見れば、どのくらい自分の調子が良いかを判断することができる。トレードの場合はこう簡単にはいかない。その日の損益を計算するだけでは、あまり多くは分からない。

あなたが自分のトレード計画に従っているときは、うまくトレードできているときだ。うまくトレードしていないトレーダーは、当然ながら間違いを犯す。自分のトレード計画に沿った是正措置をとらなければ、このゲームではけっして一貫した利益を得ることはない。自分が満足できる収益を達成できなければ、いつでもトレード計画を変更することは可能だが、トレードで成功しないようならば、撤退するべきだ！　グレープフルーツを売る、家を建てる、あるいは引退生活を継続することである。トレードに手を出してはいけない！

トレード計画

トレード計画とは、自分のトレードに適用される一連のルールである。裁量的トレード方法にあるような柔軟性を持たせた計画を策定することもできるし、あるいは非裁量的トレード方法にあるような絶対的な厳密性を持たせることも可能だ。裁量的方法でさえも、できるかぎり多くの厳密なルールが組み込まれていることが望ましい。そうすれば、自分がうまくトレードしているとき（間違いを犯していないとき）とそうでないときをほぼ確実に認識することができるだろう。

まとめ

これで基礎に必要な要素はそろった。第3章ではこの基礎を適所にしっかりと配置する。この本でこれからお教えする概念はすべて、この構成の枠内にぴったりと合うはずである。

第3章

成功するトレーディングアプローチの不可欠な要素

CHAPTER3 THE ESSENTIAL COMPONENTS OF A SUCCESSFUL TRADING APPROACH

私のトレード計画には以下の知識と行動が組み込まれている。

1．マネーマネジメントと自己管理
2．市場構造
3．トレンドと方向性の分析（遅行指標と一致指標）
4．買われ過ぎ・売られ過ぎの評価
5．仕掛けのテクニック（先行指標）
6．手仕舞いのテクニック（先行指標）

各項目を個別により詳しく検証し、この本ではどのように扱われているのかを見てみよう。

1．マネーマネジメントと自己管理

私はすでに第1章で、いくつかの重要な自己管理テクニックにそれとなく触れている。知るべきテクニックはほかにも多くある（ホームトレード講座『フィボナッチ、マネーマネジメント・アンド・トレンド・アナリシス』は、成功するトレーダーの性格的特徴を深く探求したものである。この講義はこの箇所だけで約3時間に及び、成功者の思考に関する各側面を検証している。資産運用テクニック、破産理論の理解、常軌を逸した行為などについては、さらなる時間をかけて完全にカバーされている。この講座では、収益が出ているときと損失が出ているときの証拠金の取り扱い方法が説明されている。また、楽観的期待や悲観的期待のかかるトレードに関する講義や自分が使っているトレード方法の特徴によって、自分のトレードをどう定義するかが説明されている。さらには、取引口座の開設方法やブローカーの選び方といった基本的な情報も一部には含まれている。これらの議題は詳しく記録され、徹底的にカバーされているために、ここでは繰り返さない。上記で示したしかるべきビデオテープとそれに伴うマニュアルの一部は、全講座から切り離して入手できるかもしれない。この

方法ならば、不必要と思われる教材を購入する必要はなくなる)。**参考資料**のページには、読者にとって有益だと考えられるほかのいくつかの情報源を記載した。市場心理に関する質の高い教材を探すことはおそらく、管理に関する質の高い実用的な教材を探すよりは簡単だろう。

成功するトレーダーの性格的特徴に関しては、私は上に掲げた**参考資料**に加えて、彼らは典型的に自信に満ちていて、自分の努力によって成功を収めており、自己防衛に陥らずに批判や損失に対処することができることを付け加えたい。嫉妬、ねたみ、感情的な不安が彼らの心に入り込む余地はない。なぜ私の友人はほぼ全員がトレーダーであるのか、なぜ私はトレーダーとかかわることがこうも好きなのか、ということに気づくのに長い時間がかかった。彼らが真の男性と女性だからだ。私にはこれ以上にぴったりな表現を見つけることができない。トレーダーは完璧でなくてはいけないと言っているのではない。私が言わんとしているのは、トレーダーとして要求されるものは、ほかの分野で要求されるものをはるかに凌ぐということだ。上記で述べた性格的特徴のどれかが大きく欠落しているのならば、まずはその欠点を克服すべきだろう。トレードのノウハウを学ぶのはそれからだ。

自己管理と巨額の資金について話す前に、あなたがトレード経験を積む一環として遭遇するであろう人々についてコメントしても構わないだろう。どんな分野にも泥棒や悪質な人間がいることはだれもが知っている。この種の人間はこの業界にも存在する。しかし正直に言うと、この業界に足を踏み込んで30年近くがたつが、私が遭遇したその種の人物は2人だけだ。ひとりはすでに起訴され、もうひとりもいずれ起訴されるだろう。フロアに存在する泥棒たちは、(フロアの)同僚によってまともな人間に変わる。物事をまっすぐしたいという意欲は道徳的観念から生まれるのではなく、実践で生まれるのである。市場に流入するお金は限られている。だれかひとりが常にその多くを無節操に得ていたとすると、ほかの人々はその人物を社会ののけ者とみなし、彼の存在を取り除く非常に効果的な方法を探すだろう。

2．市場の機能

ここで説明するのは、フロア、フロアで活躍する人たち、仕掛け(オーダーエントリー)、フロアの規則、実践的問題などで、……例えば、エックスドトレードだ(ジョー・ディナポリ著『エックスドトレード・オア・ホエアズ・マイ・フィル?[THE X'D TRADE or Where's My Fill?]』テクニカル・アナリシス・オブ・ストック・アンド・コモディティーズ誌1995年3月号88ページ)。

あなたが自動車の卸販売業者だとする。もしも保険会社、競売、デイーラー、入札のシステムなどを理解していなかったのならば、どれだけの利益を出すことができるだろうか。あなたが不動産業界にいるとして、融資のシステムやエスクローの手続きを理解していなかったのならば、一体どれほどの収益を得ることができるだろうか。

フロアの知識が何もないというのに、1日に六度もフロアを使って儲けようとしているトレーダーによく出会う。目を覚ませ！　現実に目覚めろ！　生計を立てるためのビジネスの裏側にある構造を知ることだ。

プライベートレッスンでは、私はピットの知識の重要性を強調する。生徒には最低でも6時間はS&Pのフロアに立ってみるよう教えている。彼らには、足が痛くなることを実感してほしいし、フロアトレーダーにつばを飛ばされたり、踏まれたり、時には喧嘩に巻き込まれることすらあるということを、その目で見てほしい。また、利益の乗ったスリーティックトレードを利食うことのできなかったローカルズの失望感を感じてほしい。生徒には、実際に「トレードで失敗する」ことのフラストレーションを確かめてほしいのである。トレードとは過酷なリスクマネジメントのビジネスだ。リスクに気づかずにそのリスクをマネジメントすることなどできるわけがない。経験なしで誤解をなくすことも不可能だ。フロアトレーダーはあなたの同業者である。彼らを敵に回せば、自分を窮地に追い込むことになる。

では、あなたがデイトレーダーでない場合はどうか。それは結構なことだ。必要なピットに関する知識は、デイトレーダーとは比較にならないほど少なくてすむ。しかし、トレードで生計を立てようと考えている参加者の90％以上を知る必要がある。実益のない行動を助長するような誤解を払拭しなくてはならない。

これは私にとってホットなテーマである。私が1988年に自習トレーディング講座でフィボナッチ、資産運用、トレンド分析を設計したとき、未来のトレーダーにトレード業務に必要なすべてのものを与えたと思った。自分のさまざまな経験を織り交ぜることで、私はこの問題に精力的に取り組んだのだが、2日間のセミナーでできることは限られていた。なすべきことはもっとたくさんあると気づいた今、いつかこの作業の穴を埋めるということが私の目標だ。こうした作業に手を貸してほしいと思っている人々は特定済みだが、今のところ、このプロジェクトに関して彼らを説得するには至っていない。この本を読み進めていただければ、フロア構造のさまざまな側面に関する建設的かつ適切な言及を漸次していくつもりだ。しかし、私は読者に対して、フロア内外の経験豊かなトレーダーを探し、彼らと友好関係を結ぶことを、自分の職務とすることを強く提唱する。彼らの信頼を得ることができれば、彼らはフロア構造について率直に話をするであろうし、あなたのトレーダーとしての職業における努力は報われるだろう。

上記の1と2の項目に関するほかの情報源の参考資料を紹介したことについて、読者が必要以上に失望していないことを望む。**参考文献**の一覧と**参考資料**のページを必ず確認してほしい。残りのトレード戦略は、以降の章で完全かつ明確に取り上げられている。

3．トレンドと方向の分析

第４章、第５章、第６章。

4．買われ過ぎ・売られ過ぎの評価

第７章。

5．仕掛けのテクニック（先行指標）

第８章、第９章、第10章、第11章、第13章。

6．手仕舞いのテクニック（先行指標）

第７章、第８章、第９章、第10章、第11章。

重要点

私のトレード計画の正式な項目ではないが、読者がトレード評価額の総括表を記入することを強くお勧めしたい。これは書面化した評価額もしくは自己評価の「日記」で構成されるもので、これを行うことで、大局観を得ることができ、またうまくトレードするということの概念を再確認することができるのである。

残りの章は、さまざまな具体例を使って、私のトレード計画の実践について説明していく。

第2部
コンテクスト
SECTION2　CONTEXT

私は飛行機に乗るとき、機長は髪に白いものが混じっている年代のほうがよいと思っている。それを見て私は安心し、シートに座って最初の飲み物を笑顔で楽しむことができるのだ。その機長には相当な経験があり、ヒヤッとするような場面にも何度かは遭遇していることだろうと想定できるためだ。トレードも同じことだ。私たちのなかにもいるような自尊心の強いトレーダーはグレシアン・フォーミュラ（髪色回復ためのリキッド類）をこっそり使用しているかもしれないが、積み重ねた経験はにじみ出るものである。先物をトレードするということは、ダイナマイトを使ってジャグラー（曲芸のお手玉）をするようなものだ。もちろんトレーダーがこの本で教えられたコンセプトを活用して自分の輝かしい才能を花開かせることは可能であるものの、この本の目的はむしろ、トレーダーが利益を出してサバイバルすることにある。この業界では長生きすることは、成功者のあかしとなるのだから。

自分のトレード状況をコンテクストまで確認することで、自分の現在のリスク・リワードの基準が分かる。ある特定のトレードに参加したいのかどうか、それとも常にすぐにやってくる次のチャンスを待ちたいのかが、事前に分かる。覚えておいてほしい。

資産を失うより、チャンスを失うほうがよい！

第４章

トレンド分析——DMA（ずらした移動平均線）

CHAPTER4 TREND ANALYSIS——DISPLACED MOVING AVERAGE

概説

トレンドを描く手法には、バラエティに富んだ数多くの種類がある。トレンドラインと移動平均線は、最も一般的に活用される手法のひとつだ。ほかにも、DMA（ずらした移動平均線）、移動平均バンド、標準偏差バンド、MACD、RSI、ストキャスティックスなどがある。「トレンド」を確定する方法は、トレーダーの数だけあると言っても過言ではない。私の優秀な生徒のひとり（エド・ムーア）は、「トレンド」を決めるのにフィボナッチの手法を使う。しかし経験の浅いトレーダーがこれを活用すると、質の高い先行指標を役立たずの遅行指標に変えてしまう恐れがある。エド・ムーアの場合はトレンドを描くのに十分な経験を持っており、この変換を有効活用することができる。もうひとりの旧知のベテラントレーダーは、単純に相場が始値を上回っているか、下回っているかだけを見て、上昇トレンドか下降トレンドかを決める。私はこの方法の単純明快な点を気に入ってはいるが、この方法は何の価値も伴わないように感じられる。

私がトレンドを描くのに使うのは２種類の特定の手法で、この２つ以外は使わない。

１．DMA
２．MACD・ストキャスティックスのコンビネーション

この章ではDMA（ずらした移動平均線）についてのみ説明することにする。MACD・ストキャスティックスのコンビネーションについては第５章で取り上げたい。相場の流れ（上昇か下降か）を判断するための、もっとエキゾチックな方法については、第６章の方向性指標（ディレクショナルインディケーター）に含まれている。

第２章で定義した「トレンド」の用語を完全に理解していない場合は、もう一度、第２章を読んでいただきたい。私がDMA（ずらした移動平均線）を選んだ経緯に興味があるというのであれば、第１章を参照していただきたい。

DMA（ずらした移動平均線）

移動平均線の時間軸を将来の方向にずらすと、トレーダーにはいくつかの重要な利点が提示される。

1．これによって、トレンドや価格がN期間早く分かる。事前にこのポイントを知っていれば、トレード戦略を計画するときに役立つ。
2．移動平均線を計算するための「適切な」期間と「適切な」ずれの期間を使用することで、DMAは数値のちゃぶつきをならし、トレーダーらにとって極めて有益な形式で相場の変動を覆う、つまり包含する傾向を示す。
3．一定のDMAは相場のパターンを特定するのに極めて有効である。このことについては、第6章の方向性指標で言及している。

適切な期間と移行期間を選定する研究に何年も費やした結果、私は3種類のDMAに到達した。それらは次の3つである。
――3期間の終値を使った単純移動平均線で、将来の方向に3期間ずらす。
――7期間の終値を使った単純移動平均線で、将来の方向に5期間ずらす。
――25期間の終値を使った単純移動平均線で、将来の方向に5期間ずらす。

これらは以降、以下のように略して表示する。
――3×3
――7×5
――25×5

私が使うチャートの期間は日足、週足、月足である。四半期足や年足でも同じように機能するが、これらの長期の時間枠チャートを私が使うことはあまりない。
私は11年以上にわたりDMAの活用法を教え、DMAに関する何百もの質問に答えてきた。何度も聞かれる質問がいくつかあるので、それらの質問をここでおさらいすることは、読者の役に立つのではないだろうか。

よくある質問

「時間軸を将来の方向にずらす」とはどういう意味か、またそれがどのようにちゃぶつきの軽減につながるのか。

今日計算した既定の移動平均線をチャート上の今日の位置に描くのではなく、同一の移動平均線を将来の日付に先送り、つまり「ずらして」描くということである。ずらしは時間軸に沿ったもので、価格軸ではない。視覚的に覚えたいという人のために、下記のチャートに記した矢印は、同一の移動平均線を単純に将来にずらしたことを示している。すべての計算はまったく同一のままである。数学者タイプの読者は、計算方法と個別の数値データがどこに置かれたかを示す表を記した**付録A**を参照されたい。

チャート4.1

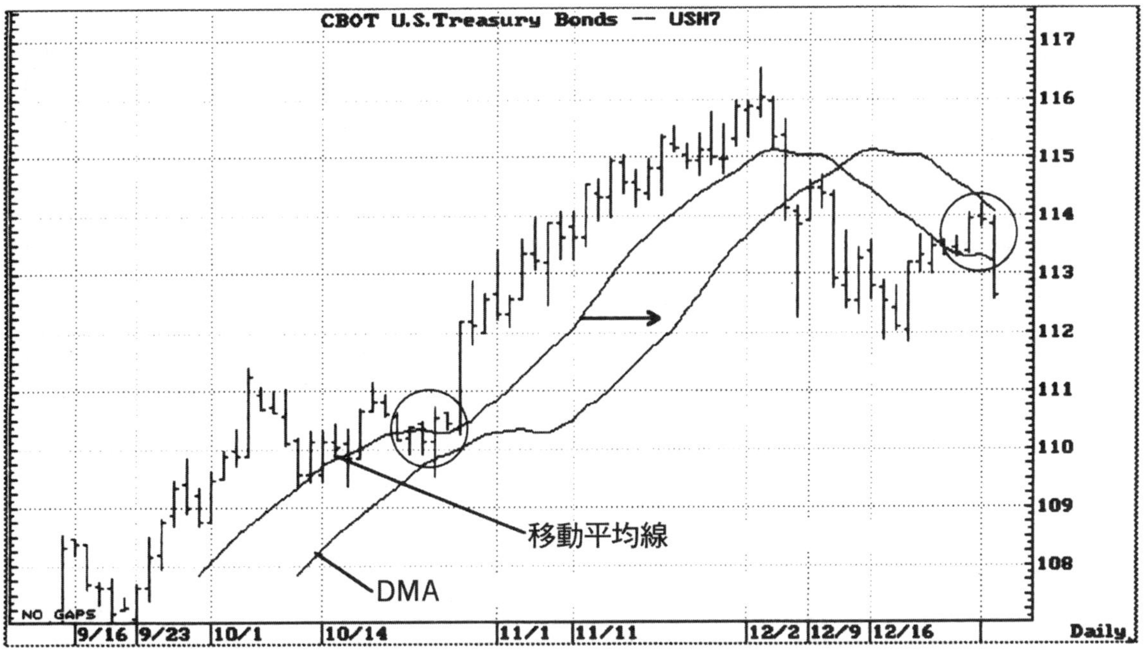

チャート4.2A

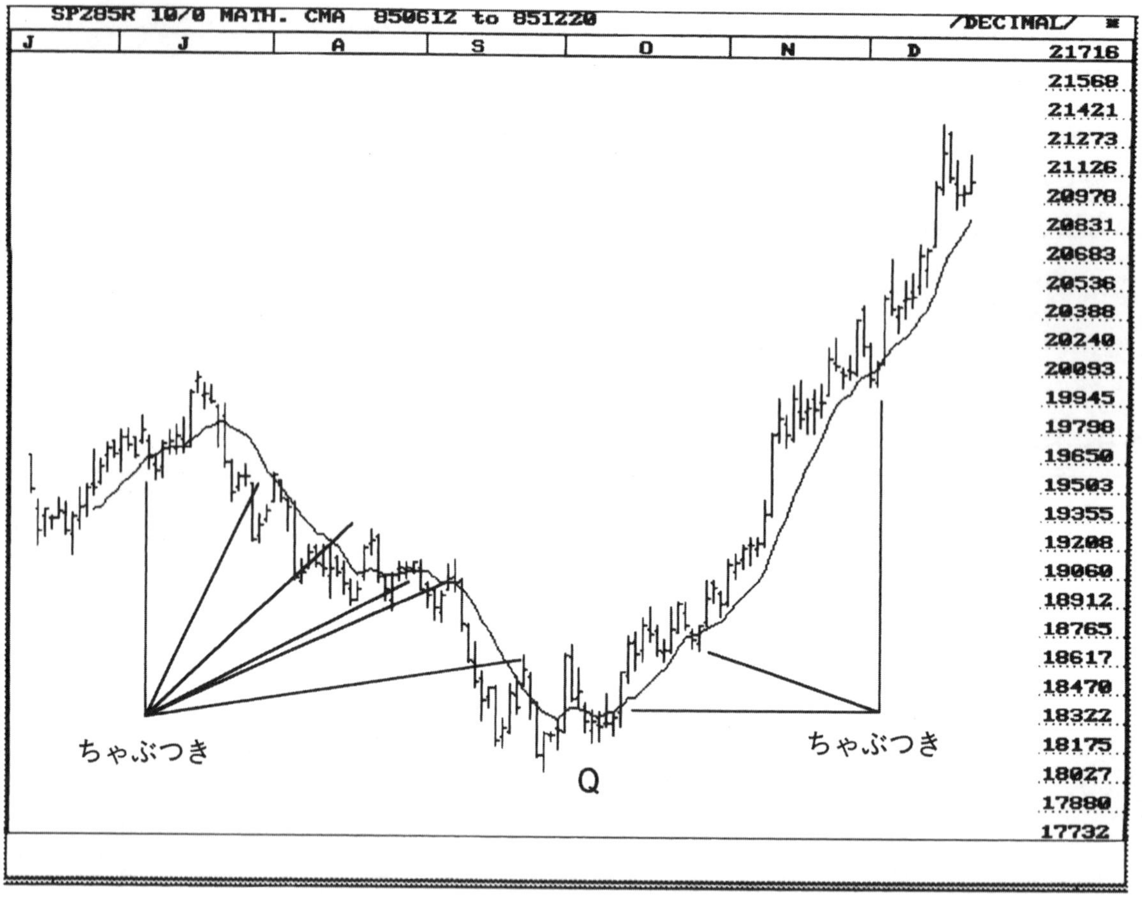

チャート4.2Aは、数学的に加重した移動平均線を示したもので（すなわち、異なる期間には種々の「加重」が加えられる）、ずらしなしで描かれたものである。つまり、このチャートは標準的な加重移動平均線を示したものだ。期間や加重の比率は、ここでの議論では重要ではない。

チャート4.2Bは、同一の移動平均線を５日間将来にずらしたチャートである。移行期間は２日、３日、10日やマイナス10日でも構わないし、期間は週でも月でもよい。まるで移動平均線だけを写し取った（相場のバーチャートはない）トレーシングペーパーを用意し、それを横軸に沿って左右に好きな期間だけスライドさせたようにみえる。

それでは、基本的な移動平均線のクロスオーバーを想定してみよう。非裁量的な要素で、常に市場システムにあり、移動平均線を上回っていれば引けで買い、移動平均線を下回っていれば引けで売るというポイントである。ずらせた移動平均線に対して、標準的な移動平均線のほうがちゃぶつきの生じる回数が多いことは、簡単に見て取れ

チャート4.2B

るだろう。

標準的な移動平均線を使って非裁量的システムを構築しようと計画している読者のために、この移動平均線の変化形を使って、より良い成果が得られるかどうかを試していただきたい。

より高度なコメント

このビジネスでの多くの見方と一致するが、留意するべき、明白で抜け目のない優位点が存在する。ちゃぶつきの回数が少ないほど、当然あなたの資産は多くなる。しかし、ゲームをプレーし続けるという実生活での要因はそれほど明確ではない。**チャート4.2A**に記したQ（静穏）に達するころまでには、ほとんどのトレーダーがタオルを投げ、システム開発に戻ってしまうことだろう。ポイントQは、**チャート4.2B**ではマネーのMに置き換えられている。ここがマネーが生じる点だからである。現実世界の真実とは、**チャート4.2B**を使ってトレードするトレーダーのほうがポイント

チャート4.3A

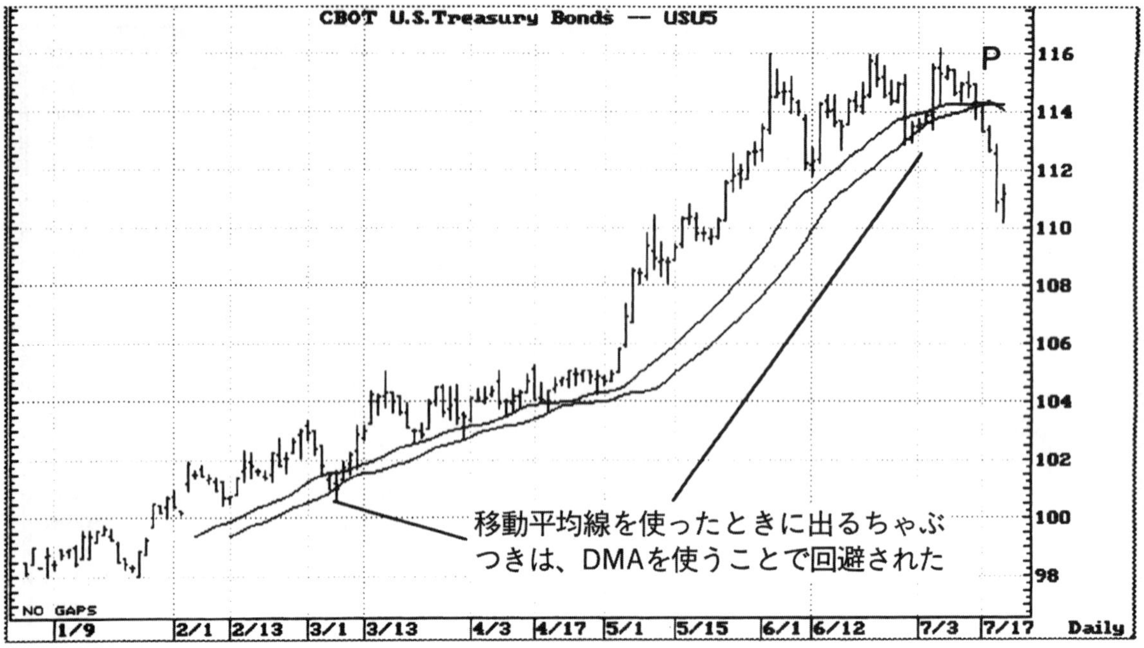

Mに到達し、そこから生じ始める膨大な収益を得られる可能性がずっと高いのである！

チャート4.3Aに示されているように、ちゃぶつきの回数がそれほど頻繁でなくとも、平均的なトレーダーならば、再び仕掛けたくないという気持ちにさせられる展開である。しかし3月に発生したちゃぶつきが原因で市場から撤退したとすると、その後にどれだけの利益を逃してしまったのかがお分かりだろうか。

ではもっと長期の期間の移動平均線を使った場合、ちゃぶつきを回避してポジションを維持するという同様の機能は生まれないのだろうか。

これもうまくはいかない。もっと長期の移動平均線の場合、ちゃぶつきの回数は減少する可能性が高いものの、ほかの特性も同様に変化してしまう。**チャート4.3A**を見てもらいたい。最終的に相場が急落するときには、DMAと標準的な移動平均線がお互いに非常に接近していることが分かる。ポイントPに達するまでは、どちらの移動平均線を使っても収益額に差は出ない。

チャート4.3B

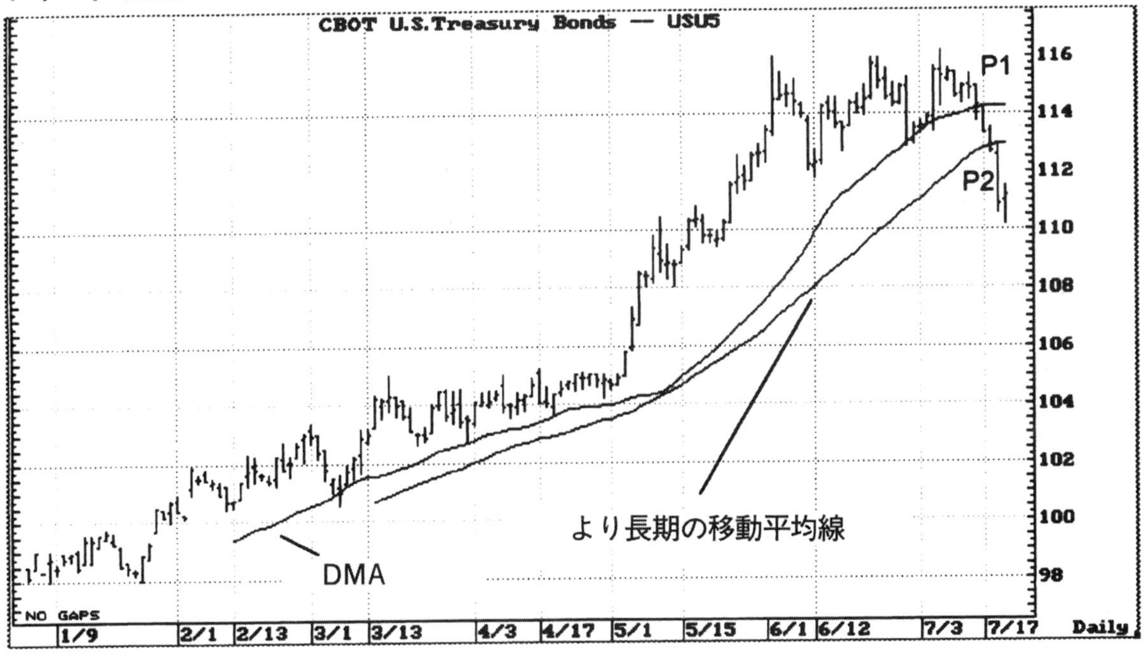

しかし**チャート4.3B**では収益格差はまったく異なっている。ここではより長期間の標準的な移動平均線を示している。実際の相場の動きからは、かなり下に離れた位置となっている。このため、非裁量的システムであれば、移動平均線が終値をクロスしたかどうかを基準に利食いのシグナルを判断することから、利食いまでにかかる期間は、より短期のDMA（P1）よりも、より長期間の移動平均線のほうがずっと長くなる可能性が高い（P2）。

これでどのようにトレードするのか。

トレードをするにはまだ早すぎる。特定の市場でトレードをするのは、この本を最後まで読んで、トレードに必要なすべての観点を説明してからだ。このページの例題は、読者が当該箇所を理解できるように用意したものだ。

時間軸でN期間将来に価格をずらすポイントを知る、とはどういう意味か。

期間Nは移動平均線をずらす期間の数値を指す。例えば日足のチャートであれば、３×３は平均線を３日分将来にずらすということである。それによって今日のDMAの数値を、２日目、または３日早く知ることができる。つまり、これはトレンドを形成する価格となる。ずらしがない（N＝0）場合は、今日の移動平均価格は、今日の相場が引けるまで分からないのである。移動平均線を算出するには、その日の終値が必要だからだ。

何年も前には、トレーダーらは移動平均価格を計算するのに終値ではなく始値を使っていた。その方法ならば、相場が引ける前に今日の移動平均線が分かるからだった。1986年と1987年に私がシリーズで行ったDMAの優位性に関する最初のセミナーは、この習慣を消滅させるのに役に立ったと確信している。

指数移動平均線や加重移動平均線、あるいは「後ろにずらしたマックスウェルの渦巻き型」移動平均線はどうか。これらはもっとうまく機能するのか。あなたが使うDMAはすべての市場に有効なのか。

自分でも自由に試してみてほしい。私は２年半の年月を費やし、8088チップのCPMベースのコンピューターを使ってそれらを機械的に作り出した結果、上記のDMAにたどりついた。何千種類ものチャートを、あらゆる市場、あらゆる状況に当てはめて検証した。私が考えうるすべての移動平均線を試し、プログラミングを行った。そのころ、私が知っている市販のソフトでDMAを作成できるものはなかった。この課題をクリアするために、私は移動平均線をずらすことのできるグラフィックプログラムを開発する必要があった。その結果、ジョージ・ダマシスによるプログラムのCISトレーディングパッケージ（CIS TRADING PACKAGE）が初めて具体化した。私の調査結果によれば、より複雑なDMAに単純なDMAを超える長所はない。したがって、物事はすべてできるだけシンプルにという私の最初の方針に沿って、単純なDMAに執着しているのである。

また、多くのコンピューターおたくや知的タイプの人々の間でよく行われる最適化プロセスを、私が行わなかったということを理解しておくと便利だ。その代わり、ベテラントレーダーとして、自分が感情的かつ合理的に、利益が出ると受け入れられるものを収益を見込めるものを見極めるために、膨大な数のさまざまな相場を徹底的に検証した。今ならばもっと良い成果を出すことができただろうか。そんなことはないだろう。数値の処理能力が高まったとしても、そのほうが必ずしも良いとは限らない。それに今の私に、それだけの仕事をやり遂げる精神力があるとは思えない。例えば自分のトレンド分析テクニックのこのひとつの要素だけを５％向上させたとしても、結果に大きな違いは出るだろうか。おそらく出ないだろう。これからお分かりになるだろうが、トレンド分析はあとに説明する強力な複数のテクニックを通じて、行動に移される。壊れていないなら直すな、という古い格言を思い出していただきたい。この点について私を誤解しないでほしい。研究することは素晴らしいことだ。研究からは多くを学ぶことができる。読者にその気があるならば、私の研究をより良いものにしていただきたい。しかしその場合は、自分の研究結果をすべての商品で検証することをお勧めする。ここで使われているDMAの数値と計算方法は、（海外市場を含めて）世界的に適用できると同時に、時間の経過による検証にも耐えうるものである。

チャート4.4は、英国の長期国債（ギルト債）の日足チャートを圧縮したものに、25×０と25×５のDMAを書き込んだものである。このチャートには、相場がトレンドを形成している時期と保ち合いの時期の双方が示されている。矢印が指しているのは、25×５がトレンドを包含しており、25×０では包含できなかった箇所である。

イントラデイのチャートにはDMAを使わないということだが、なぜ使わないのか。DMAが機能しないためなのか。

非常によく機能するが、もっと有効と（自分で）判断しているテクニックがあるからだ。それはMACD・ストキャスティックスのコンビネーションである。私の顧客の多くはイントラデイのチャートにDMAを使い、その有効性を絶賛している。もち

チャート4.4

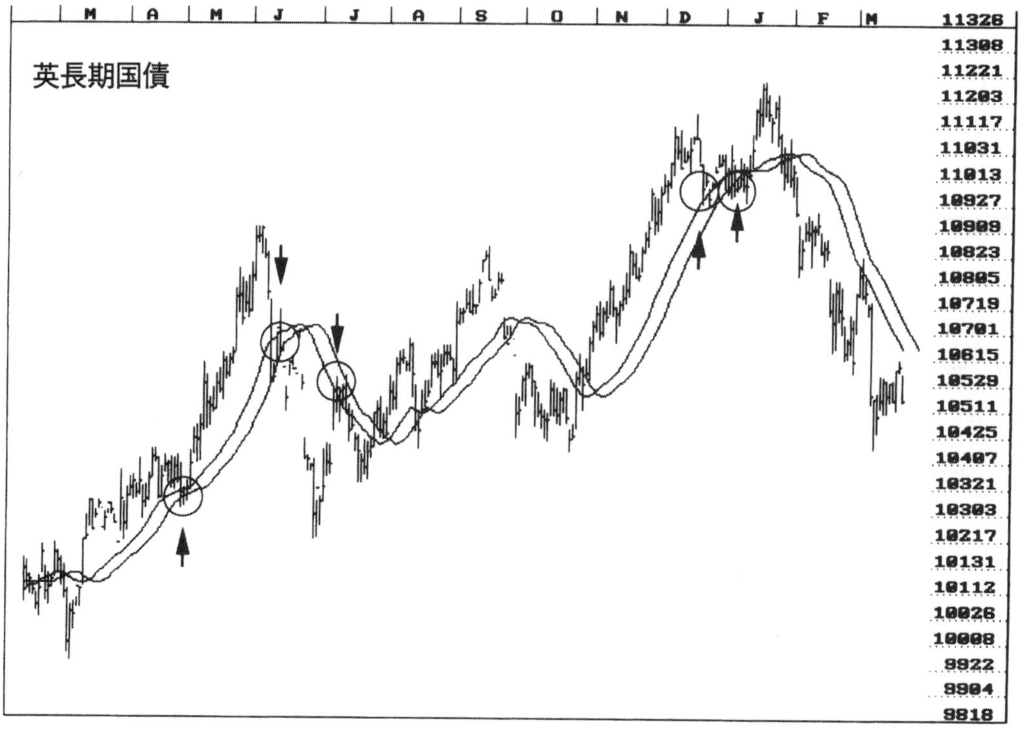

チャート4.5

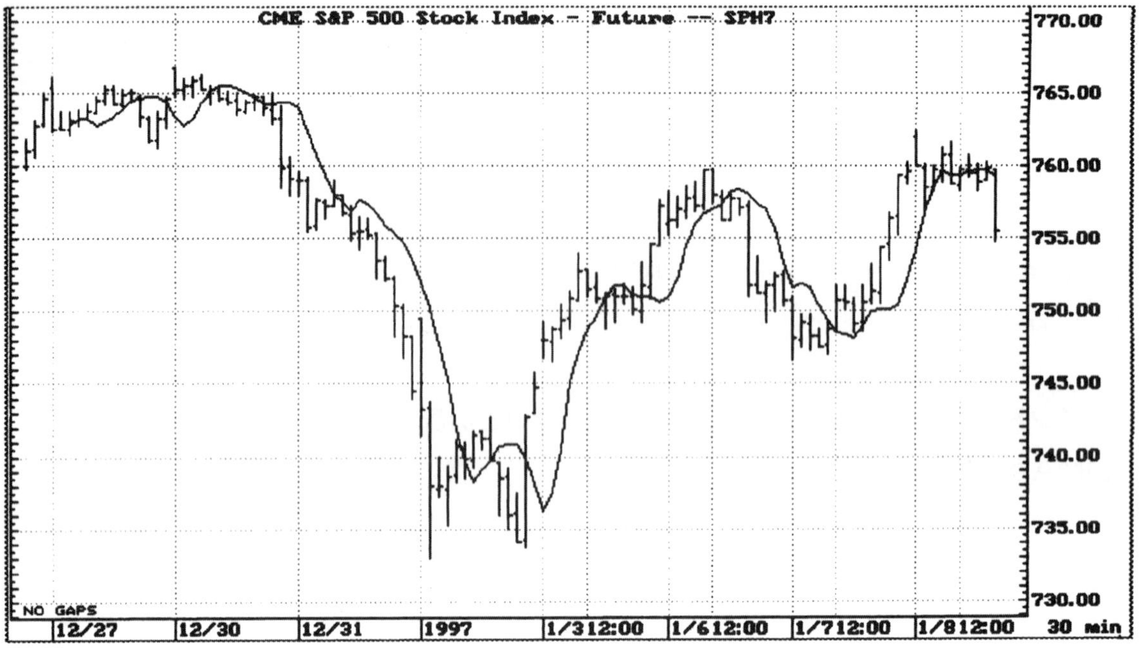

ろん読者も自由に試していただきたい。DMAは、MACD・ストキャスティックスのコンビネーションよりも簡単に使える。

チャート4.5は、S&Pの30分足イントラデイチャートで、スラスト（急上昇）の変動を３×３のDMAが非常によく包含していることが見てとれる。

それでは、どうやって「トレンド」を定義するのか。

答えは単純である。あなたが選んだDMAを終値が上回っていたら、トレンドは上向き。終値がこれを下回っていたら、トレンドは下向きである。裁量を入れずに仕掛けや手仕舞いするためにDMAを使うとき、特に長期間の25×５のDMAの場合などは、終値に１～２ティックの余裕を持たせて行動を起こすことをお勧めする。

その日のトレードの中盤で、その時点の相場がDMAを上回っているが、前日の終値時点ではDMAを下回っている場合はどうするか。

この場合は、確認済みトレンドが下向きで、未確認トレンドが上向きということになる。

DMAでは、なぜ3種類の組み合わせをを使っているのか。

3×3は短期用で、スラスト（急上昇）の市場に非常に有効である。
7×5はやや長期的なDMAで、株式の分析に有効だという人が多い。
25×5は私の長期DMAである。

終値が3×3を下回っているが、25×5を上回っている場合はどうするか。

この場合は、短期トレンドの下げが確認済みで、長期トレンドの上昇が確認済みということになる。

チャート4.6は、ドイツ国債（ブンズ）の日足チャートに2種類のDMAを描いたものである。

このチャートにどう対応して、どうトレードするかは、あなたがどの時間枠を使うトレーダーかによって左右される。1時間ベースのトレーダーならば、日足チャートの3×3に強く関心を持ち、25×5のほうは認識しているという程度になるだろう。週間ベースのトレーダーならば、日足チャートの25×5、あるいは週足チャートの3×3に注目するだろう。ここで注意することがある。もしあなたが週間ベースのトレーダーで、日足ベースの3×3から作成された方向性指標を認識しているならば、気づくはずである。詳しくは第6章で説明する。

「未確認」のシグナルに基づいて仕掛けてもよいか。

もちろんだ。私はよくそうしている。ただし、その期間の終値の時点で、仮定した方向を確認するべきで、確認できなかった場合には、そのトレードには「アディオス（スペイン語でさようなら）」したほうがいい。それをしない場合は、大きな間違いを犯したことになる。さらに間違いに関して言えば、絶対に、けっしてトレードの理由を変更してはいけない。何らかの基準に従って仕掛けたあとにその基準が否定されたときは、自分のポジションを正当化するための基準をほかに探してはいけない。そうしてしまうと、重大な間違いを犯すことになる。ポジションを手仕舞うこと。もしもほかの基準をトレードに適用するならば、その基準に従い、改めて仕掛けることだ。そして手数料は支払うこと。そのコストよりも、長期的な心理面を考慮するほうがより重要である。そのうえ、いったんトレードから身を引き、改めて見直してみると、再び仕掛けるための基準はそれほど説得力がないかもしれない。

チャート4.6

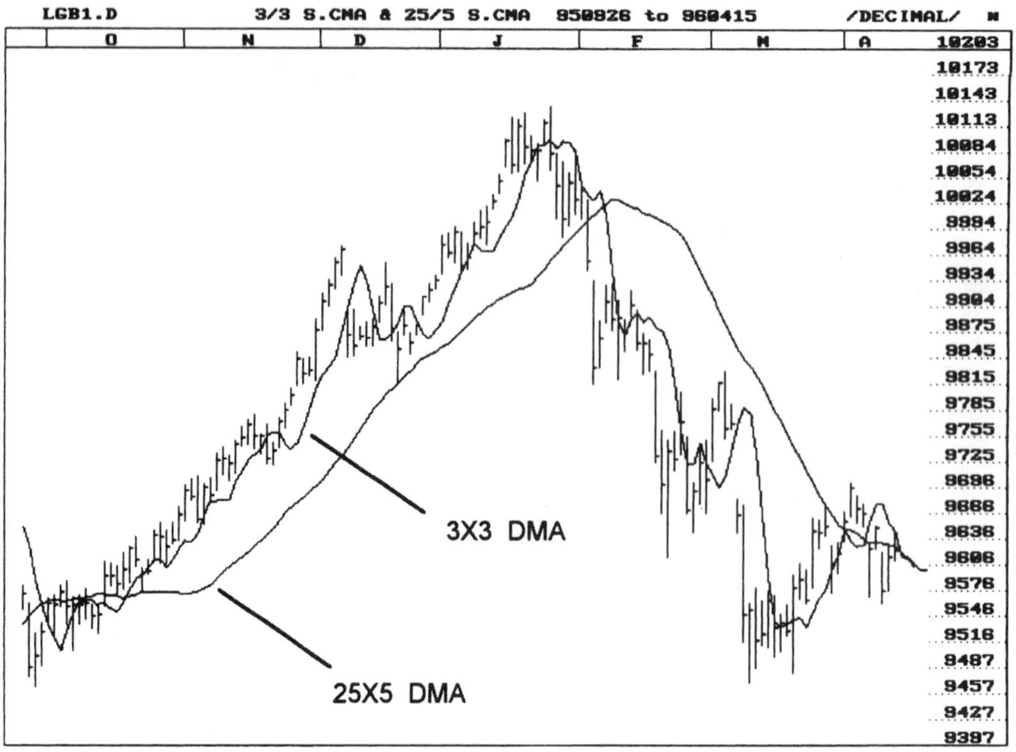

相場の値動きを覆うことにについて言及されたが、それは本当にちゃぶつきを最小限に抑えるということと同義なのか。

答えはイエスだ。トレーダーが誤用している最も多いテクニックのひとつは、損切りの逆指値注文をあまりにも早くきつめに置く（相場に接近させて設定する）ことだ。このやり方は望ましいように聞こえるが、そもそも大半のトレーダーは損切りの逆指値注文を設定するテクニックを持っておらず、ましてや損切りの逆指値注文の水準をきつめに置くタイミングも知らない。

次に示したカナダドルの日足チャートを参照していただきたい。

３月から５月初めにかけての相場は、３×３のDMAが示すとおり、基本的には強い上昇トレンドを描いている。したがって、おそらく60分足のチャートに現れるであろう押し目で買い、特定の目標価格で手仕舞うという強気のスタンスでトレードをすればよいということになる。押し目や手仕舞う目標価格はフィボナッチ数列によって決定されるが、これについてはあとで説明する。

相場が天井を打つと、相場は続落して３×３のDMAを下方に割り込む。３×３のDMAはその後の天井に向けての反発を包含、すなわち「覆う」ことになる。天井部

チャート4.7

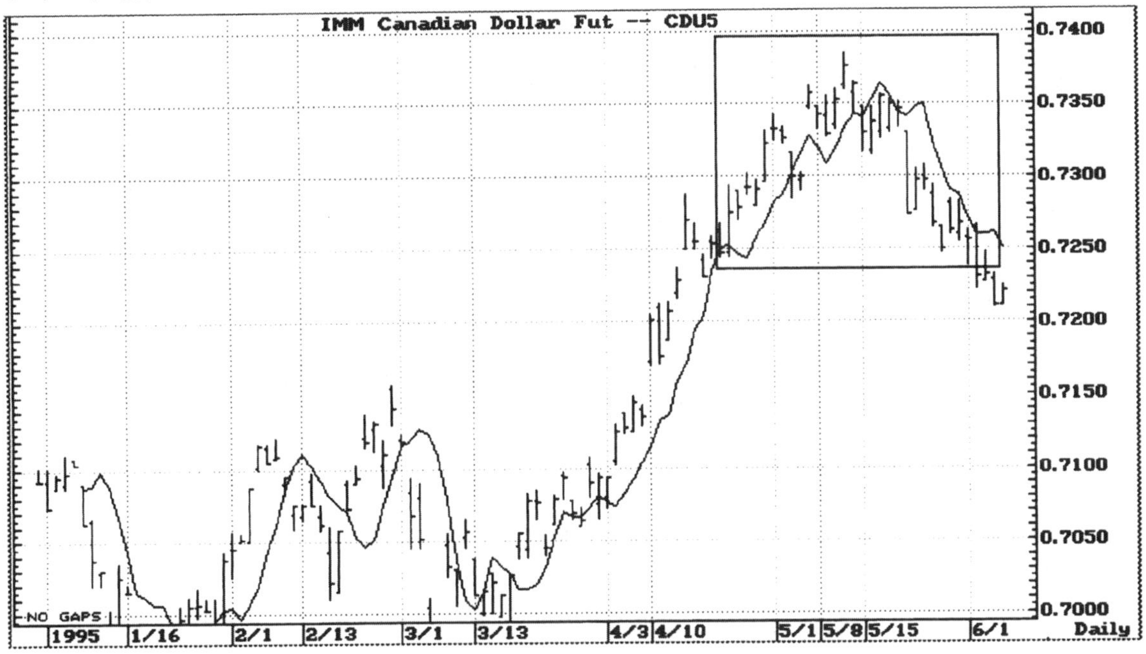

チャート4.8

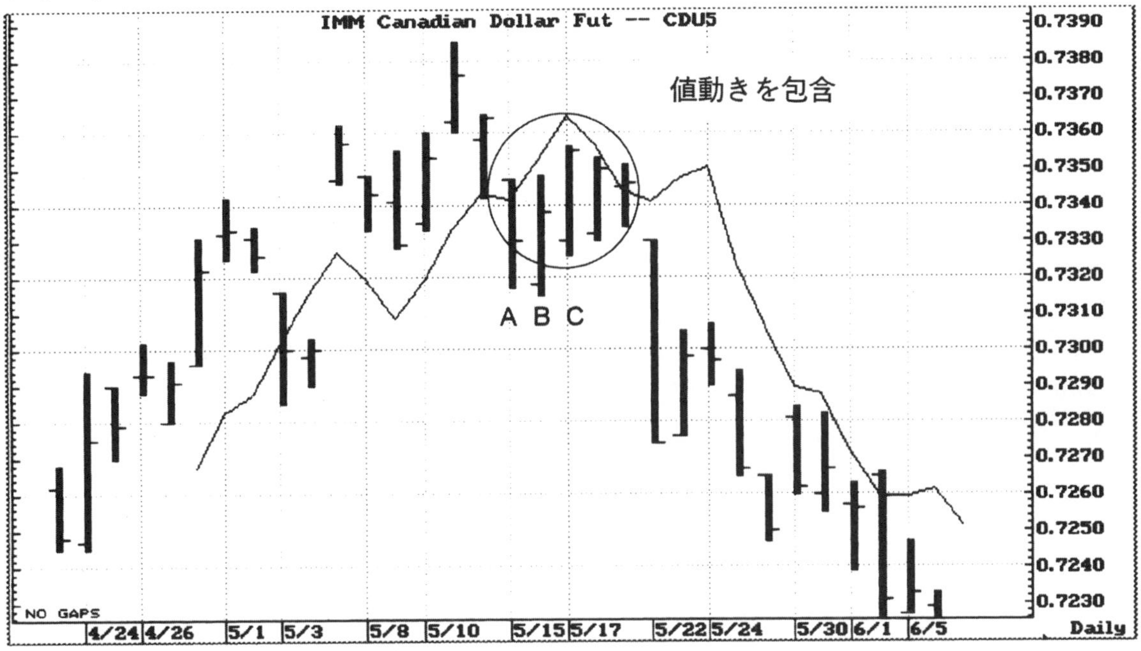

分を拡大した**チャート4.8**を見ていただきたい。

A日に売りポジションを建てたあと、あまりに早く損切りの逆指値注文の水準をきつめにすると、B日かC日には損切り注文が執行されてしまう。トレンドを決める指針として3×3のDMAを使った場合、終値が3×3のDMAを大きく上回らないかぎりは、売りポジションについて懸念する理由は何もない。損切りの逆指値注文の設定テクニックについては、あとの章で徹底的に説明する。今の段階で重要なのは、3×3のDMAは市場に対して一息つく機会を与えているということを理解することである。すでに形成した天井に向けての戻りは、売り方に流動性を提供してきた買い方が、これまで膨らませてきた買いポジションを手仕舞う機会であり、売りに回るチャンスでもある。

この本で明確になる概念を学べば、相場がすべての重要な流れに反応を示したならば、その市場は安定していてトレードが可能だということが読者にも分かるだろう。相場が一方向に荒々しい動きを続けていた場合は、市場は不安定で、トレードするには危険だ。このような動きをするのは、流動性を提供しているトレードのプロたちが間違った方向に進んでいるという事実があるからだ。

第５章

トレンド分析――MACD・ストキャスティックスのコンビネーション

CHAPTER5 TREND ANALYSIS――MACD/STOCHASTIC COMBINATION

概説

ストキャスティックスを初めて使うトレーダーの大半がそうであるように、私も一時その動きに混乱し、それを使おうとしていた当初の意欲をそがれた。幸運にも、私がそのときストキャスティックスをグラフで表示するのに使っていたのは、CQGのTQ20/20だった。幸運にも、と言ったのは、TQにはストキャスティックスの修正タイプが使われていて、標準的なレインストキャスティックスと言われていたものではなかったのである。しばらくして、私はストキャスティックスの数式にも違いがあることを学んだ。もしも私がTQ20/20にプログラムされたものとは異なる数式を使ってストキャスティックスを適用しようと試みていれば、私の学習曲線はもっと傾斜のきついものになっていたはずである。なぜならば、ストキャスティックスを適用し、解釈することが、もっと困難になったはずだったからだ。

プログラムとプログラマー、そしてプロブレム

退屈のあまりあなたの目が曇るかもしれない。あるいはプレッシャーのあまり、あなたが脳栓塞症を起こすかもしれない。こうしたリスクは覚悟のうえで、すこし脱線するが、トレードのツールを活用しようと努力しているときに、トレーダーとしての私たちが遭遇するいくつかの重要な問題について話をしたい。ストキャスティックスと、そして影響は限られるが、MACDはこの議論にとっておあつらえ向きの指標である。まずはストキャスティックスについて考えてみよう。

ストキャスティックスを考案したジョージ・レイン（ジョージ・レイン著『インベストメント・エデュケーターズ［Investment Educators］』）は、バーのレンジ内にある終値は、今後の相場展開に大きな関連があることに気づいた。相当な努力をコツコツと積み重ねた結果、彼はこの考えを数値化する数式を導き出した。非常に単純で容易に聞こえるかもしれないが、トレーディングソフトウエアの実態は単純と容易と

はほど遠い。ストキャスティックスの数式は、口コミで広まっているものや、参考書で指定されているものなど、憂鬱になるほど多種多様にある。この業界において最も博識で寛容、紳士的な人物のひとりであるジョージ本人にオリジナルの数式について聞いても、その内容は簡単には理解できない。

それでは、説明の進め方をここに示してみよう。複雑な数学に読者を悩ませてしまわないよう努力するつもりではある。読者のなかに数学者やプログラマーの方がいれば、**付録E**にいろいろな方程式があるので参照されたい。また、私が活用しているものを知りたいだけだという読者がいれば、優先ストキャスティックスまでの数ページは飛ばしてもいいだろう。そうすれば、いささか苦痛を伴う論議を読まずにすむ。しかし、私たちのトレードに関する決定を下すためのソフトウエアを使うときに直面する問題のいくつかは逃すことになる。

ジョージが考案したオリジナルから派生したものには、さまざまな名称が与えられている。

レインストキャスティックス
ロウストキャスティックス
ファストストキャスティックス
スローストキャスティックス
修正ストキャスティックス
ザ・ストキャスティックス

それでは本物のストキャスティックスさん、どうぞお立ちください

トレーダーらが、例えばトレーデムクイック・ソフトウエア社からチャート作成ソフトを購入すると、そこには前もってプログラムされた指標のひとつとして使うことのできる「ザ・ストキャスティックス」がある。素晴らしい。みんなハッピーだ。なぜならば、それこそが私たちがすでに読んで知っていて、使いたいと考えているものだからだ。しかし、どのストキャスティックスが「ザ・ストキャスティックス」なのか。願わくは知識があって信頼できる販売員に、極めて核心的な質問をいくつか尋ねられるだけの十分な知識がなければ、本当は何を買っているのかが分からないではないか。だから、ストキャスティックスについて学び、ソフトウエアとその開発方法に関しては貪欲になろう。

レイン（ロウ）ストキャスティックス

私に言わせれば、すべてのストキャスティックスはレインストキャスティックスと呼ばれて当然である。それらはすべて、ジョージ・レインの研究から生まれてきたものだからだ。レイン・ストキャスティックスは、すなわち私たちがこれから論議するストキャスティックスのすべてに2つの線がある。ひとつは動きの速い％K（Kライン）、もうひとつは動きの遅い％D（Dライン）だ。ファストストキャスティックス、時にはロウストキャスティックスと呼ばれる％Kに関しては、異なるストキャスティックスの数式の間で一致する部分があるようなので、まずはこれから始めて、方程式についてもここで説明したい。

％K、ファスト（ロウ）ストキャスティックス

式5.1

$$\%K = 100 \times [(C - L_n) \div (H_n - L_n)]$$

C＝直近の終値

L_n＝過去n日間の最安値

H_n＝過去n日間の最高値

動きの遅い％Dの計算方法には問題が山積している。％Dは動きの速いラインをなめらかにしたものだが、ラインをなめらかにする方法はいくつもある。ラインをなめらかにするために使うことのできる期間も複数ある。例えば5期間の移動平均線や10期間の移動平均線だ。また、使える移動平均線にも種類がある。単純移動平均線を使ってもいいし、例えば指数移動平均線でもいい。ラインをなめらかにする方法が数多くあるのだから、それだけ異なるストキャスティックスもあるということになる。

ファストストキャスティックス

式5.1で示した％Kの数式を使い、ラインをなめらかにする方法としては3期間のMAV（修正移動平均線）を使うと、ファストストキャスティックスである％Dを算出できる。ジョージ・レインはストキャスティックスに関する論文（ジョージ・レイン著『レインズ・ストキャスティックス［Lane's Stochastics］』テクニカル・アナリシス・オブ・ストック・アンド・コモディティーズ誌1984年5～6月号）で、％Dを描くために％Kをなめらかにする方法として、この方法を使っているTQ20/20から例題を引用した。またTQには、**式5.3**で説明されているスローストキャスティッ

クスを作り出すためにラインをなめらかにする方法としても、同じタイプの方法を使用するようにプログラムされていた。

式5.2
（ファストストキャスティックスの）%D＝（ファストストキャスティックスの）%Kの３期間のMAV

いくつかのソフトウエア開発企業は別の平滑化方法を使うだろうが、その指標もファストストキャスティックスと呼ばれるのである。

スロー（優先）ストキャスティックス

スロー（優先）ストキャスティックスはファストストキャスティックスから導き出される。上記で算出した%Dを%Kに名前を変え、このラインを３期間のMAVを使ってなめらかにすれば、新たなスローストキャスティックスのライン、%Dが生まれる。この２つのラインは、MAVを滑らかにすることで作られるスローストキャスティックスと呼ばれる指標を形成する。私の使っているものはこれだ（「優先」）。

式5.3
（スローストキャスティックスの）%K＝（ファストストキャスティックスの）%D
（スローストキャスティックスの）%D＝（スローストキャスティックスの）%Kの３期間のMAV

いくつかのソフトウエア開発企業は別の平滑化方法を使うだろうが、その指標もファストストキャスティックスと呼ばれる。修正移動平均線の数式は下記に記したとおりだ。起点（MAV_t）は、単純移動平均線のそれと同じ方法で計算される。

修正移動平均線（MAV）

（P・J・カウフマン著『ニュー・コモディティ・トレーディング・システム・アンド・メソッズ［The New Commodity Trading Systems and Methods］』）

式5.4
$MAV_t = MAV_{t-1} + (P_t - MAV_{t-1}) \div n$
MAV_tは現在の修正移動平均線の値
MAV_{t-1}は前日の修正移動平均線の値
P_tは現在の価格

nは期間の数

平滑化のために、修正移動平均線の代わりに単純移動平均線が使われた場合、得られるスローストキャスティックスは有益という点ではかなり劣る。もっとはっきり言えば、私は無益だと考えている。

修正ストキャスティックス

ファストストキャスティックスの%K（**式5.1**）の数式について合意した点から始め、そのラインを、どんな方法でも構わないのでなめらかにすると、修正ストキャスティックスの%Kを描くことができる。さらにその%Kを、どんな方法でも構わないので滑らかにし、そこから描かれたラインを%Dと呼ぶと、修正ストキャスティックスのスローラインが生まれる。参考書やソフトウエア使用説明書には、修正ストキャスティックスに対する別の定義が記載されている可能性がある。

ザ・ストキャスティックス

自分のモニターにトレーデムクイック・ソフトウエアやアスペン・グラフィクス、あるいはCISトレーディングパッケージ、トレードステーションなどを表示すれば、お分かりになるだろうが、指標にはストキャスティックスが使われている。それが何か、あるいはそれがどのくらい有益なのかは、だれにも分からない。コツコツと研究を積み重ねる以外には、この用語の意味を明確にすることはできないだろう。なぜならば、それが示す研究は、自分が選んだソフトウエアのなかで方程式がどのように処理されているのかによって、見かけがあまりに異なっているうえに、適用性や利便性も非常に異なることがあるためだ。

優先ストキャスティックス

これは新しい用語である。この用語は、私が使っているもので有益だと判断したものを意味する。スローストキャスティックスと修正移動平均線を生み出すための前述の方程式は、私の要求を満たしている。ストキャスティックスに関するほかの方程式や参考資料は、これ以上この問題についての混乱を与えないよう**付録E**に記載してある。

私が最後に見たときは、私の優先ストキャスティックスは、CQG、アスペン、私たちのCISトレーディングパッケージでスローストキャスティックスと名付けられていた。トレードステーションでは、前もってプログラムされた指標として設定されていなかったが、いわゆる「イージーランゲージ」（**付録D**参照）と呼ばれる適切な方程式をインプットすれば、作り出すことができると思われる。メタストックのデフォルトは、優先ストキャスティックスを描くことができない。優先ストキャスティックスをメタストックで作り出すには、方程式をインプットしなくとも、デフォルトを変更すればいい。

この本に掲載されているアスペン・グラフィクス・ソフトウエアを使って描かれたチャートのストキャスティックスの例題を見ると、スローストキャスティックスよりも修正ストキャスティックスの用語が多く出てくることがお分かりになるだろう。私の優先ストキャスティックスはスローストキャスティックスであるにもかかわらず、である。なぜか。この研究を始めた当初、私はプログラマーがスローストキャスティックスを正しく算出したかどうか確信していなかった。そこで私は修正ストキャスティックスの研究に移行し、正しいインプットだと分かっていたものをそのまま重複して、自分自身で研究を行ったのだった。その後、これからの値を、私たちが正しいと理解している独自のCISトレーディングパッケージの値と比較した。その比較が終わると、今度は自分がアスペンで作り出した特定の修正ストキャスティックスと、アスペンがスローストキャスティックスと呼んでいるものとを比較した。その結果、プログラマーが正しく算出していることが判明した。この本の本論で「ザ・ストキャスティックス」に言及する場合、それは私の優先ストキャスティックスを指している。

トレード用のソフトウエアが進化するのに伴い、修正ストキャスティックスがほかの全種類のストキャスティックスに取って代わる可能性は高い。なぜなら修正ストキャスティックスは、その名のとおり、修正してほかのすべての種類のストキャスティックスをシミュレートすることができるからだ。その場合、私たちの優先ストキャスティックスをシミュレートするためには、ユーザーは４つの変数をインプットする必要がある。

1．分析される８期間（８日、８時間など）
2．ファストラインに必要な平滑化の３期間
3．スローラインに必要な平滑化の３期間
4．要求どおりの平滑化を得るための移動平均線の種類の修正値

ここまでの説明でもう十分に複雑かもしれないが、これに加えて、ソフトウエアのパッケージを選ぶとき、そしてそのソフトが生み出した指標に基づいてトレードするときに、注意する必要のある２つの点について説明したい。

市場配列バーチャートと時間配列バーチャート

時間配列バーチャートをプログラムするほうがずっと簡単ではあるが、分析するには市場配列バーチャートのほうが優れている。例としてTボンドを見てみよう。Tボンドのトレード開始時間は午前8時20分で、実際の30分後は8時50分となるのだが、時間配列バーチャートでは、この相場の最初のバーは午前8時から8時30分の枠に表示される。つまり、この例の場合は、最初の30分間（8時～8時30分）のバーには、実際は10分間のデータが反映されたことになる。二番目の30分足のバーには、最初の30分間のデータのわずか20分間分と、二番目の30分間のデータの10分間分が反映される。時間配列バーチャートが「間違った」高値、安値、最新値を生じるもうひとつの例は、S&Pの60分足チャートだろう。このとき、S&Pの60分足チャートの最初のバーが表示されるのは午前9～10時の枠なのだが、実際のデータが反映され始めるのは9時30分なのである！　実際のトレード2時間目は10時30分～11時30分だが、代わりに2つ目のバーは10時から11時までの枠に表示される。イントラデイのチャートに高値、安値、最新値が「間違って」記録されるために、このチャートを元に計算されるすべての分析も間違いであることは明らかだ。こういうことを無視して、自己満足していてはいけない。多くのトレーダーは何年もの間、時間配列バーチャートから導き出した分析を、レベルの低い結論と共に使用してきた。こうしたトレーダーの多くは、これらの分析の計算方法について何も理解していない。指標のパフォーマンスが悪いのは、その指標の質に問題があるわけでも、トレーダーが指標を使いこなせていないわけでもなく、その指標の計算に不適切な数値が使われている結果かもしれない、ということを私は読者に指摘したい。

データサンプル

2つ目は、あまり明確ではないものの一部のグラフィック分析ソフトには弊害が含まれており、その原因となるのが、やはり分析を計算するために選択するデータサンプルにあると考えられている。例えば、あなたが水平（時間）軸のバーの数を140から40に減らしたとしよう。あなたの使っている分析で正確な値を算出するには40以上のバーが必要だとしても、一部のベンダーのプログラムは不適切なことにも、画面に示されたサンプルのみを使って計算を行うよう指示している。優れたグラフィックプログラムは、画面上のバーの数が20や40、あるいは400であっても分析上で同じ値を返してくるだろう。もちろんのことだが、正確な計算に必要な十分なデータがあなたのハードディスクドライブにインプットされていれば、算出される値は画面上に示された日数には左右されないはずだ。

指標を作り出すために使われている数式や、バーチャートを形成するための計算プログラムを調べもせずに、「このストキャスティックス」「あのオシレーター」などというおおざっぱな言い方をすれば、どこに問題があるのかという手掛かりすら分からないままに、最悪の結果につながりかねない。

プログラマーとアップグレード

プログラマーに話題を移し、現実のソフトウエア開発業界では何が起きているかを話そう。あなたがソフトウエア会社の社長で、トレーダーでもあると仮定しよう。あなたには、毎日のトレード決定を行うために使っている非常に安定したソフトがあるが、そのソフトには非常に小さなバグがある。1998年の8という数字が、若干だが画面の右側にずれて表示されるのだ。あなたはプログラマーのところへ行き、「見ててイライラするよ。これを直してくれないか」と言う。プログラマーは、「分かりました」と答える。2カ月後にソフトが手元に戻り、あなたは数字の8が正常な位置に示されていることを確認するが、実は彼らは、プログラマーのひとりがストキャスティックスの方程式のなかに発見した「問題」も「修正」していたのだ。もちろん、彼らはこの「修正」については、あなたに話さなかった。

私としては、プログラマーが何かを行い、それをあなたに報告しなかったとすれば、彼らは罰として足の爪をはがされるという規則を業界内に広く普及させることを提唱したい。これを無情だと思うのならば、あなたが何週間も前から計画し、確実なトレードを行ったときに得られる2万ドルの利益が実は逆に1万ドルの大損を出したと考えてみてほしい。なぜか。原因は、あなたのトレード計画に組み込まれた指標の計算方法が、あなたの認識や承認なしで変更されたことにある。トレーダーとして答えていただきたい。あなたは自らペンチを探しにいくだろうか。それともただ笑って、「頼むから二度としないでくれ」と言うだろうか。私が自分の方法でやるのならば、少なくとも当面はトレーディングルームを足を引きずる輩が多く行き来することになるだろう。

アップグレードの場合も同じことが言える。あなたの使うトレーディングソフトを生産したソフトウエア会社は、素晴らしい新製品を取り出し、満腹のゲップが出るような新バージョンの見事な分析を宣伝する。しかし、あなたは「アップグレード」を強要されているのだ。なぜならその会社はすでに、あなたが使っている旧バージョンのソフトをサポートしないからだ。そして「アップグレード」バージョンでは、つなぎ足チャートを作成するプログラムが駄目になっているうえ、カーソルウィンドウにバグが発生し、あなたの作ったチャートももはや正しくプリントアウトされないということに、あなたはあとになって気づくのである。ソフトウエア会社にこの苦情をぶつけると、返ってくる答えはこうだ。「ご心配なく。新しいアップグレードバージョンが発売間近です。たったの195ドルです」

公表されない変更があるだけなのか、いわゆるアップグレードバージョンは、あなたのトレード計画を別の方法でもめちゃくちゃにする場合がある。アップグレードバージョンに入っているファイルのデフォルト設定が、あなたが苦労してインプットしたであろう設定を上書きしてしまうことは少なくない。あなたが使っているソフトに適用できるかどうかは分からないが、ひとつの例を挙げてみよう。ビッド（買い気配値）とアスク（売り気配値）は、あなたのクオートの画面に常時表示される。大半のトレーダーはこの機能を欲しがる。しかし大半のトレーダーは、ビッドとアスクがチャートに反映されることは望まない。「ビッドとアスクをチャートに反映させない」という項目を選択していたにもかかわらず、これがアップグレードしたことによって上書きされたとすれば、自分のチャートが間違っているということに気づくまでには数カ月がかかるかもしれないのだ。その間のあなたの指標、ディナポリレベル、高値、安値、最新値はすべて不正確になる。また、ビッドとアスクの水準が自分の指値の水準から遠く離れているにもかかわらず、自分のチャートを見て、自分の注文の執行が近いと考えてしまうかもしれないのだ。

この問題についてよく知らないならば、注意することだ。私はトレーディングソフトウエアの制作にかかわり、ユーザーとして15年がたつが、この問題は大問題だ。私はプログラマーの才能には敬意を払っているが、反面、彼らのいくつかの行為や彼らの行動を管理するマネジャーの行為には、同じだけ落胆させられている。リスがフーリエ解析を行う程度の知識しか持っていないのではないかと思われる一部のプログラマーは、「改良」することを簡単に引き受け、何の気なしに私たちの貴重な意思決定ツールを破壊してしまうのである。

上記の事柄にもかかわらず、プログラマーたちの驚くべき才能と不屈の精神、根気強い作業がなければ、私がトレーダーとしてここまで成長するチャンスはなかっただろう。プログラマーがいなければ、DMA分析も、オシレータープレディクターも、私のフィブノード（FibNodes）プログラムの顕著な利点も、今でもかなわぬ夢のままだろう。したがって、ソフトをプログラムするためにコンピューターと人間を使うことの利点とコストが、膨大な利益と同じだけの深刻なチャレンジ（課題）をもらたすということを認識していただきたい。ソフトウエアエンジニアに対しても、トレーダーと同じ度合いの厳しい管理と几帳面な指導が必要となることを忘れなければ、得られる利益はコストを大きく上回るはずだ。

チャート5.1

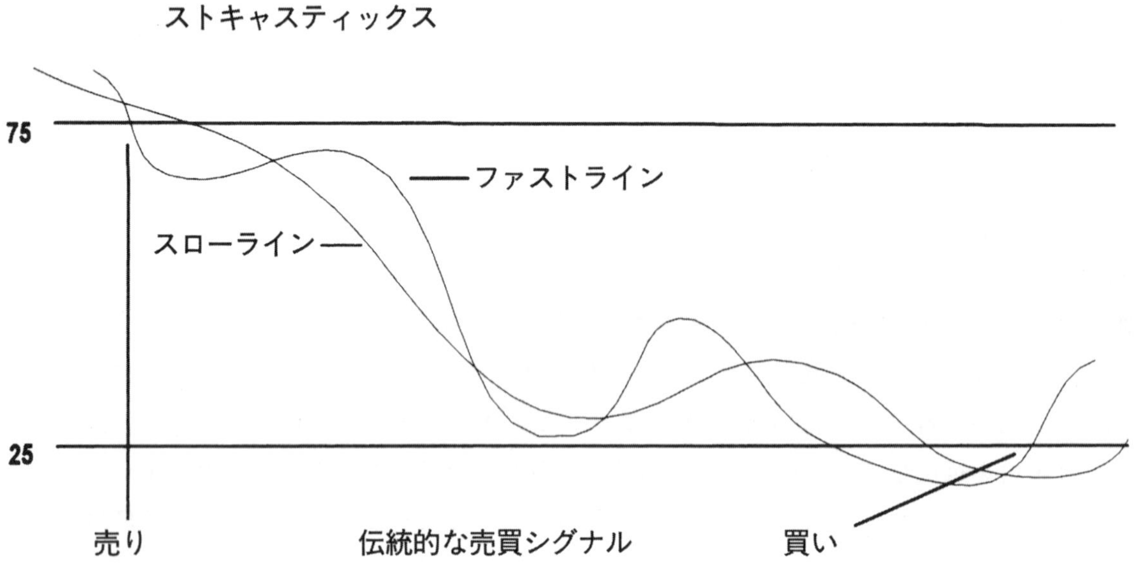

ザ・ストキャスティックスを使う

初期には私は14、３、３の値をインプットしていたが、あとで８、３、３に落ち着いた。私がこの分析方法に出合った当初の問題の多くは、トレンドは時間枠に左右されるという概念を習得するとともに解決した。５分足のストキャスティックスが「買い」のシグナルを示し、30分足のストキャスティックスが「売り」のシグナルを示したとしても、ここに不整合はまったくない。もしも不整合があるとすれば、それは、どの時間枠で自分がトレードをしているのかを知らないか、経験が浅いために超短期のデイトレード特有の変動的スピードに対処できないなど、あなたの心理から生じているのだ。

先物トレードを始めた当初、私はイントラデイのトレンドを割り出すのにストキャスティックスだけを使うという伝統的な方法を用いていた。25以下の水準にあるファストラインがスローラインをクロスし、そのまま25をブレイクしたときは上昇トレンドのシグナルだ。また、75以上の水準にあるファストラインがスローラインをクロスし、そのまま75を割り込んだときは下降トレンドを示唆している。**チャート5.1**を参照していただきたい。

MACD（DEMA）・ストキャスティックスのコンビネーション

80年代半ば、ジェイク・バーンスタインと私は一緒にセミナーを開催した。彼が講義した議題のひとつは、彼の二つの指数移動平均線（DEMA）・ストキャスティックスのコンビネーションの手法だった。ジェイクは何年にもわたり私に多くのことを教えてくれたが、この特別なテクニック、特定の方式に従って変化するこのテクニックは、今でも私のトレード手段のなかで最も強力な武器のひとつである。ジェイクがこのテクニックを教えた方法は、まずは伝統的なやり方でストキャスティックスを使い、それをDEMAの買いや売りのフィルターに通すというものだった。言い換えると、確認トレンドが上昇か下降のシグナルを出す前に、ストキャスティックスとDEMA両方が買いのシグナル、あるいは両方が売りのシグナルを出さなくてはならない。ではDEMAの買いシグナルとは何か。それよりもまずDEMAとは何かである。DEMAとは、ジェラルド・アペル氏が開発したMACD（ジェラルド・アペル著『ムービング・アベレージ・コンバージェンス－ダイバージェンス・トレーディング・メソッド［The Moving Average Convergence-Divergence Trading Method］』）の派生手法で、これは元々、株価のトレンドを分析するために開発された。アペル氏に言わせると、MACDは極めてシンプルだ。２つの指数移動平均線の差を使い、その差の移動平均線を作るのである。「最初の２つの指数移動平均線」と「その差の移動平均線」との間の差は、２つの曲線で表される。ひとつはファストライン、もうひとつはスローラインだ。方程式は**付録E**に記載してある。

チャート5.2

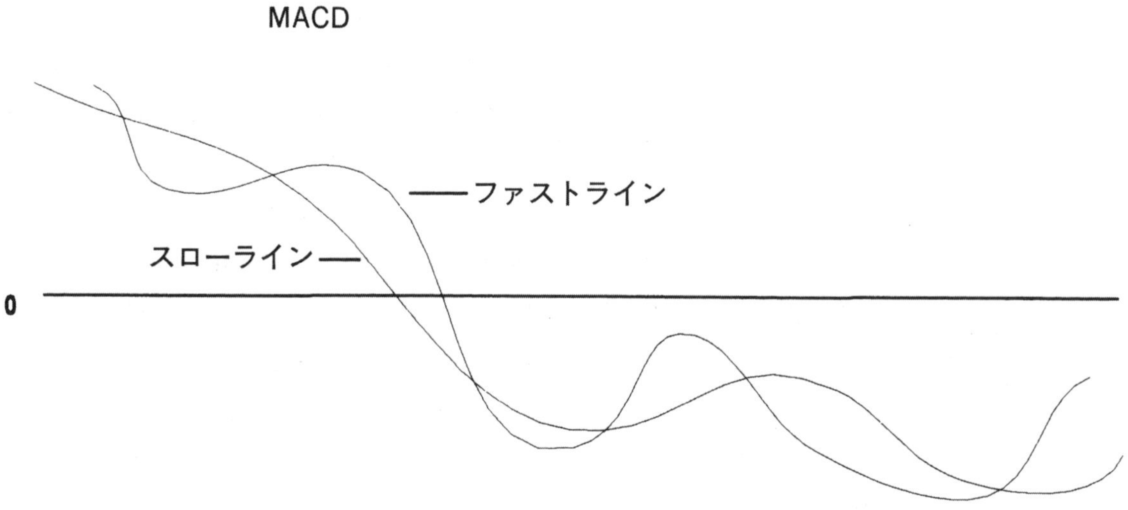

チャート5.3

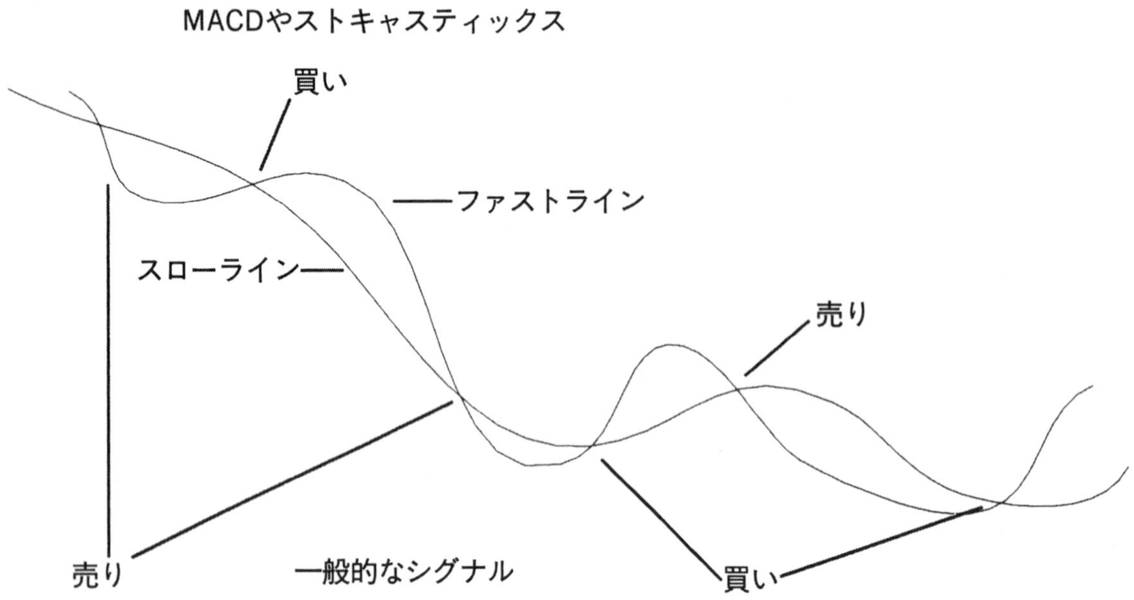

注目していただきたいのは、MACDを示すために**チャート5.2**で使っている２本の曲線は、私が**チャート5.1**でストキャスティックスを示すために使った曲線と同じものであるという点だ。私はただ目盛を変更しただけである。これは、ストキャスティックスがゼロと100の間を推移するのに対し、MACD（DEMA）はゼロを中心に振幅するためだ。ここでの作業では、原則的に両指標の目盛を無視し、単純に曲線の交差だけを観察することにする。

ジェイク・バーンスタインはジェラルド・アペル氏が行ったように、すべての値をインプットする代わりに、特定の指数移動平均線を使うことでMACDから最大の利点を引き出したのである。ここからDEMA（ジェイク・バーンスタイン著『ショートターム・トレーディング・イン・フューチャーズ［Short Term Trading in Futures］』）の名が始まった。

ストキャスティックスと同じように、ファストラインがスローラインを下側から上抜いたときが買いのシグナルとなる。ファストラインがスローラインを上側から下抜いたときが売りのシグナルだ。私は最大のメリットを得るために物事をひねって考えるタイプではあるが、ジェイクが開拓したものに匹敵する、ましてやそれを超える入力値の組み合わせを見つけることができなかった。その組み合わせは、0.213、0.108、0.199である。もしもあなたの使っているソフトが「期間」入力値を必要とするプログラムで、指数移動平均線を平滑化したものをシミュレートすることができるならば、前述した指数入力値は、「期間」入力値の8.3896、17.5185、9.0503によってシミュレートすることが可能だ。私が知っているグラフィックプログラムのなかで、この分析が正確にプログラムされているものは、CQG、アスペン・グラフィクス、トレードステーション、そして私たちのCISトレーディングパッケージだ。ほかにもよく機能するプログラムがあることは確かだが、私はまだ検証してはいない。

あなたが「思い付きで行動する」タイプの人間で、こうした詳細について私がこだわりすぎていると感じるならば、それでもかまわない。しかし私には、自分が重要だと信じていることを強調する必要がある。私の気に入るものを無視するかどうかは、あなたの自由だ。これらのことに正確に従わないと損失が出ると言っているのではない。私が言っているのは、自分が何をしているのかを正しく知り、根拠のない推測を立てるべきではないということだ。それに、私たちには多くの「思い付きで行動する」タイプの人間が必要だ。こうしたトレーダーはしばしば、私たちのトレードの逆サイドに回ってくれる。

それでは、私たちが正確な計算を行い、ストキャスティックスとMACD（これ以降は、明確さを帰すためにDEMAをMACDと記すことにする）の分析結果をモニターに表示したと仮定しよう。私の使い方は次のとおりだ。

チャート5.4

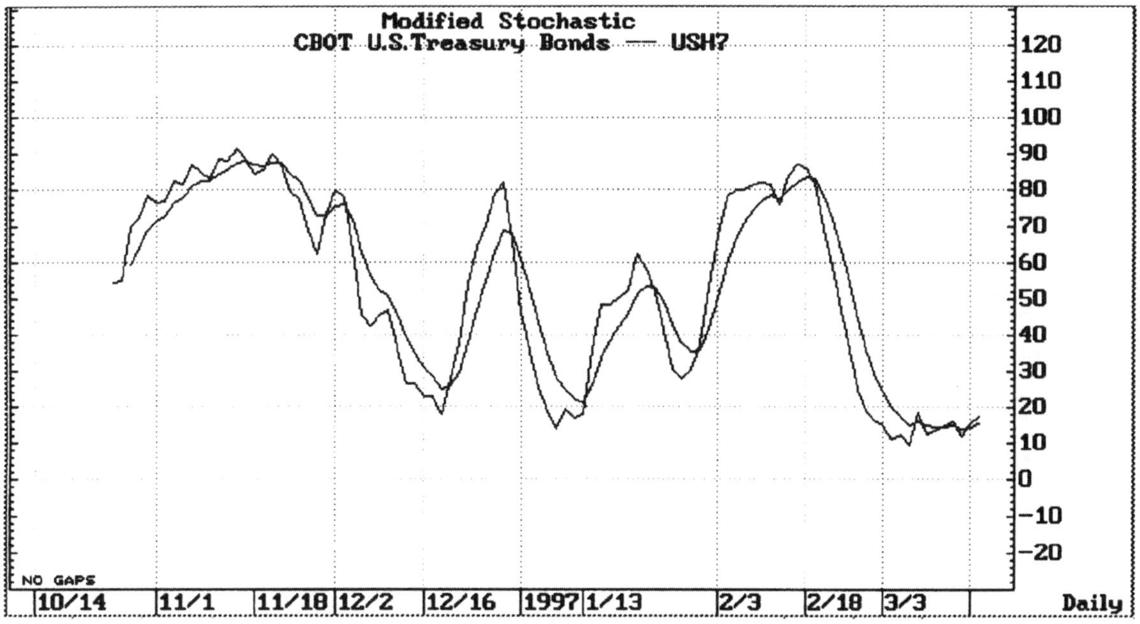

チャート5.5

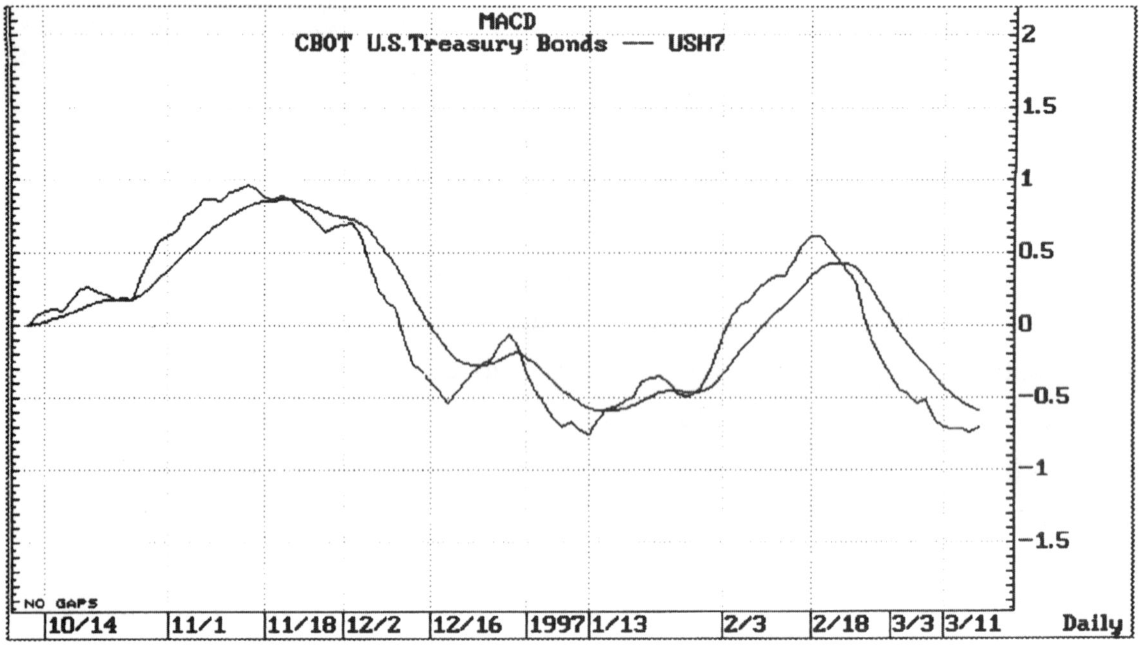

私の目的にとっては、MACDのほうがより信頼できるトレンド指標だといえる。私はジェイクが開拓した値を使い続けており、より信頼性が高い。私はストキャスティックスに、ジェイクやほかの多くのトレーダーがもともと使っていたより強い14、3、3ではなく、8、3、3を入力することで、意図的にストキャスティックスを弱めている。**チャート5.4**と**チャート5.5**は、Tボンド3月限の日足チャートのストキャスティックスとMACDである。MACDよりもストキャスティックス分析のほうが、上下動が激しいことにお気づきだろうか。MACDの流れるようなラインは、なめらかなトレンドを私たちに示している。これこそが私たちの欲していたものだ。MACDが示す買いシグナルと売りシグナルの出現回数は、ストキャスティックスに比べると少ない。この2つの指標を、**チャート5.6**のように個別のウィンドウで上下に並べて表示すれば、私には相場に向かうときとそうでないときを判断することができる。

ストキャスティックスとMACDがともに買いシグナルを示した場合、トレンドは上向きだ。弱いストキャスティックスが売りのシグナルを出しても、(強い) MACDの買いシグナルが依然有効ならば、その売りシグナルによる押し目で買うということも可能だ。1月中旬から2月中旬にかけてMACDが力強い上昇トレンドをたどっていることに注目していただきたい。弱いストキャスティックスが売り方向に動いたあと、急上昇に転じていることから、フィボナッチによる支持線に向かった水準では絶

チャート5.6

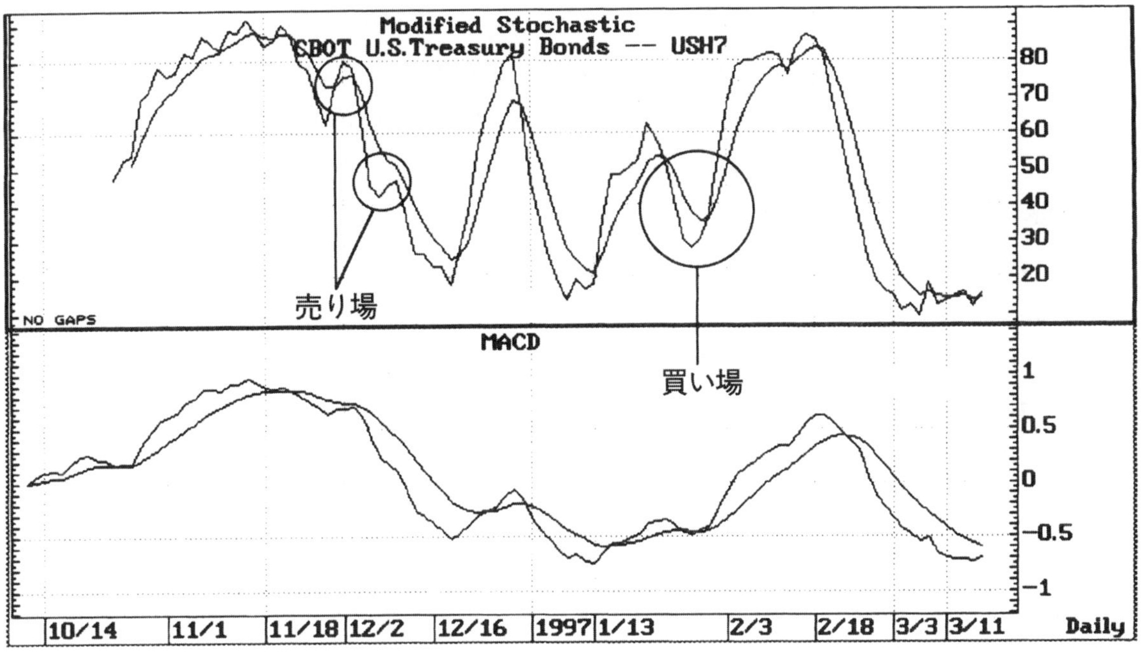

好の買いチャンスを得たことになる。11月中旬から12月中旬の期間についても、逆の売りサイドで同様のことがいえる。分かり難いものの、それでも絶好のチャンスといえるのは、MACDのチャート左端の上昇トレンドである。ストキャスティックスを何気なく観測すると、上昇トレンドが続いていると判断できるが、実際のトレードはまったくの逆方法だった。なぜか。10月半ばから11月の高値にかけての期間、ストキャスティックスがイントラデイのチャートで未確認の売りシグナルを示したときが多々あったのである。このチャートを見ただけでは、それらの売りシグナルは分からない。なぜならば、その日の終値が（確認）指標の算出に使用される数値であり、さかのぼって見るときに、私たちが見られるのは**チャート5.6**に示されたグラフになるからだ。しかし、リアルタイムで示されるこれら未確認のイントラデイのシグナルに基づいてトレードするトレーダーは、彼らが売ることによって、私たちに買いのチャンスを与えてくれた。その結果、ストキャスティックスが買いのモードに戻り、彼らによる買い戻しの逆指値注文が執行されたときに、私たちは事前に計算されたフィボナッチの理論的利益目標で利食うことができた。

よく使われるチャート、つまり5分足、30分足、60分足、日足、週足、月足のチャートに現れるコンビネーションのシグナルを観察することで、どこに弱いプレーヤーがいて（ストキャスティックス）、どこに強いプレーヤーのポジションが建てられている（MACD）のかを概観することができるのである。私の狙いは、上昇トレンド

（MACDの買い）上にある押し目（ストキャスティックスの売り）をフィボナッチ数列に基づく水準で買う、あるいは下降トレンド（MACDの売り）上にある戻り（ストキャスティックスの買い）で、フィボナッチ数列に基づく水準で売ることにある。ここで私が使ったのは、先行指標（フィボナッチ）と遅行指標（MACD・ストキャスティックス）を組み合わせる方法で、相場の動きに「安全に」対処できる方法と言えよう。さらにここでは、ストキャスティックスのシグナルは25以下もしくは75以上であるという伝統的な必要条件が無視されていることにも、注目するべきだろう。MACDとまったく同じで、私は、ファストラインがスローラインをクロスしたときのみをシグナルの条件としている。

チャート5.7は、急落中のS&Pの５分足チャートである。実際の相場の動きを表すバーチャートが全体の３分の１にしか表示されていないため、下落がどこまで続いているのかを判断することは困難だ。これは、MACDとストキャスティックスの動きを示すために、わざとそうしているのである。両指標とも最初の部分は売りのシグナルを出している。目先の安値に達すると、ストキャスティックスは買いシグナルに転じる。このシグナルに基づいて、腰の引けた買い方が買いを入れ、腰の引けた売り方が手仕舞う。MACDによって示された下降トレンドは依然有効なままである。こうしたタイプの相場を見れば、不適切な水準に設定されたトレイリングストップ（利益を確保するために値動きに合わせてどんどん水準を変化させて、価格について行くといった形態の逆指値）は知識豊富なトレーダーにとって腰の引けたプレーヤーからポジションを奪い取る絶好のチャンスになり、言い換えると、基調となるトレンドの方向に従って押し目を買う、あるいは戻りを売ることできる。**チャート5.7**は、買いの手仕舞いである逆指値注文が執行され、フィブノード（Fibnode）の抵抗線まで相場が戻る様子が示されている。相場が戻したあと、ストキャスティックスはMACDと同じ方向に戻り、相場も以前の動きを再開したことから、おそらく安値は更新されただろう。こうした動きは、さまざまな時間枠のチャート上に何度となく繰り返し現れる。ひとつ確認しなくてはならないのは、ちゃぶつきを回避する確率を高めるには値動きの強い相場でトレードするという点だ。

このMACD・ストキャスティックスのコンビネーションのシグナルの使い方を教えるとき、私は通常はそれを複雑度に応じて分割し、講演の場の設定と生徒の経験度に応じて、できるかぎり上のレベルまで教えている。上記の説明はレベル１（２つの指標に同じシグナルが現れるまでは、トレンドを決定しないこと）とレベル２（弱いストキャスティックス指標の影響を減衰させて、自分のポジションは基調となるトレンドに従って建てるという概念）に含まれる。レベル１とレベル２のテクニック活用の例は、あとで説明しよう。レベル３（未確認のシグナルに基づいて予想もしくは実行）についても多少触れるが、レベル４には時間枠の移行に関する説明が含まれてい

チャート5.7

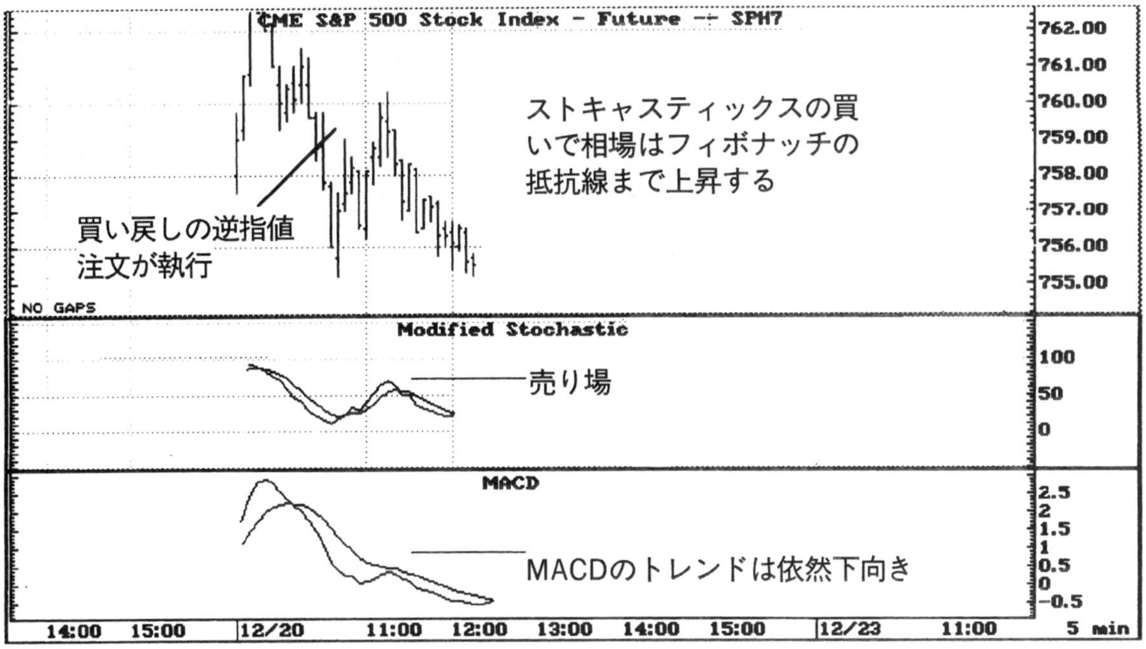

て、非常に複雑な内容のために設定された授業だけでは十分にカバーすることができず、講演以外の場での講習でこれを行っている。しかし、読者に感触をつかんでもらうために、上記の例を使ってその概要のさわりを説明するならば、30分足のトレンドが下降中に5分足のストキャスティックスが上昇から、再び下向きになったときが絶好の売り場になっている。このことは、フィボナッチ分析の説明後に、もっと多くの例を出すことにしよう。

では話を元に戻し、このトレード方法を別の観点から見てみよう。この手法を念頭に置いて、しかもストキャスティックスの算出方法を考慮するならば、相場をどのように反転させられるかがお分かりだろう。ある大口のローカル、あるいはローカルズの集団（こちらのほうがもっともらしいが）が市場で売り建てしているとする。彼らが相場を複数のバーの期間を一定の高値で抑える（価格がそれよりも高値を付けないようにする）ことができれば、（弱い）ストキャスティックスは下向きに転じることになるだろう。腰の引けた買い方は手仕舞い売りを始め、出遅れた売り方は新規の売りポジションを建て始める。そこでローカルズ（と私たち）は、それらの売り注文に向かって買うことが可能になる。ローカルズは数ティック分の利益を手にすることができ、一方の私たちは、新高値やフィボナッチの拡張水準まで相場が上昇することを見込んだ買いポジションを建てることができる。もしも私たちが押し目で買いを入れる代わりに、それまでの高値で買い注文を執行しようとすれば、大幅なスリッページ

チャート5.8

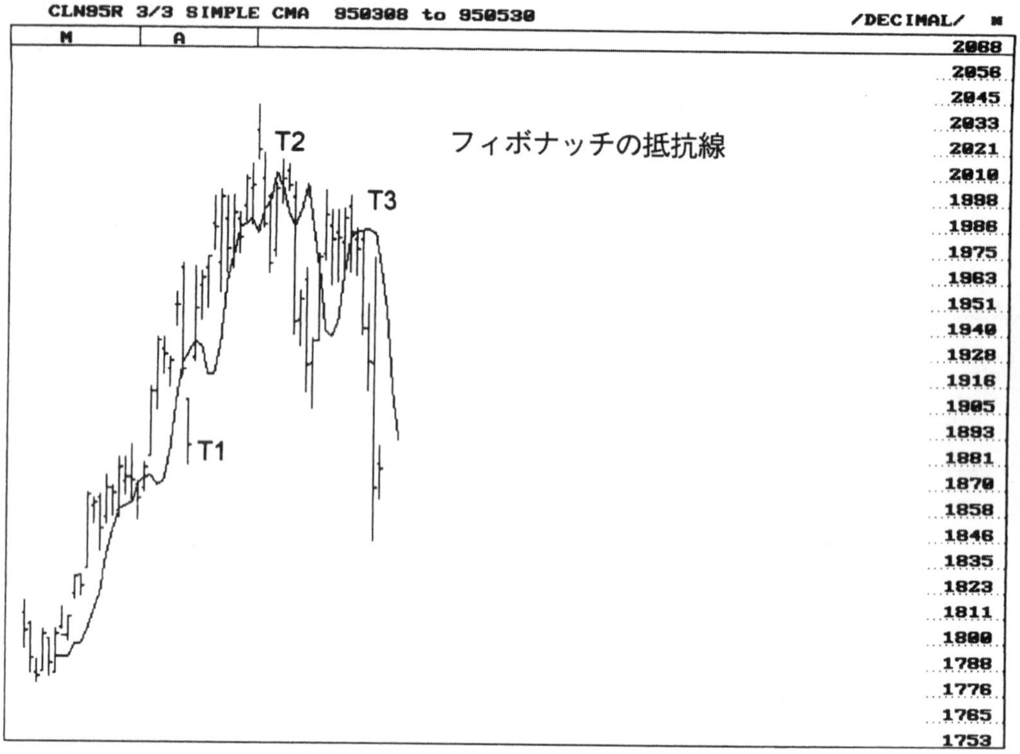

が生じることになるだろう。注文が執行されてしまえば、さらにもうひとつの押しに苦労するはめになる。私たちに売り注文で向かったローカルズが利食いに動こうとするからである。もしも私たちがストキャスティックスの売り場で買いを入れ、MACDが最終的に急落（ストキャスティックスと同様に売りシグナルを示す）すれば、自分たちの間違いに気づき、次の戻りで手仕舞うことになる。もしも私たちが短期の時間枠でトレードを行っていて、この方法を活用できる十分な経験があれば、間違っているときでさえ、イーブン（損益なし）にする数ティック分の益を出すか、損失を数ティック分に抑えることなどが可能になるのである。

チャート5.8に示した原油の日足チャートの比較的シンプルな例をご覧いただきたい。

ここでは、3×3のDMAが示すとおり、相場がスラスト（急上昇）の上昇トレンドを描いていることは明らかだ。基本的に、この相場の上昇の過程で買いのトレードを仕掛けたのであれば、かなりの利益を得ることができたはずだ。売りポイントT1や、買いポイントT2、T3では面倒が起きるようなことはなかったはずだ。これらでは、何のトレードも行うことはなかったはずだ。これまでに学んだトレンドの法則に

チャート5.9

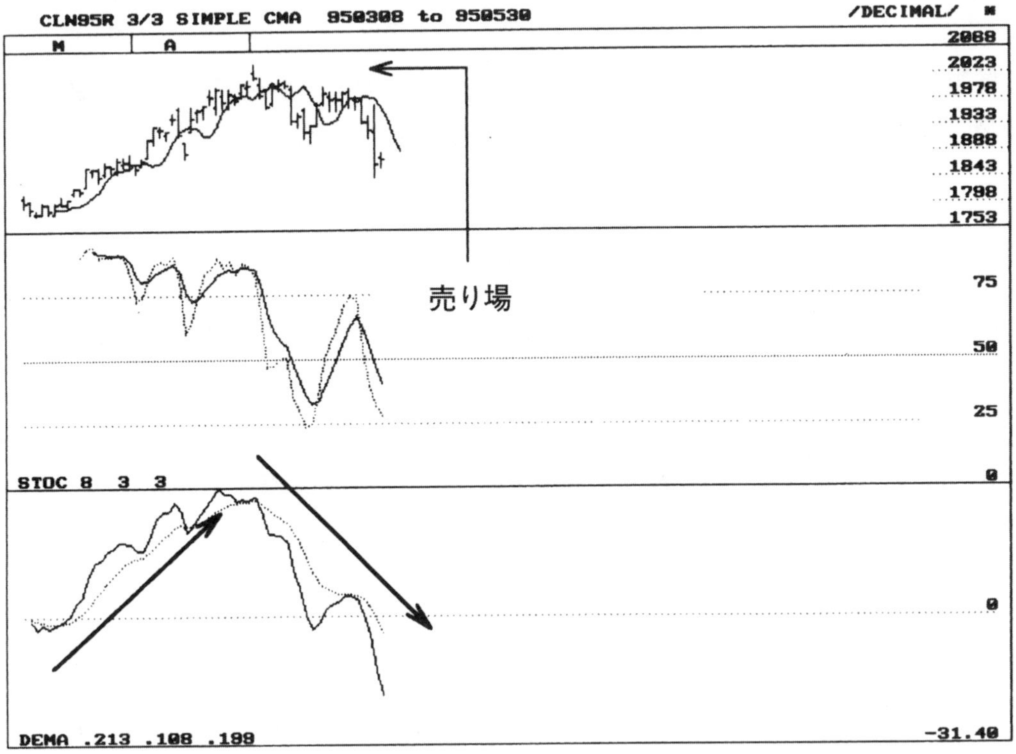

基づけば、たとえそのようなトレードが正しいとしてもだ（トレンドを征す方向性指標については次の章で説明する)。方向性指標に基づけば、あなたが行っていたトレードはT1で買って、T2とT3で売るというものになっていたはずだ。これらのポイントはすべて、ほぼ完璧なフィボナッチの押し・戻りの水準に相当する。話が本題から外れて申し訳ないが、先のことをさっと見ておくことも、時には役立つことがある。では本題に戻ろう。

チャート5.9は、**チャート5.8**とまったく同じ原油の日足チャートで、それにMACDとストキャスティックス指標を加えたものである。

高値を付けたあとの完全な下降トレンドは、MACDによって包含されている。ストキャスティックスが支持しているフィボナッチ数列に基づく抵抗水準のポイントT3までの上昇は、私たちにとって格好の売りのチャンスだった。

高値を付けるまでの上昇場面に関しても同様のことが言える。上昇トレンドはほぼ完全にMACDによって包含され、ストキャスティックスは相場が押し目を付けたときに買うチャンスが何度もあったことを示している。

よくある質問

１種類の弱いトレンド指標と１種類の強いトレンド指標を組み合わせて使うよりも、２種類の強いトレンド指標を使ったほうがよいのではないか。

それはよくない。弱いストキャスティックスは腰の引けたプレーヤーの手の内を示してくれる。また、相場の強さもこれで分かる。ストキャスティックスが売りシグナルを出しているにもかかわらず、相場では下落の動きがはっきりと認められないときは、急上昇に気をつける必要がある。

保守的なカールの質問　指標がシグナルを出したという判断を下すのは、バー（その単位の時間）が終値を付けたあとか。

この質問にはレベル３の知識が必要だ。定義に従えば、シグナルを確実とするためには、確認を待ちたいところだ。しかし確認を待つと、その動きのほとんどがすでに終わっている可能性がある。待つことで、必要のない保険を支払っている場合もある。期間が終わる前に、DMAでの相場のクロスを予想するのと同様に、期間が終わる前にトレンドのシグナルを予想することも許容される。終値を付ける前に予想したことは、必ず確認を得ること。確認が得られないときは、即座にポジションを手仕舞うことだ。

私はストキャスティックスが買いシグナルを示したときは、いつでも買いを入れてきた。今になって、どうやって売ることができるだろうか。

もしあなたが５～15％の勝者のひとりとなるつもりであれば、大衆とは異なる方法や手順を、偏見を持たずに受け入れる必要がある。ストキャスティックスのクロスオーバーに従って勝てるほどトレードが簡単ならば、儲けている立会場内のトレーダーや場外のトレーダーに利益を献上するような敗者はどこからくるのか、と言いたい。

ハイテンションのハンクの質問　では、ストキャスティックスが売りシグナルを出したときに買って、買いシグナルを出したときに売るということですよね。

それも違う。スラスト（急上昇）の相場ではMACDを裏づけに使ったトレンドのコンテクストのなかで、ストキャスティックスを弱めるのである。単純に買ったり売ったりするわけではない。そして、第８章、第９章、第10章、第11章、第13章に記載

チャート5.10A

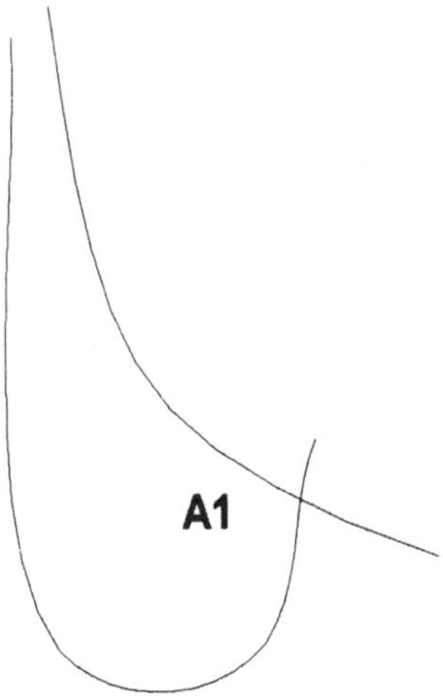

より強い

チャート5.10B

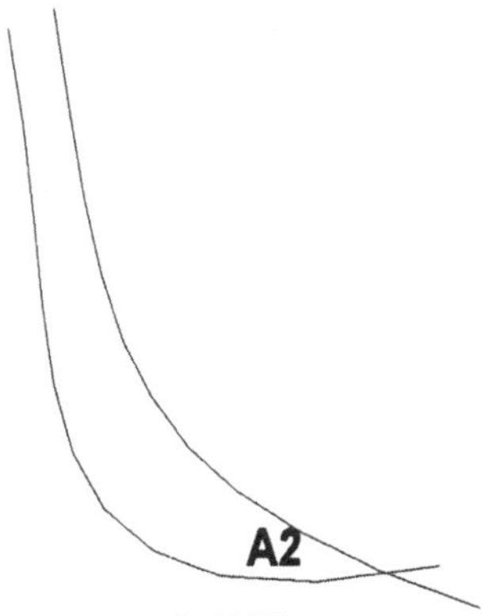

より弱い

されている仕掛けの手法を活用されたい。

ストキャスティックスの買いシグナルや売りシグナルを見極める前に、なぜ25－75のラインを使わないのか。

私がストキャスティックスを使っている独特の方法によって、ファストラインがスローラインをクロスしたときは、そのすべてをシグナルと考えることができる。また、トレードの経験によって（コンピューターによる本格的な分析ではないが）、MACDとストキャスティックスの両指標ともクロスの地点での角度が大きいほど、強いシグナルを出すという性質があることに、ここで言及しておくことも読者の役に立つかもしれない。**チャート5.10A**と**チャート5.10B**をご覧いただきたい。見た目が強気のほうが一般的には相場が保ち合いを形成するのではなくて、変動したり、方向を変えたりしていることを示している。

勤勉なダンの質問　最初の例題として示されたＴボンドの日足チャート（チャート5.5）では、MACDが１月末には弱い売りシグナルを出したあと、すぐに上昇に転じているように見える。この動きが進行する状況で、二重の損を被るのを回避できた方法はあるのか。

これは日足ベースのシグナルであるため、私であれば、あなたが指摘するように二重の損を被った可能性が高い。MACDに逆行するポジションを私が持ち越そうとする可能性は低い。しかし似通った状況で二重の損を回避できる方法はある。例えば、フィボナッチの支持線を相場が下抜いていないために、MACDのマイナーな下への突破に対応するトレード計画を立てることが可能なはずだ。この場合、MACDは戻す可能性が高い。もしもMACDのシグナルが**チャート5.10B**のような弱いタイプのものであれば、私はこれを自由裁量でトレードする。イントラデイのチャート上でのMACDのマイナーな押しは、日足のチャート上での押しよりも、もっと容易に対処することができる。なぜならば、ポジションがフィボナッチの押し・戻り水準を維持できるかどうかが即座に分かるからだ。ただ、この概念に沿ったトレード経験をもっと積むまでは、自分のトレード計画にここまでの自由裁量を与えないほうがいいかもしれない。

まとめ

２つ目のトレンド分析方法、MACD・ストキャスティックスのコンビネーションについて、重要なポイントをまとめてみよう。

- MACDとストキャスティックスはともに、ファストラインがスローラインをクロスしたときに、トレンドのシグナルを示す。これらのシグナルは、別のクロスが起きるまで有効となる。トレンドのシグナルは、期間の終値時点で確認される。
- MACD・ストキャスティックスのコンビネーションは、すべての時間枠に適用することができる。
- 私がMACD（DEMA）に使う値は、0.213、0.108、0.199である。
- 私が、故意に弱めた優先ストキャスティックスに使う値は８、３、３である。
- これらの指標を使って好結果を達成するためには、関連する分析を行うのに使われている数式や、その数式に組み込まれている数学的インプットのプログラム方法を、調査する必要がある。チャートを表示するために使うグラフィクソフトは、時間配列バーチャートではなく、市場配列バーチャートを表示するものを使うべき。
- 特定の弱いストキャスティックスと特定の強いMACDを併用することで、私たちは、弱いプレーヤーと強いプレーヤーが何をしているのかについて、情報に基づいた判断を下すことが可能になる。必然的に私たちは、目標を達成するためには相場にどう対応することがベストかを判断することができる。

第6章

方向性指標――高確率のトレードシグナルを得る9種のパワーパターン

CHAPTER6 DIRECTIONAL INDICATORS――9 POWER PATTERNS FOR HIGH PROBABILITY TRADING SIGNALS

概説

理解をより容易にするために、方向（ディレクション）、フェイラー（失敗）、値動きの定義を理解していないか、または覚えていない方は先に進む前に第2章で述べた概念を読み返すことを勧める。

方向性指標（DI）はいつもではないものの、通常見られるあるパターンの一種である。これらのパターンの一部は3×3によって定義される。3×3は、われわれが使用する一部の方向性指標の基準としてだけでなく、トレンドを描くときにも利用されるものだが、トレンドの概念と方向の概念を混同しないようにしてほしい。これらを導き出す方法にかかわらず、方向性指標はトレンド指標とは異なるものである。トレンド指標と方向性指標の間で矛盾があれば、方向性指標に従うことを勧める。方向はトレンドを支配するからである。

私は近年、トレードの大半をトレンド指標でなく、方向性指標に基づいて行っている。私がトレーダーとして円熟の域に達し、忍耐強くなったことの表れだろう。哲学的に言えば、この2つは一身同体といえる。方向性指標には忍耐が必要だ。指標自身が、姿を現さないといけない。一方、トレンドは、いつでも見つけることができる。方向性指標は通常、非常に有力であり極めて信頼できるものだ。このことは私の総体的な哲学に一致するものでもある

機会を失うのは資金を失うよりもまし！

売りの「ダブルリペネトレーション・シグナル」または「ダブルレポ」

次の**チャート6.1**は典型的なダブルレポであり、これには具体的で確認可能な特徴がある。

1．ダブルレポのシグナルとなるバー（足）は、スラスト（急騰・急落）の相場が少

チャート6.1

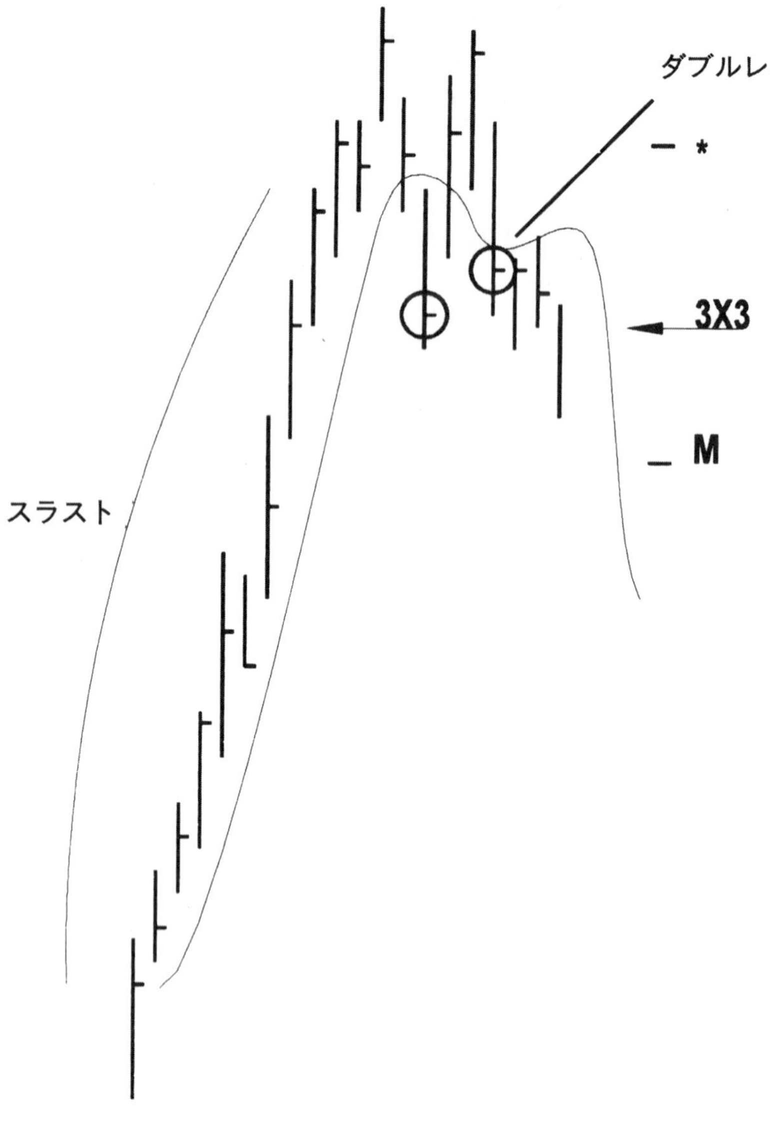

なくとも８～10営業日続いたあとに形成されなければならない。スラストが15営業日以上続いておれば、なお結構だ。スラストとはどんなものか定義するよりも、実際に目で見たほうが断然理解しやすい。プログラマーがスラストを定義するのは非常に難しいため、これは朗報だ。したがって、このシグナルは、しばらくの間「有効な」はずだ。

２．売りのシグナルとなるには、アップスラスト（急騰）のあと終値が３×３を割り込み、そして再び上回って、再度割り込む値動きが必要だ。ダウンスラスト（急落）

のあとにこれと反対の動きになれば、買いのシグナルとなる。
３．チャートに示しているように、複数のバー（足）によって形成される高値（または安値）は、互いにかなり接近していることが必要である。
４．最初のブレイクと、（調整後の）二番目のブレイクの高値（または安値）との間の間隔は、８～10営業日を超えないこと。３～４営業日になることがずっと望ましい。
５．このシグナルは、以下のいずれかが達成されるまでは維持される。（あとで説明する）主要な理論的利益目標が達成されるまで（このチャート上のM）か、（二番目のブレイクのあとの）保ち合い圏の最も安い価格（高い価格）からスラストの最も高い価格（安い価格）に対する0.618の修正が終値で達成されるまでとなる。フィボナッチ分析の説明に入れば、この最後の文章は理解しやすいだろう。定義はあとで説明するが、一連の抵抗線を作成し、終値で上回る修正の水準＊を探る。
６．ダブルレポで私が使用している期間は日足、週足、月足だが、私の顧客の多くは30分足や60分足のチャートで素晴らしい結果が得られたと報告した。

相場の実例に進む前に、読者の基準の理解を進めるために、この理想化されたチャートを使って、それぞれの基準について検証しよう。

アイテム１

相場はスラストアップ（急上昇）で、（引けで３×３の水準を上回って）13期間にわたって上昇トレンドを維持している（基本的条件で、絶対的条件ではない）。

アイテム２

ようやく反落して、３×３を下回って引け、再び上回って引け、そして再び下回って引けて、シグナルを示すバー（シグナルバー）が形成された。丸で囲った終値に注目してほしい。２つあるうちの二番目がシグナルバーである。

アイテム３

保ち合い圏の複数の高値で形成される天井は、互いに十分接近している。

アイテム４

３×３を下回って引けた２つのバーを含めたその間のバーの数は、８～10営業日より少ない。

アイテム５

価格がフィボナッチ水準＊を上回るか、または市場が利食い目標水準Mに達すれば、このシグナルは無効になる。双方ともまだ実現していない。

注目すべき重要なポイント

アイテム１～５で説明した基準について、多くの方は満足されると思われるが、なかにはがっかりされた方もおられよう。次の実際のチャートで示された具体的な水準は、裁量的トレードテクニックを使うのが心理的に性に合っている方にとって、十二分に満足のいくものであろう。ダブルレポやこれに関連したすべての方向性指標について、できるかぎり明確に述べるつもりである。ただ、注意しておきたいことは、基準が完全に満たされていないからといって、市場が基準が満たされたかのように動かないという訳ではない。以降の章の「ルックアライクス（そっくりさん）」を見られたい。セミナーで私は時折、ダブルレポの「ルックアライク」について、本物に比べてあまり「美人」ではないダブルレポのひとつと述べている。あなたの財布を厚くするのに、必ずしもバービー人形（理想的な体型）のダブルレポは必要ではないのである。

週足チャート上や月足チャート上のダブルレポは大きな転換点となり、注目すべきことである。これらは主要な強気市場や弱気市場の終わりを示唆するシグナルになりうる。

チャート6.1Aは、ダブルレポが実現したあとの典型的な市場の動きを示している。

よくある質問

ダブルレポのシグナルをどう考案したのですか？

この章で述べるすべての方向性指標と同様に、ダブルレポも私の経験から開発されたものだ。このなかには苦い経験もある。劇的な相場の値動きがあったときには、その理由を知りたいと思った。私自身、こうした相場の変動に対して自分の金を賭けていたので、意欲的な研究家だった。ある法則に気づくと、市場がその変動を何度も何度も、そしてしつこく何度も再現するかどうかに注目した。その後で、この発見した新しい知識を新たな方向性指標のひとつとして、自分のトレードの武器庫に加えても差し支えないと判断した。確認後の私のトレードは、速効性のある強いものとなったことから、信頼度の基準は高いものとなっている。実際、ダブルレポのシグナルは一連の実際の相場チャートの例の最初のチャートである**チャート6.2**で、私が最初に発見したものだった。これは1986年以降、素晴らしいトレード手段になっている。

チャート6.1A

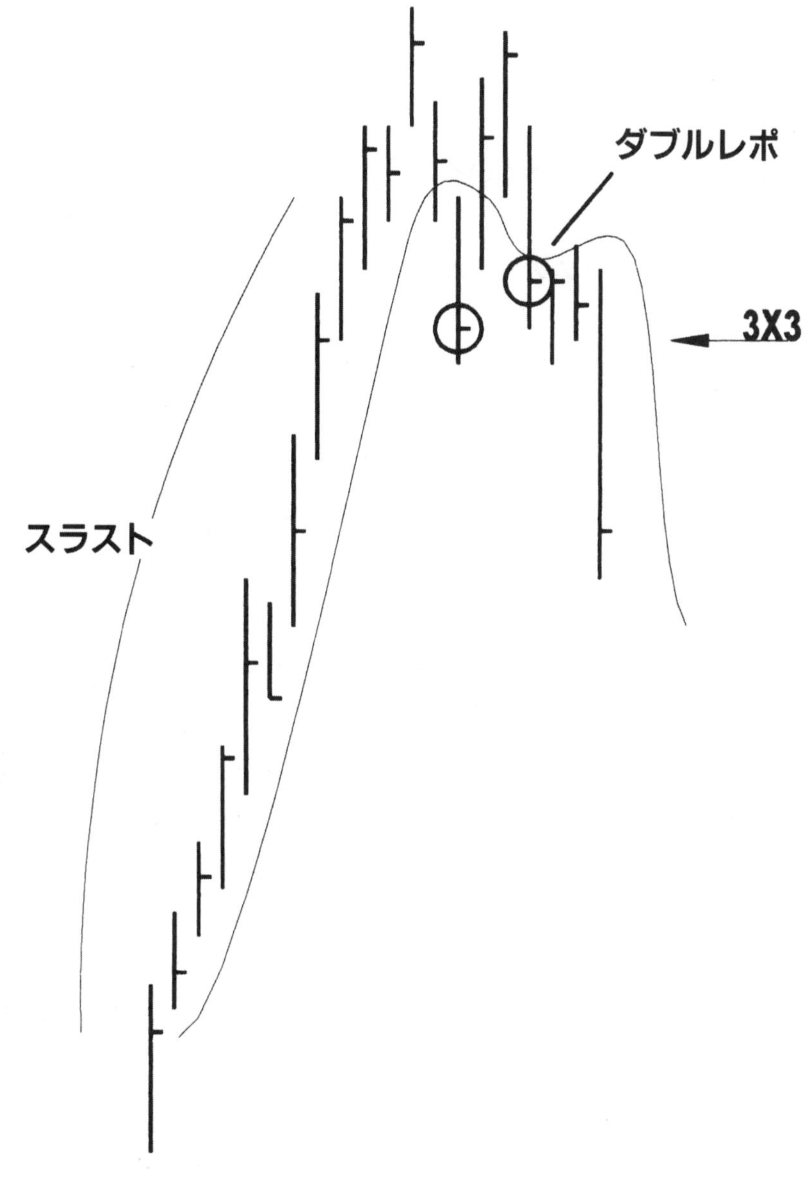

ダブルレポに基づいて終値を予想したり、先行きを見越して仕掛けたりできますか？

はい。例えば、前のチャート例で示されたシグナルバーの価格が３×３を下回るなかで、まだ市場が引けていないとしても、売りポジションを建ててもOKだ。また、イントラデイのトレンドシグナルであるMACD・ストキャスティックスが明確に示していることからも、3×3を割り込む動きを予想することもできる。ただし、予想によるシグナルや未確認のシグナルは、その期間の引け時点でも確認できない場合は、アディオスを告げる（ポジションを処分する）必要がある。

単にダブルトップについて述べているのではありませんか？

ダブルトップやダブルボトムの特別なタイプについて述べているのである。

このシグナルはどんな市場で効果を発揮しますか？

流動性のある市場すべてにおいて有効である。これには株式やミューチュアルファンド、現物為替も含む。ただし安全性の面で、小麦市場とポークベリー市場は対象から外したほうがいいだろう。

終値でのシグナルで仕掛け、価格が利食い目標水準に達するのを待つのですか？

確認のシグナルや未確認のシグナルに基づいて仕掛けることができる。ただし、期待される利益水準のほかに、損失が出た場合の「撤退」水準もあらかじめ決めておく必要がある。まだ述べていない仕掛けではほかの要素をフルに適用することもできる。多くのポジションを仕掛けるトレーダーが行うひとつの建玉方法としては、一部のポジションを未確認のシグナルで仕掛け、追加のポジションを確認されたシグナルで仕掛け、さらに追加のポジションをまだ述べていないほかの基準に基づいて仕掛けるというやり方である。

ダブルレポが形成されて以降に3×3を上回って引けたが、フィボナッチポイント＊を上回っていない場合はどうするのですか？

その場合、ダブルレポ・シグナルはまだ有効である。撤退が確認されるのは、フィボナッチポイント＊を上回るのは言うまでもないが、終値でもそうなっていなければならないことを覚えておいてほしい。方向がトレンドに優先することから、（3×3を上回る水準で引けることによって確認される）トレンドの上昇は無視してもよい。

フィボナッチポイント＊を終値で上回ったが、その後下落に転じて再び3×3を終値で下回った場合はどうするのですか？

その場合、あなたは怒っているだろうし損失も出ているだろう。トリプルレポは、全般に「適用性」や「信頼性」の面で、ダブルレポに及ばないことから、私のトレードプランのなかにはない。とはいえ、そういった動きをＴボンド市場で何度か目にした。米債券市場は、極度のスラスト（急上昇・急下降）の動きのあとに、こういういやらしい動きをする癖がある。私は、そのような動きをダブルレポの一種ととらえ、「ルックアライク（そっくりさん）」として分類します。

なぜ使用する期間を日足か、それ以上の期間に限定するのですか？

最も信頼できるためだ。顧客の一部は、ダブルレポに基づいてトレードする場合でもイントラデイチャートを使用している。どんなものか知りたければ、第４章に**チャート4.5**の30分足のS&Pチャートにダブルレポの例がある。

このシグナルがどうして有効なのか、市場内の実際の動きで説明できますか？

説明してみよう。連日のスラスト（急上昇）の動きは、売り方の自信を喪失させて、ろうばいさせる。一方、買い方は興奮して、欲の余りに正常な判断を失う。早々と手仕舞いした買い方が再び買うのは恐怖心がつきまとい、なかなか行動を起こすことができない。最初の押しは、こうしたグループによって買われるが、二番目の押しはその後の上昇がフィボナッチバリア＊によって抑えられた場合には、次第に投げへと発展し、パニックにまで拡大することになる。この市場の出来事に関する心理分析で大事な点は、最初のスラストの期間が３×３の最初と２回目のブレイクの期間によって、不必要に値固めされてしまわないことだ。言い換えると、スラストが18日間で値固めが６日間の場合のほうが、スラストが８日間で値固めが８日間の場合よりも、ずっと「美人」であるということである。値固めがあまりにも長いと、欲も恐怖も薄れてしまうのである。それでは、都合が悪い。

市場例

以下のチャートを用いてダブルレポ方向（変化）指標を発見して、明らかにする。

チャート6.2のS&Pのチャートでは、1986年に２つのダブルレポ・シグナルが見られたことを示している。最初のシグナルは、評判のランチが私に手渡された直後に、発生したものだった。S&Pのローカルズは、二番目のシグナルが発生した直後にランチを手渡されてしまった。この体験で私とローカルズは、ともに何かを学んだのだ。私は、ダブルレポのシグナルについて学んだ。ローカルズは、S&Pの貨物列車が高

チャート6.2

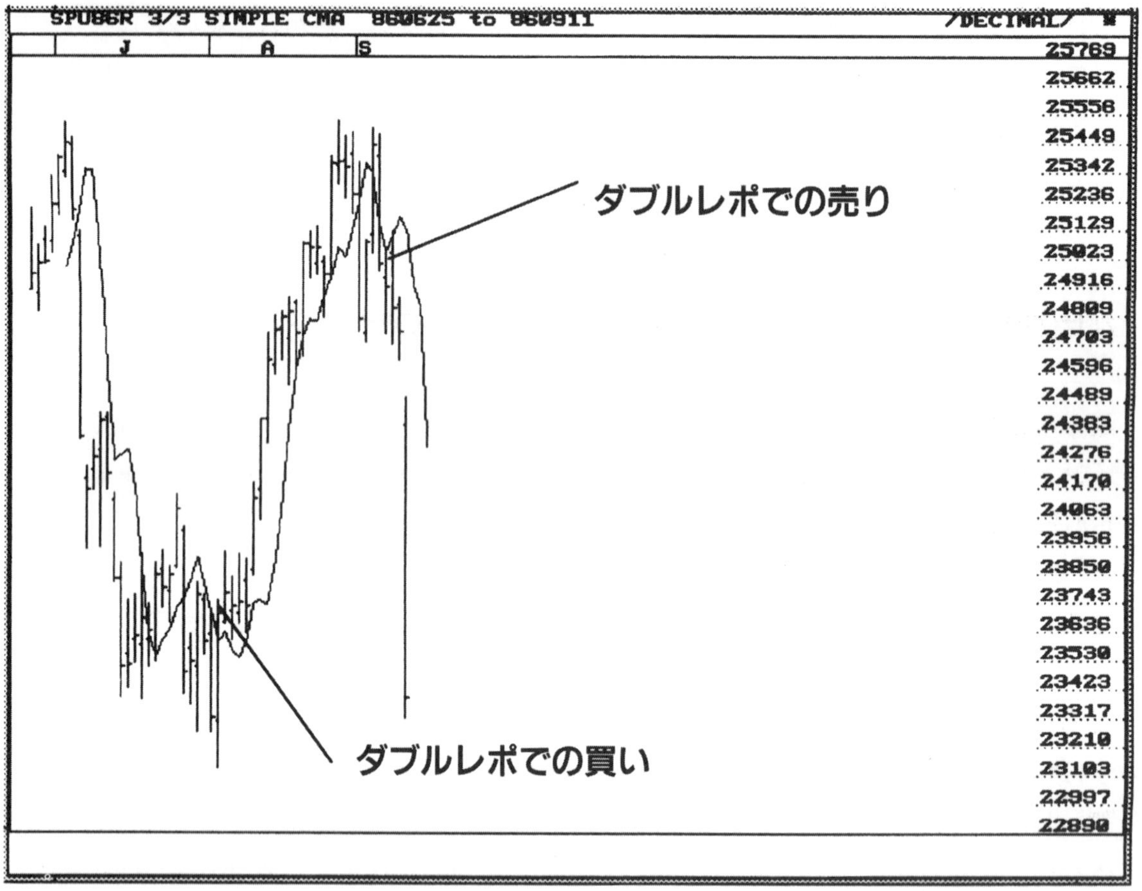

速で走っているときには手をポケットにしまう（ランチに手を出さない）ことを学んだ。

二番目のシグナルは、（売り方にとって）完全なものだった。直前に美しいスラスト（急上昇）があり、ほとんど同じ水準で二番天井を付け、3×3を割り込んだ2つの引けの間隔は狭いものだった。

最初のシグナルは、（買い方にとっても）有効だったことは明らかだ。ただ、その前に形成されたダウンスラスト（急落）も力強いものだったが、二番目のシグナルが出る前のアップスラストほどではなかった。スラストを見る場合、大きく動いては値固め、そしてまた大きく動くというパターンではなくて、典型的なチャート例のように、圧力の継続に注目したい。ダブルボトムの水準は十分に接近しているものの、売りのシグナルが出る前に付けたダブルトップほど「美人」ではない。直前のダウンスラストの規模と性質から見て、3×3を上回った最初の引け値と次の引け値の間隔も多少大きくなっている。

チャート6.3

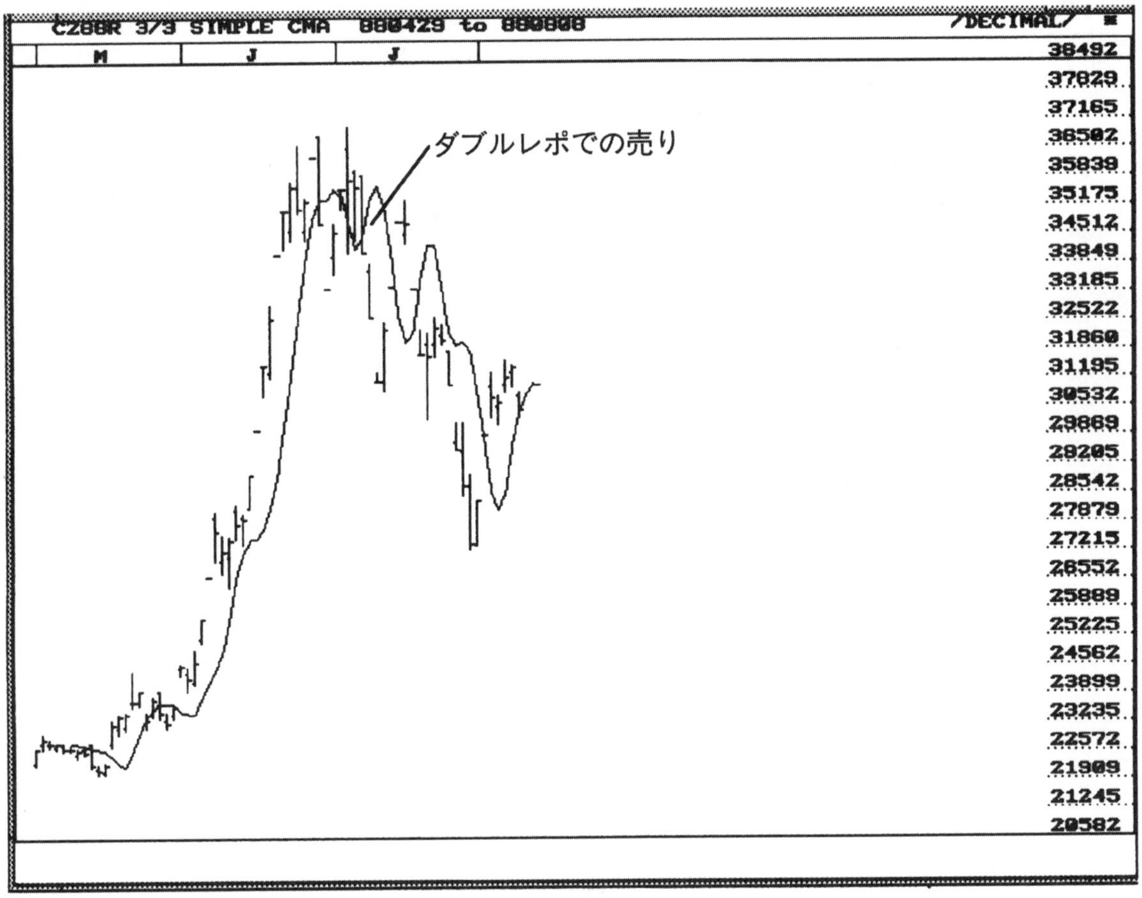

チャート6.3は、1988年のトウモロコシの天候相場における高値での完全なるダブルレポを示している。天候に左右される商品の取引経験がないトレーダーに忠告しておきたい。天候相場とはすべての相場のなかで、最もたちの悪いものである。このチャート上のドットは、トレード意欲がなくて流動性がなかったのではなく、ストップ（高・安）に張り付いた日を示している。

チャート6.4

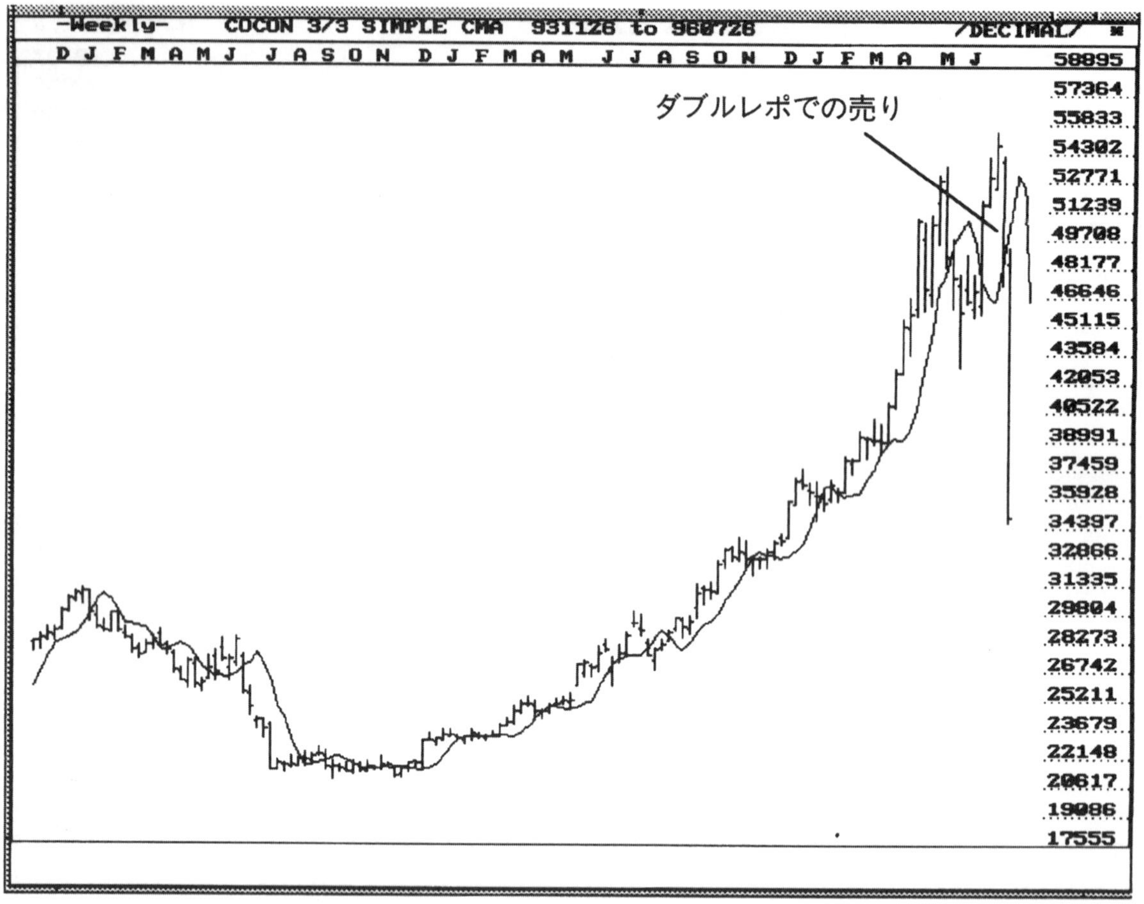

チャート6.4はトウモロコシの週足のつなぎ足チャートであり、1996年の凶作の時期と、その前の期間の動きを示している。5.00ドル近くに完全なダブルレポがあることに注目しよう。このときに10枚の売りを出せれば、どうなっていただろう。

実際に仕掛ける場合にはつなぎ足チャートではなく、トウモロコシ９月限のチャートを使用することに注意してほしい。ダブルレポは、トウモロコシ９月限のチャートにも現れている。ただし、状況をより明確にするためにはつなぎ足チャートも必要だ。この考え方は、第15章で詳しく述べる大豆ミールのトレードでの概念と似ている。大豆ミールのトレードでは７月限で仕掛けたが、その背景には週足のつなぎ足チャートがある。

チャート6.5

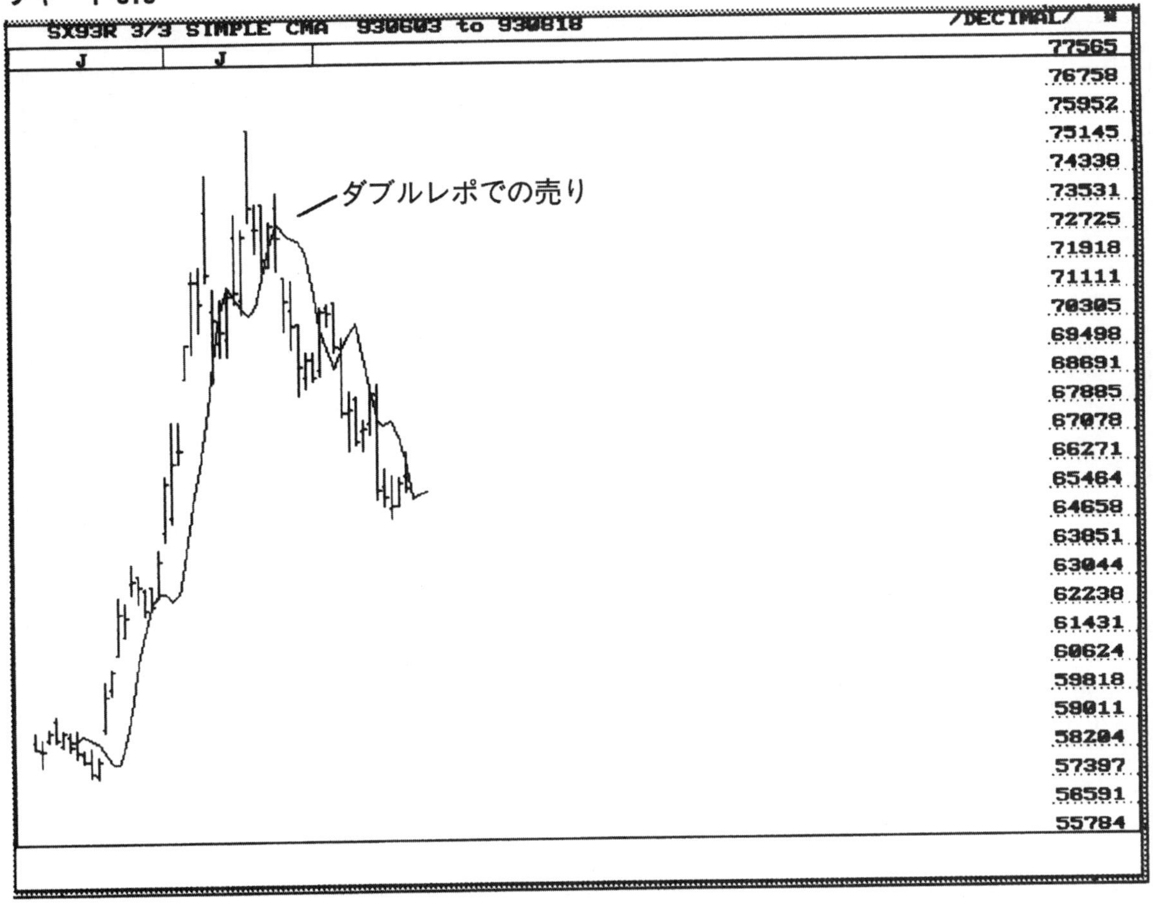

1993年の洪水時とその後の大豆の日足チャート（**チャート6.5**）を見よう。

チャート6.6

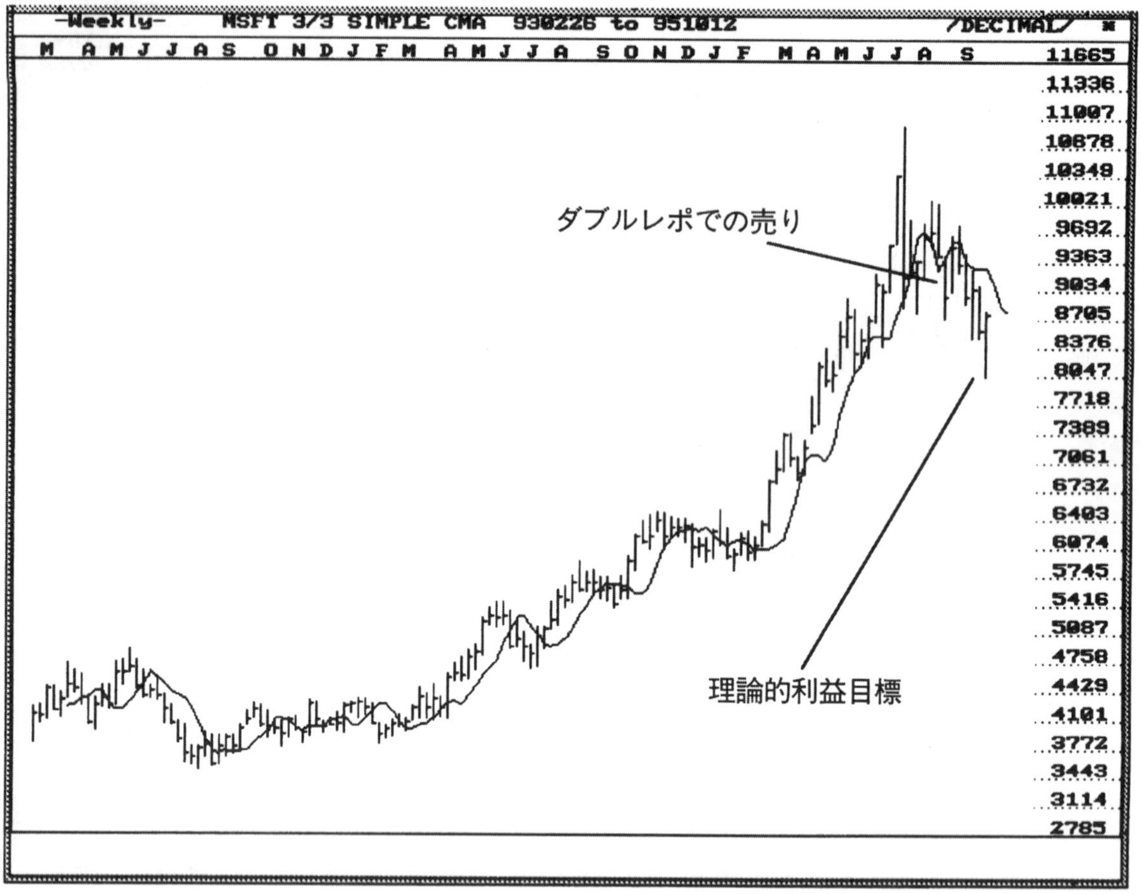

ちょっとペースを変えて、株式市場での方向性指標の有効性について考えよう。

マイクロソフトの株価（**チャート6.6**）は、ウインドウズ95の発売時にピークに達したあと、ほぼ完全なダブルレポを付けた。株価は、この水準から事前に予想したフィボナッチの利食い目標水準まで下落した。この場面は売り方にとって週足チャートに基づいた利食いの機会となっただけでなく、継続中の上昇トレンドに対する月足チャートでの修正に対して、買う機会ともなった。ここから先を省いてしまうのは申し訳ないが、月次の時間枠では、マイクロソフトはこの先の展開も実に興味深い。時間枠、トレンド、方向の概念をまだ理解されていない人にとって、次のチャートは非常に役立つはずだ。

チャート6.7

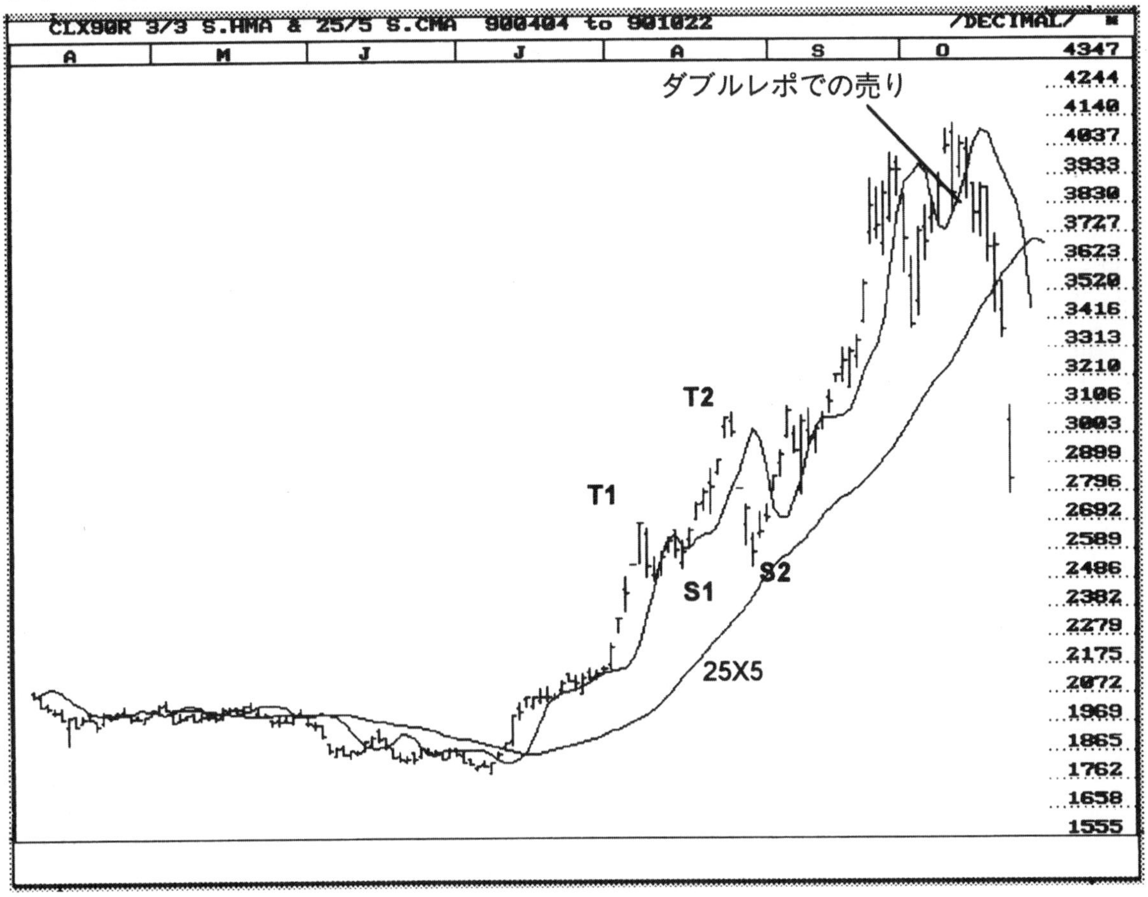

原油はどうだろう？　原油市場は、たしかに流動性が高い市場である。しかも、非常に値動きの荒い市場でもある。そこがわれわれの狙いなのだ。1990年夏にサダム・フセインがクウェートに侵攻したときに何が起こったか見てみよう。

チャート6.7を見ると、3×3が上昇トレンドを包含して40ドルまで上昇したあと、ダブルレポを形成し、その後下落して25×5を下放れている。このダブルレポは、クウェート侵攻以来初めて形成されたものであり、売っても「安全な」ことを示唆している。これ以前にあった（2回の）3×3割れ（S1とS2）は、主に2つの高値（T1とT2）に大きな格差があったことから、シングルの割れにとどまった。これらの押し目は買い場となっており、ブレッド・アンド・バターの方向性指標を説明すれば、このことは理解されるだろう。

これらのシングルの割れをダブルレポと誤解しても、フィボナッチレベル＊（ここでは示されていない）を上回ったときにすぐに買いに転じれば、期待した以上の利益が得られただろう。これはダブルレポ・フェイラー（失敗したダブルレポ）と呼ばれる。この方向性シグナルについては次に説明する。

チャート6.8

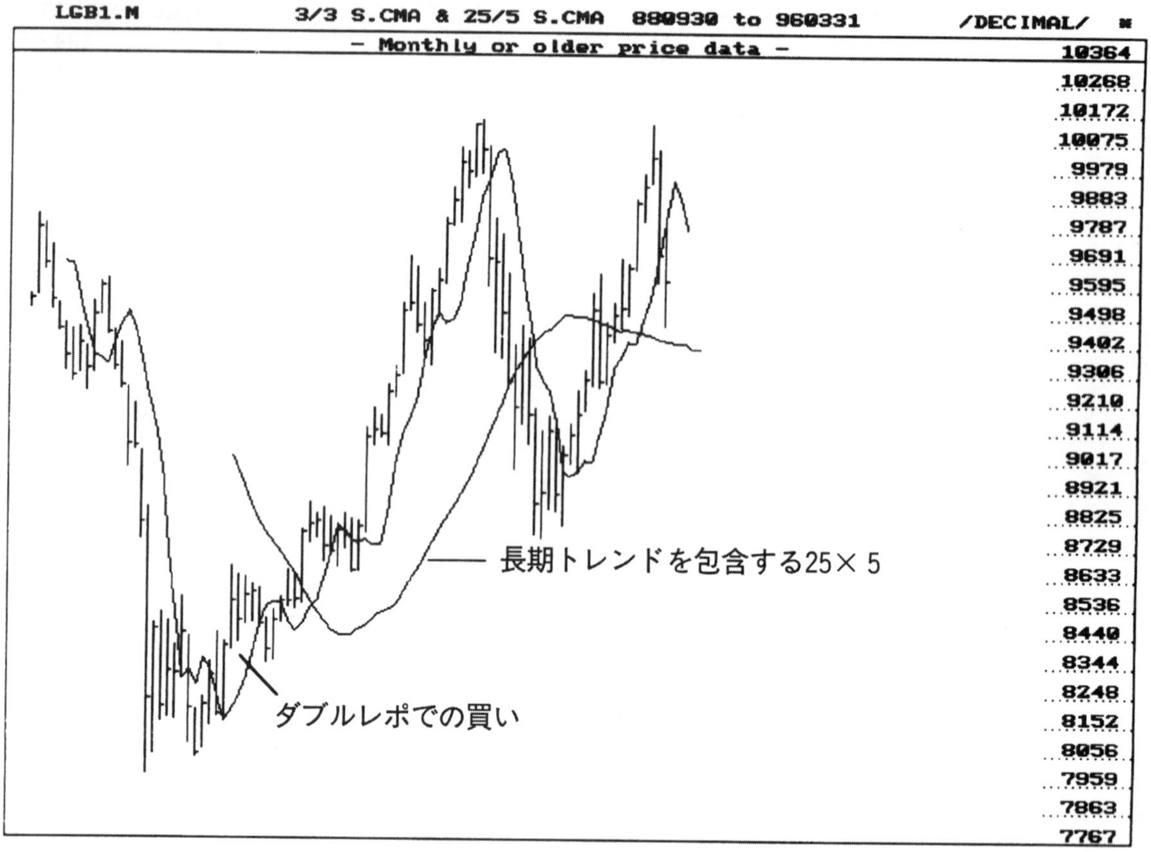

チャート6.8はドイツ国債の月足チャートであり、ダブルレポの買いを示している。

市場例の説明を続けているが、読者はここまでで、この方向性指標がどういうものか見て判断できるはずである。ダブルレポに対する理解を強調するのは、ダブルレポ・フェイラーやブレッド・アンド・バターを理解するうえで重要だからである。このテーマから離れる前に、非常に興味深い金の月足チャート（**チャート6.9**）をご覧いただきたい。

チャート6.9

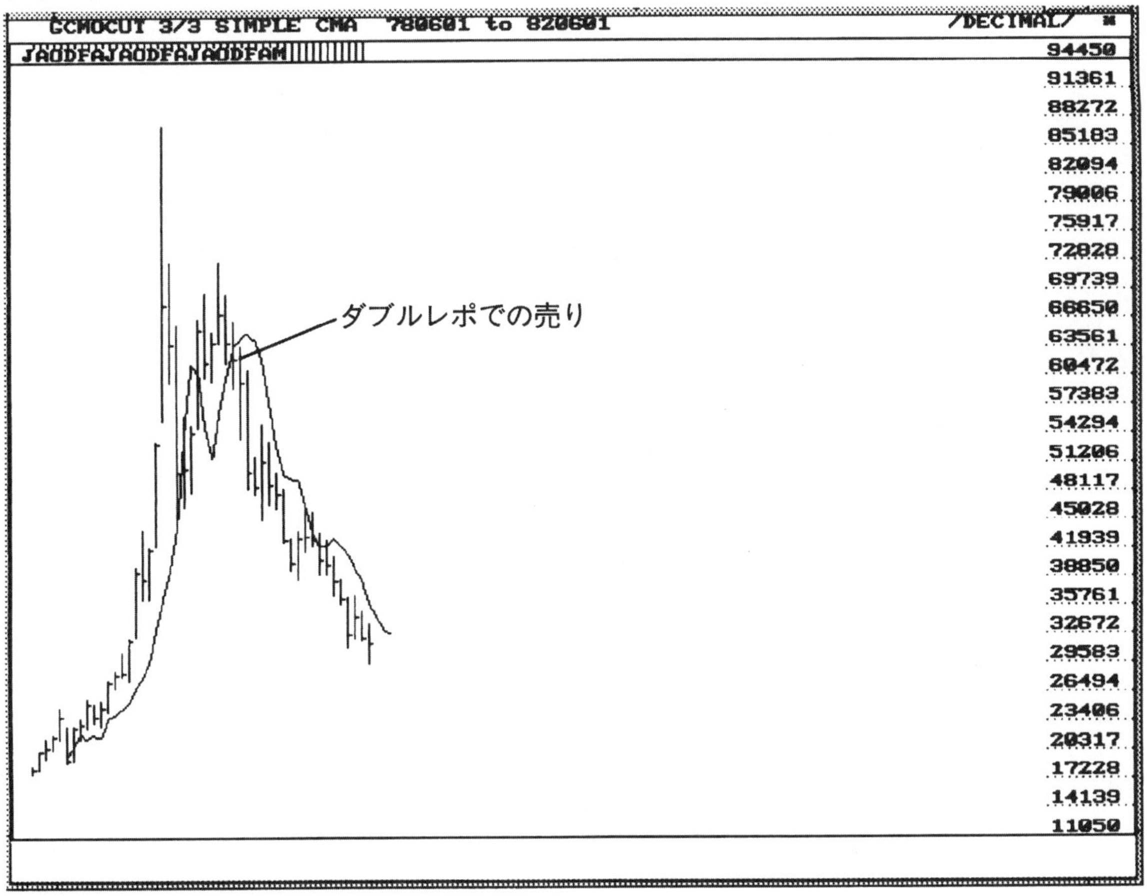

私は、1980年代初頭にこの相場に遭遇するまでダブルレポについて知らなかった。知っておけばよかったのだが。

875ドルまでの当初の急騰は、明確なスラスト（急上昇）となっている。その後複数の異なった高値をいくつか付けたものの、それを維持するには多少無理があった。ただ、フィボナッチ＊の抵抗線によって二番目の高値が抑えられたという事実は、注目に値する。625ドルあたりで売りのシグナルが出た。その後はなんと280ドル付近まで下落したのだ！　ただ、200ドル単位のストップロスになりそうなこの月足チャートを使ってトレードすることを勧めているわけではけっしてない。理解する必要があるのは、月足チャートの展開は週足チャートに基づいたミューチュアルファンド・スイッチングや日足チャートに基づいた商品取引にも使用できるという点だ。このチャートをお見せしたかったのには、もうひとつ理由がある。私が極端に弱気になる前に、株式市場が現在上昇しているなかで私が何を探しているか分かってもらうためだ。ダウやS&Pの月足チャートでダブルレポの売りが出たら、株式にさよならをしよう。

月足チャートがさらに下落したあと、この強気市場の始まりの水準からみて0.618のリトレイスメント（押し・戻り）があれば、4000ポイント以上の損失を被る！　また0.382のリトレイスメントにとどまっても、まだ2500ポイントあまりの損失となるのだ！　こういったことはありそうにないと思われる方は、**チャート6.9**をもう一度じっくりと見よう。

「ダブルレポ・フェイラー」

1．まず、**チャート6.10**で見られる確認されたダブルレポを理解する必要がある。
2．終値がフィボナッチ＊水準を上回るようだと、ダブルレポ・シグナルは失敗し無効になる。これがあなたのシグナルバー（シグナルの足）となる。その後に予想される動きは大幅な上昇だ。
3．手仕舞いは、重要な理論的利益目標に達した水準、あるいは３×３によって判断できる確認されたトレンドシグナルが出たときとなる。この３×３は、フェイラーから予想される動きを確認するものではない。

注　このシグナルは、当初のポジションをドテンさせることができる数少ないケースのひとつである。また、小幅の調整局面であっても、ダブルレポ・フェイラー・シグナルバーの高値で積極的に仕掛ける（新たに仕掛ける）のも可能である。実は、これが方向性シグナルなのだ。甘く見てはいけない。それに向かったりせず、それに乗っていくのだ！　**チャート6.10**を見ると、ポイント＊を上回ったため、ダブルレポは形成されていない。買い方は、撤退する方法が２つある。ポイントCOP（ここでは示されていない）は、前もって計算されたフィボナッチの利食いの目標水準だ。終値が再び３×３を下回れば、プロテクティブストップ（手仕舞いの逆指値）となる。このプロテクティブストップでの手仕舞いは、相場が３×３といつ、どの水準でクロスするかによって利益が出る場合も、損失を被る場合もある。第８章～第11章で述べる逆指値の設定方法を活用することもできる。ほかの戦術がどうであれ、理論的利益目標水準に達するか、予想した動きに逆行する確認されたトレンドが形成されるまでは、このシグナルは有効となる。

よくある質問

フェイラーが出現した場合、それによるトレードにどのくらい積極的になったらいいのでしょうか？

チャート6.10

フェイラーによって予想される動きと相反する既存のポジションは、直ちに手仕舞うべきである。積極的に新規に仕掛けるのもいいし、まだ述べていないが、所定の基準に従って新規に仕掛ける（時間枠をなくして、フィブリトレイスメントやコンフルエンス［合流］エリアで仕掛ける）こともできる。

フェイラーが自分のポジションに逆行する場合、用心のためプロテクティブストップ（損切りの逆指値）を置く判断に、３×３ではなくMACD・ストキャスティックスのトレンド指標を活用できますか？

活用できる。フェイラーは動き、そして動き続けるものだ。そうならなければ、どこかおかしい。

チャート6.11

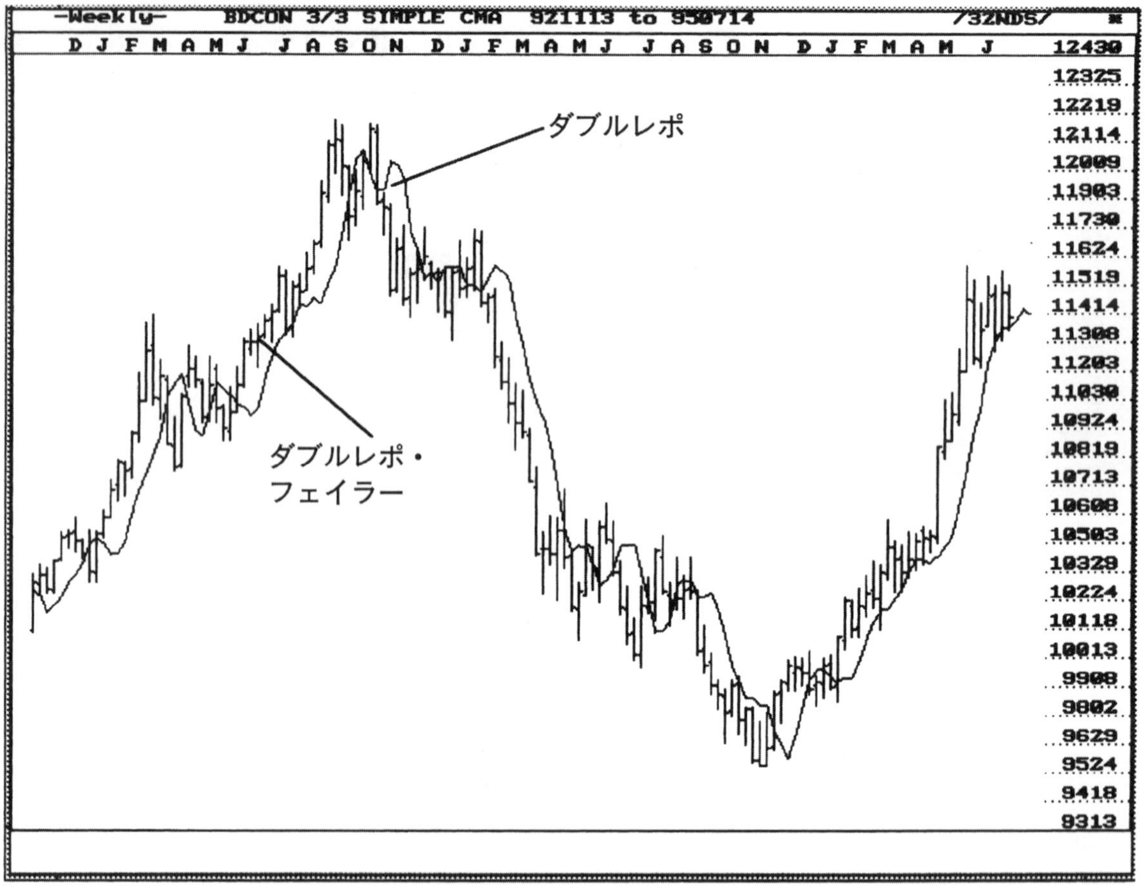

チャート6.11はTボンドの週足チャートだが、ここには2つのダブルレポ・フェイラーと1つのダブルレポがある。私は、ダブルレポ・フェイラーとダブルレポをそれぞれひとつずつ示したが、もうひとつのフェイラーを見つけることができますか？

チャート6.12

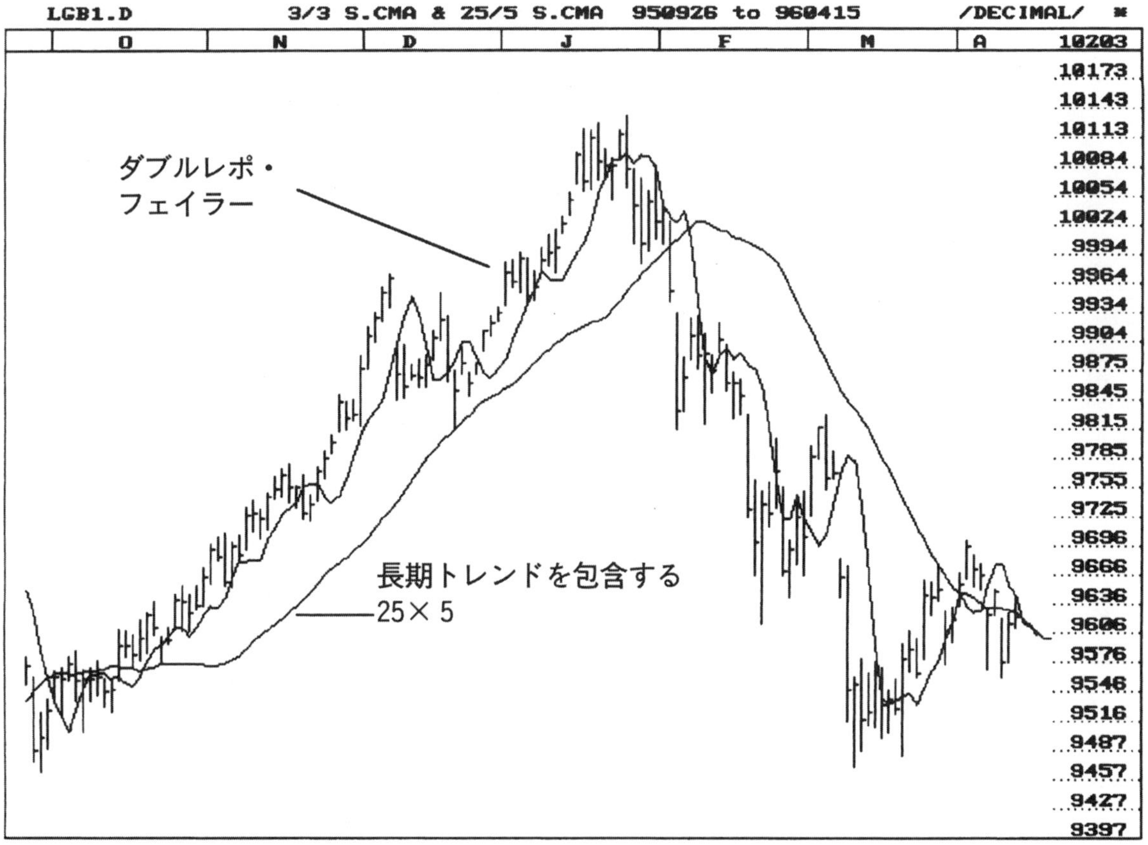

チャート6.12はドイツ国債の日足チャートで、ダブルレポ・フェイラーがひとつある。その後の高値までの動きで、有力なスラスト（急上昇）がなかったことから、ダブルレポではなかったことが分かる。25×5が見事な長期トレンドを包含しているのに注目しよう。

チャート6.13

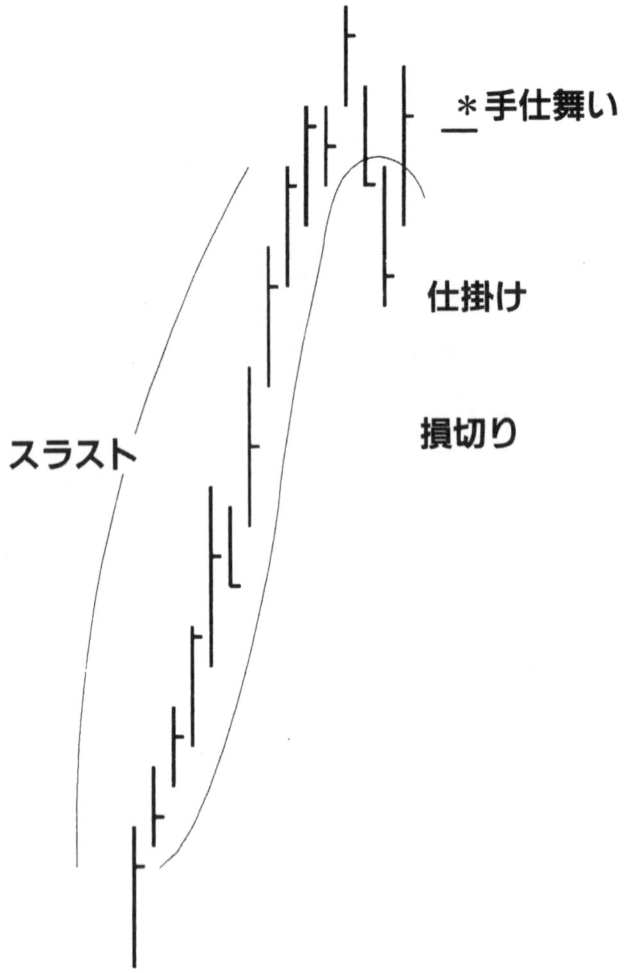

「シングルペネトレーション」または「ブレッド・アンド・バター」シグナル

ここで紹介するパターンは、「天からの恵み」といえるだろう。もちろん、トレードにはリスクがつきもので、まったくリスクのない売買などあり得ない。トレードとはリスクを限定するなかで、適度の利益を追求するのが目標である。ただ、このシグナルを活用するためには高度なフィボナッチの押し・戻り分析を十分に理解しておく必要がある。したがって、ディナポリレベル（D－レベル）を学習したあとにこの分析を読み返えしてほしい。一部の用語は必要のために、広義の意味でとらえている。

1．ダブルレポ同様、ブレッド・アンド・バターも、少なくとも８～10日営業日にわたってスラストの動きがあることが必要だ。スラストの期間がこれよりも長ければ、なおよい。スラストとはどんなものか定義するよりも、実際に目でみたほうが断然理解しやすい。このようにプログラマーがスラストについて厳密に定義することが非常に難しいのは、朗報である。したがってこの手法は、当分の間「有効な」はずだ。

２．終値で３×３を初めて割り込んだあと、当初のスラストの方向で仕掛けるために、有力なフィブノードの水準で、短い時間枠でのフィボナッチの押し・戻り水準（支持線）を探そう。この水準は、３×３割れが最初に確認されてから１～３期間以内に判明するはずだ。私は、日足、週足、月足のチャートを勧めるが、この戦略はイントラデイチャートでも有効だ。私が上に述べた期間を用いる場合、仕掛けや手仕舞いの目安となるリトレイスメントのフィブノードは、１時間（あるいはそれ以上）ごとの時間枠チャートに基づいて算出することができる。

３．仕掛けたならば、フィボナッチの押し・戻りのより深い水準よりも下にストップロスを置く。そして利益目標の水準は、コントラムーブ（当初のスラストに対しての反対方向の値動き）全体に対する0.618のリトレイスメントのやや手前に設定する。

売りと買いの水準に関する例として、金の月足チャートの**チャート6.14**を見よう。

チャート6.14

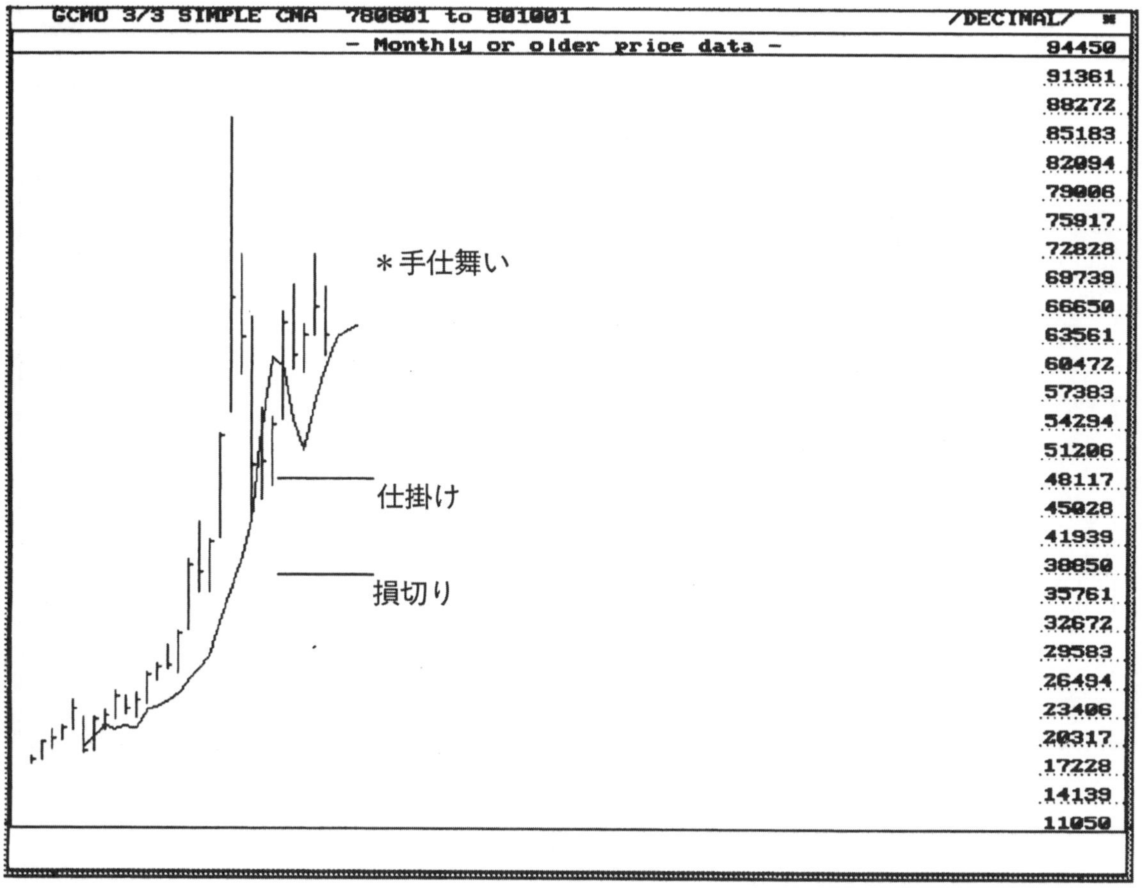

200ドル幅のストップロス（損失限定）を見て、読者が心臓麻痺を起こすかもしれないが、念のために、これはあくまでも理論上の一例であると指摘しておきたい。ただ、週ベースのミューチュアルファンド・スイッチングのための月間の方向性、またはデイリーのフィブエントリーを使用するならば、実用的にはなる。状況、セットアップをしっかり確かめよう！　ほかの重要な金融取引と同様に、トレードを計画したほうがいい。さらに例を挙げるが、フィボナッチに基づいて仕掛けや手仕舞いの水準をどう算出するかをまだ説明していないために、この例題はその妥当性が限られるようだ。

ともあれ、このテーマを終える前に、われわれの友人マイクロソフトの株価を見よう。**チャート6.15**だ。今回は月足チャートだ。

チャート6.15

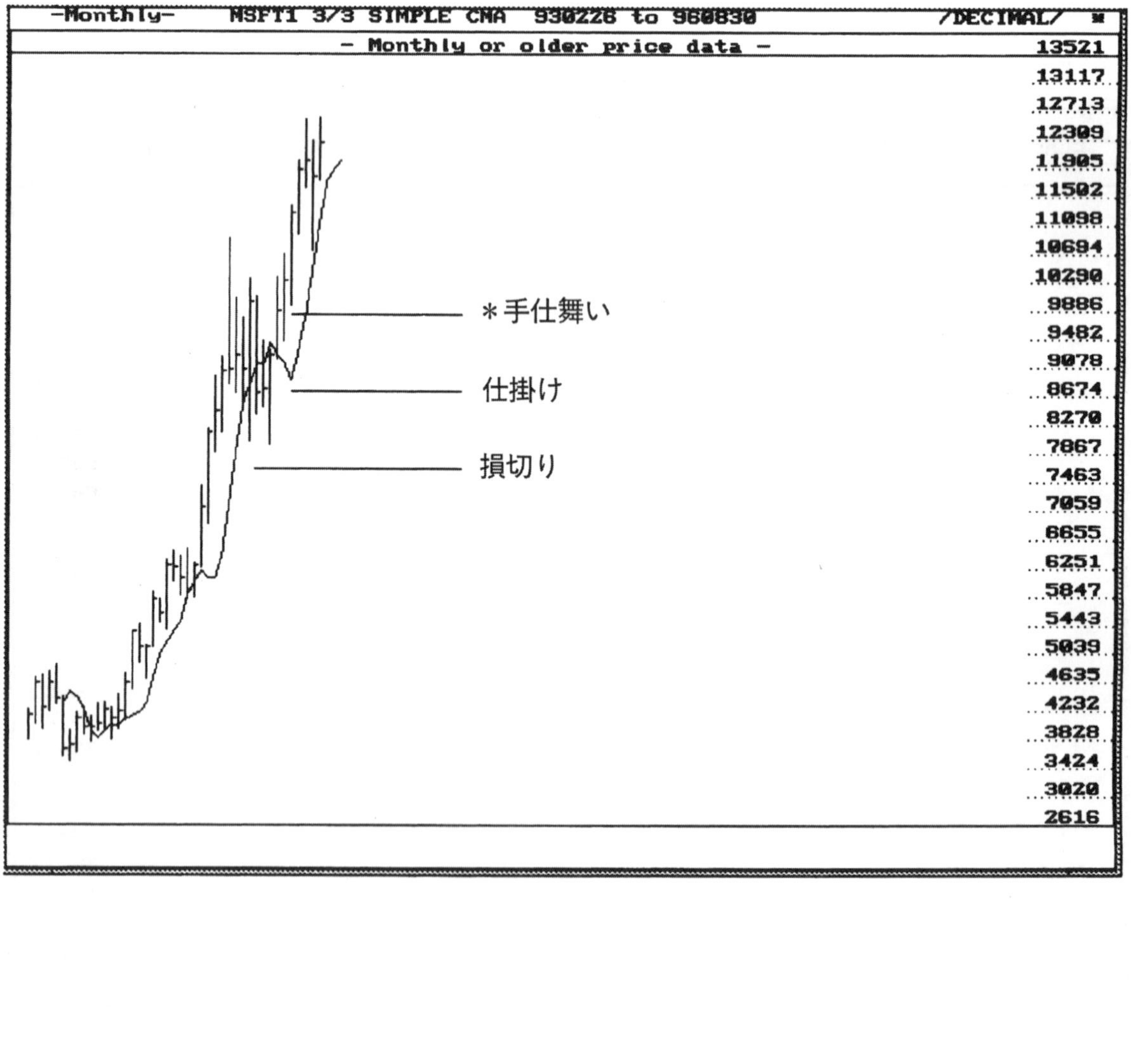

チャート6.16

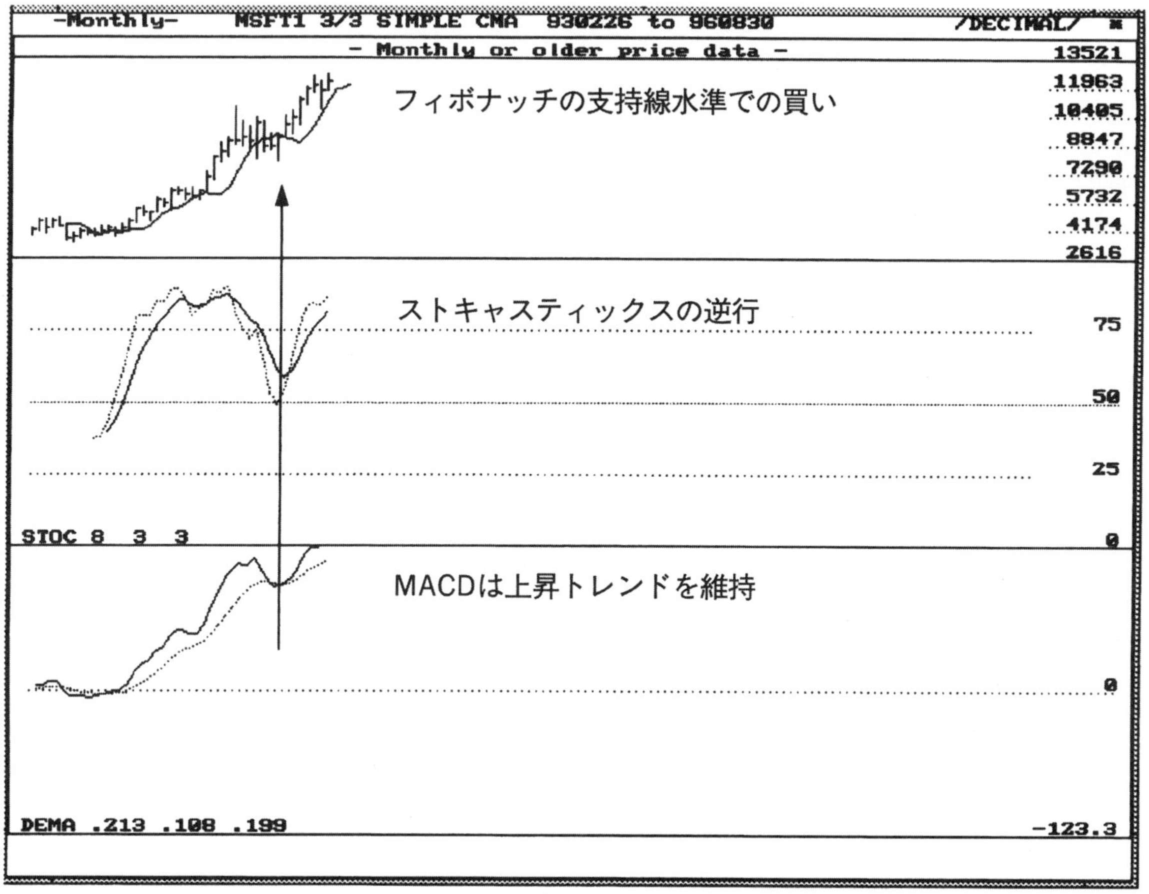

先に述べたように、週足チャートのダブルレポでは、売りに一貫性が見られない。**チャート6.6**で示した理論的利益目標水準で手仕舞いし、その後月足チャートのブレッド・アンド・バター・シグナルに基づいて買っている。このことに一貫性がないと感じる向きは、「価格対時間のチャート」または「複数の時間枠」の関係を完全に理解されていない。第２章で述べたトレンドを復習してみてほしい。

月足のMACDが進行中の月足チャートの上昇トレンドをどう確認したか注目しよう。一方、ストキャスティックスは**チャート6.6**のように利食い目標が達成されたときに、大きな買い場を提供した。

上記のように、月足チャートでのブレッド・アンド・バターの買いとMACDの間には一貫性があることに注目しよう。ここで示されていないのは、同時に日足チャートでダブルレポのルックアライク（そっくりさん）が買いで発生したということだ！これこそが確率の高いトレードなのだ！

パターンフェイラー

これらの方向性シグナルの背景にある考え方は、大衆に追随するのではない。むしろこうしたパターンプレーヤーが明らかに間違っていると思われる場合に、これらのプレーヤーの逆をやることにある。通常、初心者トレーダーは、トレードのシグナルとして、標準的なロバート・エドワーズとジョン・マギーのトレードパターン１に注目する（ロバート・エドワーズとジョン・マギー著『マーケットのテクニカル百科　入門編』『マーケットのテクニカル百科　実践編』[パンローリング]）。こうしたトレードパターンは、これら初心者の行動や初心者がパニックに陥る時期を判断できるならば、あおることのできる一群のトレーダーを作り出すのである。初米のトレーダーが損を被る仕掛けをする時期に、これらのシグナルは最も効力を発揮するのだ。このため、私は、日、週、月ベースでパターンフェイラー（失敗したパターン）を見ている。時間枠が長ければ、それだけ確率は強固となるが、一定のイントラデイのフェイラーによってかなりドラマチックな成果が得られる場合もある。

「ヘッド・アンド・ショルダーズ・フェイラー」

右ページの典型的な例は、はっきりしたヘッド・アンド・ショルダーズ（三尊型＝H＆S）を示したものだで、ネックラインを割り込み、そこで少し保ち合ったあと再び上昇し、ネックラインを上回って引けている。このあとには大幅な上昇が予想されるが、それは売り方の見込み違いで手仕舞い買いを強いられる可能性が高いからだ。ネックラインを割り込んでからの保ち合いの安値は、重要なフィボナッチ水準で下支えられたとみられる。もしそうならば、フェイラー（失敗）が前もって予想されることになり、この場合には、第13章で述べるフィボナッチ戦術に従って仕掛けることができる。ただし、そうした支持線があっても、必ずしもフェイラーにつながるというわけではない。重要なのは、フェイラーが発生することである。このパターンは、自己リスクで判断するべきである。相場がネックラインをクロスする前にこのシグナルを想定することは、典型的なパターンに逆行し、現行のトレンドにすら逆行するトレードをしてしまう可能性もある。大事なことは、あなたは典型的な売りシグナルをトレードするのではなく、むしろフェイラー（売りの失敗、つまり買い）が発生したならば、それでトレードするということである。

チャート6.17

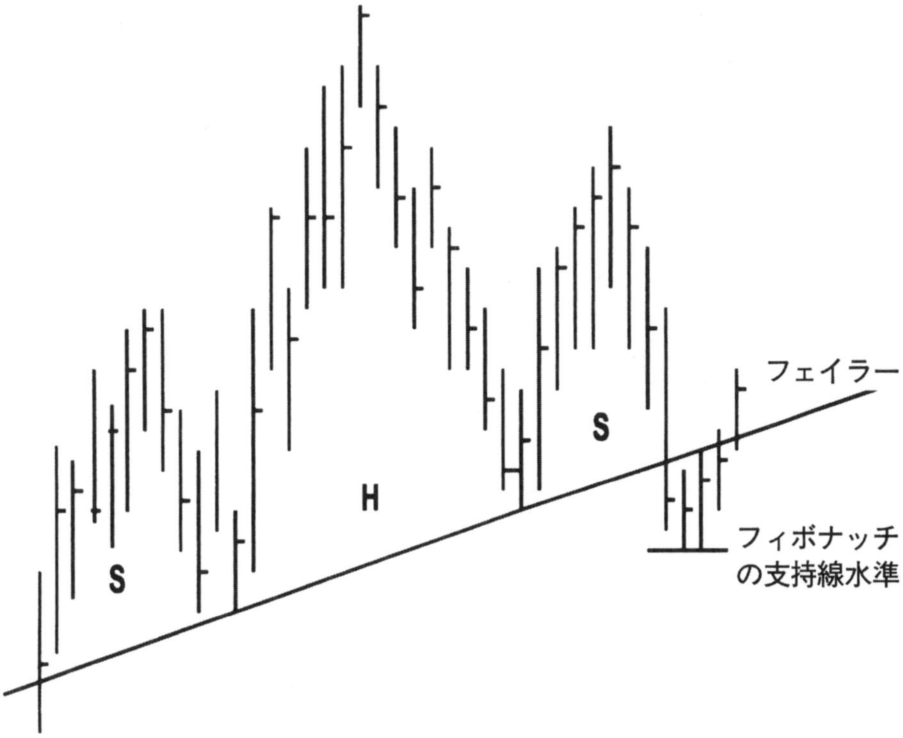
フェイラー
S
H
S
フィボナッチ
の支持線水準

チャート6.18

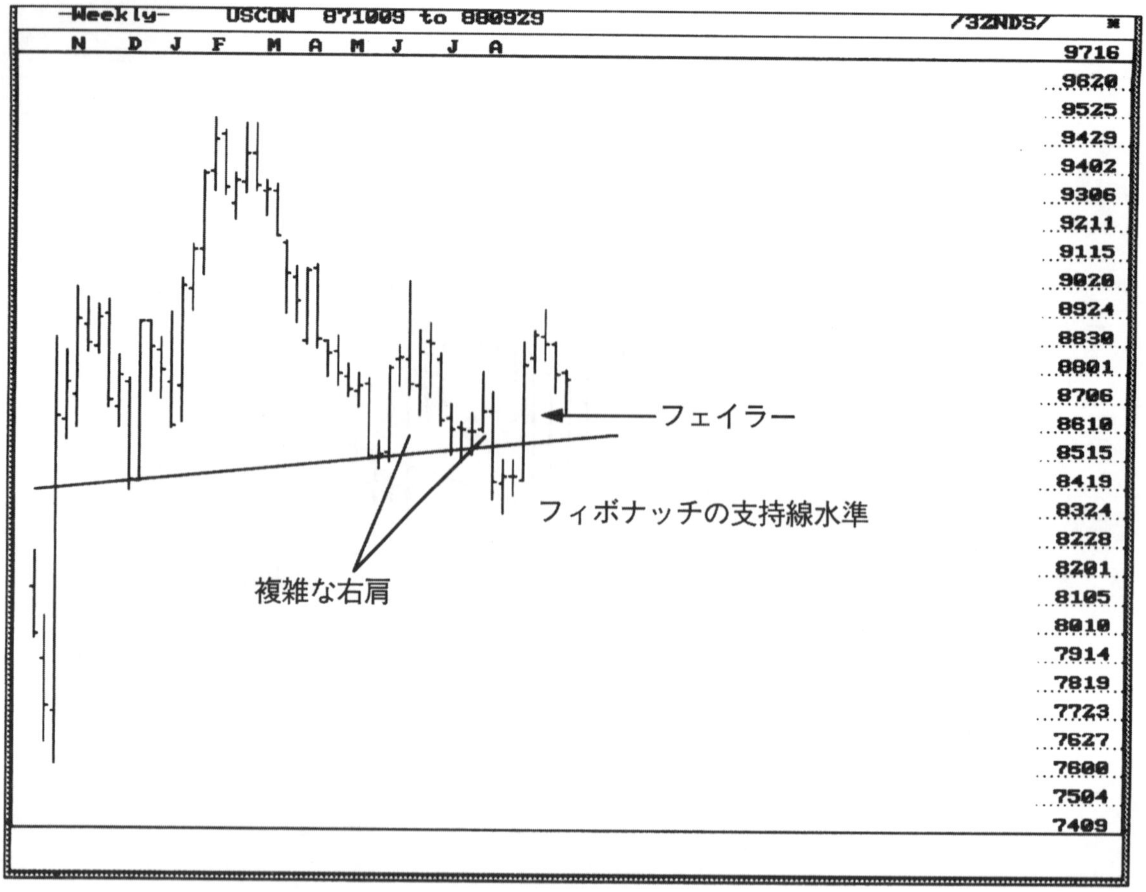

Tボンドの週足チャートの**チャート6.18**は、この現象の美しい見本である。ネックラインの下には、フィブによる強い支持線がある。それからプレーヤーらが「間違いを犯す」期間（2～3週間）があり、そしてその後に、価格は大幅上昇して、こうしたパターンプレーヤーを餌食にしている。この週足チャートの値動きは、このトレードのための伏線だったのである。仕掛けには日足の時間枠が参考になるだろう。

チャート6.19

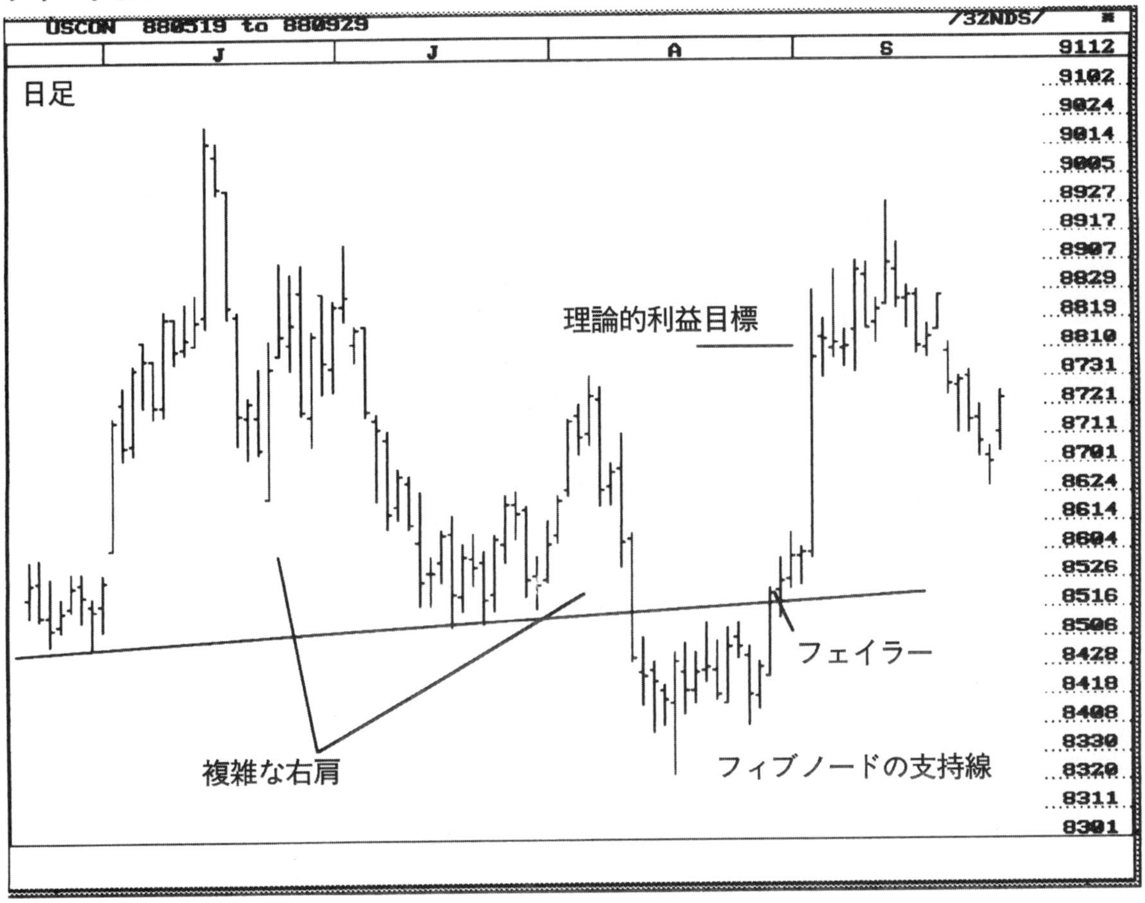

この日足チャートは、このシグナルがいかに強力で利益の大きいものになりえるかを示している。この状況が明確になったならば、時間枠を短くして仕掛けるのがここでのアイデアである。

もし週足チャートでフェイラー（失敗）を確認したならば、日足のチャートに切り替えるべきである。日足チャートでこの現象を確認したならば、60分足チャートでトレードすることである。そのときの仕掛けの具体的テクニックについてはこの本のあとに述べている。尻込みすれば、相場に取り残されてしまう！

注　こうしたパターンが、ある特定の市場、とりわけテレビ番組、あるいは有力ニュースレター、ファクスサービスなどで広く宣伝されている場合には、こうしたパターンによるトレードは特に大きな利益が期待できることになる。

チャート6.20

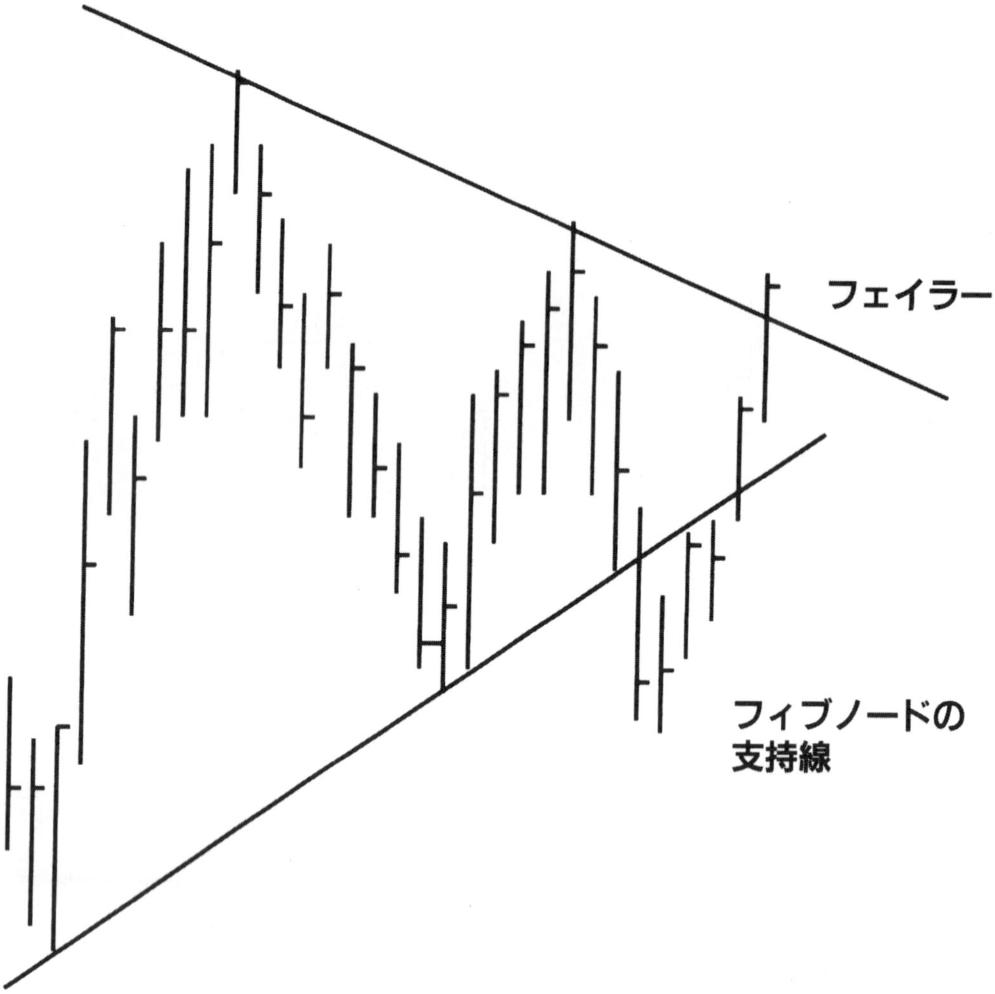

「トライアングルブレイクアウト・フェイラー」または「ウップス」

トライアングルブレイクアウト・フェイラー（三角形からの放れの失敗）やウップス（OOPS）は、さまざまな形態となる。トレーダーらはこのトライアグルパターンの形成に気づいたあと、それに対応してトレードする時間が十分にあるために、むしろ間違いを犯してしまうのである。これは、そんなに微妙なものではない。ヘッド・アンド・ショルダーズ・フェイラーと同じ理屈が応用される。

「人気の後退」または「強欲者の歓喜」

90年代の初頭には、米国にローソク足（キャンドルスティック）チャートが導入されて、派手に宣伝された。そのころ、私のある熱心の顧客は、ローソク足チャートが強いシグナルを示すたびに私に電話をしてきた。私は、こうしたシグナルはまったく信用しなかった。私は、ローソク足チャートのパターンを信奉するその顧客に対し、彼が間違っていたことを彼の方向性シグナルが示すのはいつになるのか、とそっけなく尋ねた。それこそが、私の方向性シグナルでもあったのだ。すぐにその顧客は、私が彼にフェイラーがいかに強力なものかを教えようとしていることを理解してくれた。

「線路」

これは、どの時間枠にも現れる最高の方向性シグナルである。このシグナルは広範な市場に適用可能なことから、私の顧客からも白熱したコメントが出されている。このシグナルは容易に応用できるうえに、それによって最低の努力で利益が得られる。ステイドルマイヤーの著書（J・ステイドルマイヤーとケビン・コイ著『マーケッツ・アンド・マーケット・ロジック［Markets & Market Logic］』）、マーケットプロファイル、そして「価格の拒否（リジェクション・オブ・プライス）」について勉強された方は、基調となっている私の分析の基本概念をご存知だろう。この概念を知らない方は、カリフォルニア州サンタバーバラ沿岸にあるオーシャンビューの６つの別荘が突如としてそれぞれ10万ドルで売りに出されることを想像しよう。ビューンと、音を立てて売れてしまうだろう。プロの投資家や不動産業者が買いあさったあと、価格は通常のレンジに戻るだろう。だぶついていた供給がなくなることから、おそらく価格はより高めになっているだろう。

チャート6.21は、典型的な線路（RRT）のチャートを示したものだ。チャートに示されているようにエクステンションでの下落となっていることから、そのあとには強気の上昇が想定される。エクステンションされた２本のバー（足）は、ほかのバーに比べると、類似性がないという点にも注目しよう。われわれは、これを「田舎を走る線路」と呼んでいる。なぜなら、快適で、景色も良く、楽しいからだ。都会の線路は混雑し、不愉快で、横断するのは危険だし、スモッグが多くて、眺めも悪い。先物トレーダーとして、われわれが求めるのは、トレードしようとするこの線路周辺に、スペースが十分にあることだ。価格の拒否（リジェクション・オブ・プライス）のためには、通常ではない価格が必要なのである。

この線路は、５分足チャートから年足チャートに至るまで、あらゆる時間枠で生じる。時間枠を好きな数値に調整することができる方向性シグナルは２つあるが、これ

チャート6.21

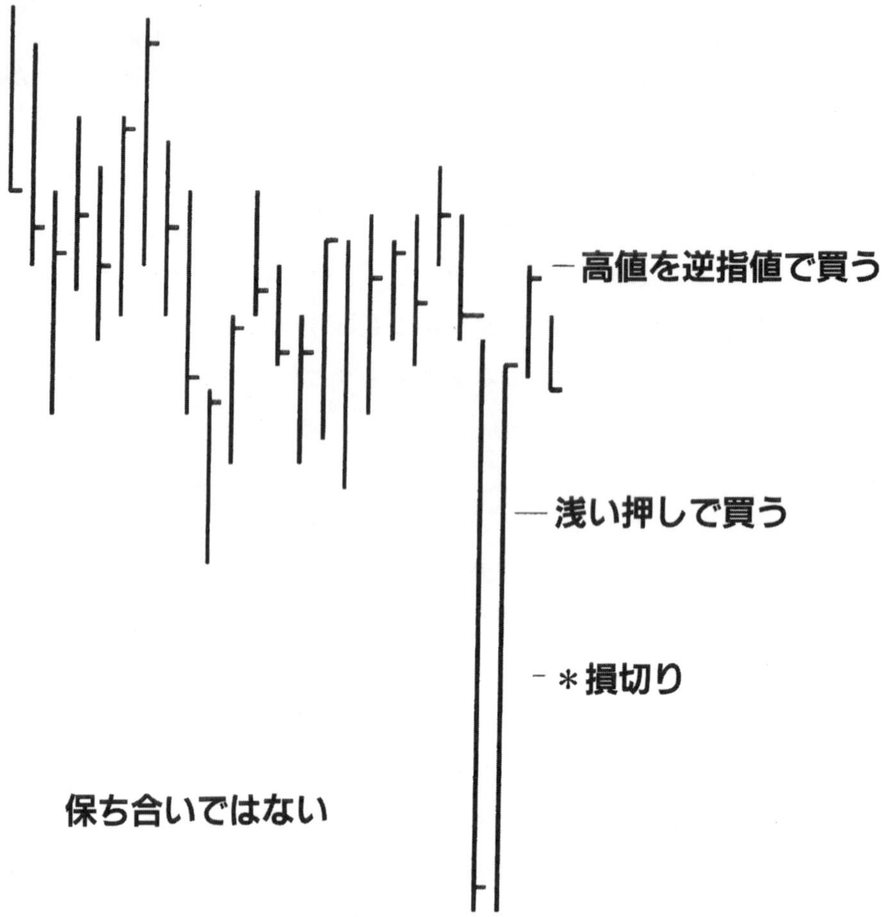

はそのうちのひとつなのである。すなわち、時間枠を調整することによって、データを利用可能なものにできるのだ。そこで、有効なバリエーションの例をいくつか考えてみよう。これらはすべて同じ現象を示しているのだから。

チャート6.22（時間枠は２倍）

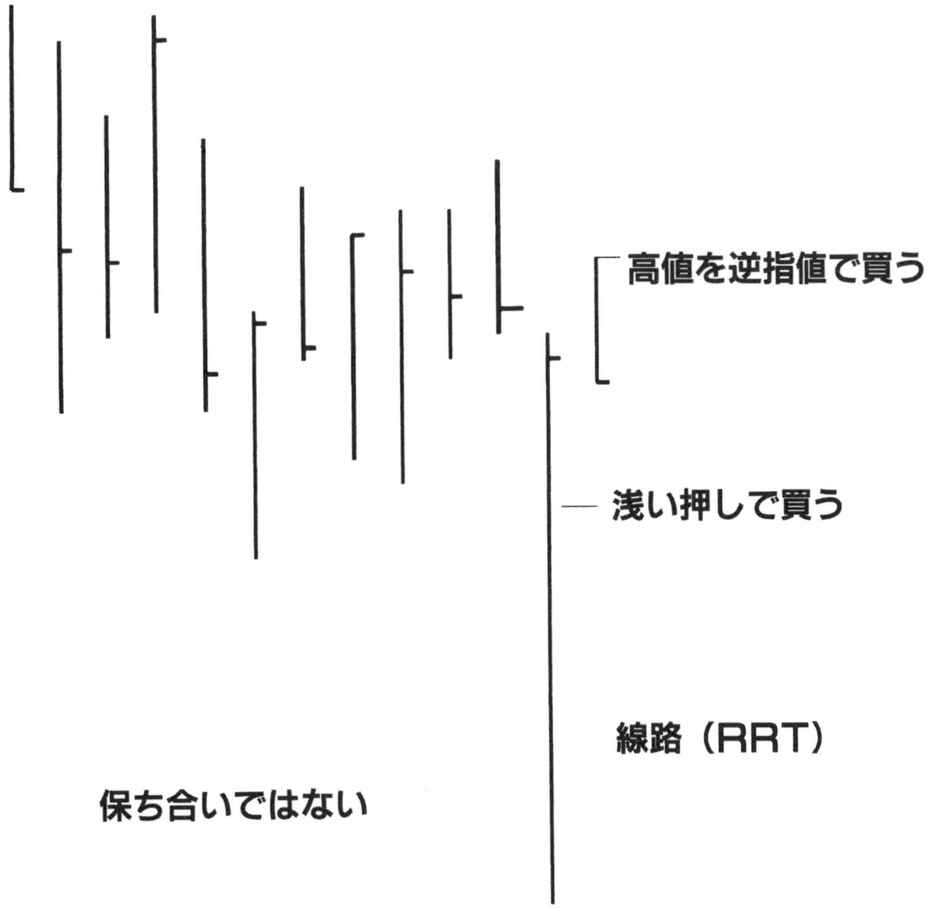

チャート6.22は、**チャート6.21**と同じデータを含んでいるが、時間枠が２倍になっている。**チャート6.21**が30分ごとのチャートだとすると、**チャート6.22**は１時間ごとのチャートになる。**チャート6.21**が１時間ごとのチャートだとすると、**チャート6.22**は２時間ごとのチャートとなるわけだ。一見多少異なっているように見えるが、線路現象の効果はどれも同じだ。値動きがまったく同じだからだ。ただ、見かけが少しだけ違っているのだ。

次のページの**チャート6.23**は、想定される線路のさまざまな形を示したものだ。これらはまったく同じ現象を示しているのだから、これらの形はどれもまったく同じように適用されるという事実に慣れる必要がある。

チャート6.23

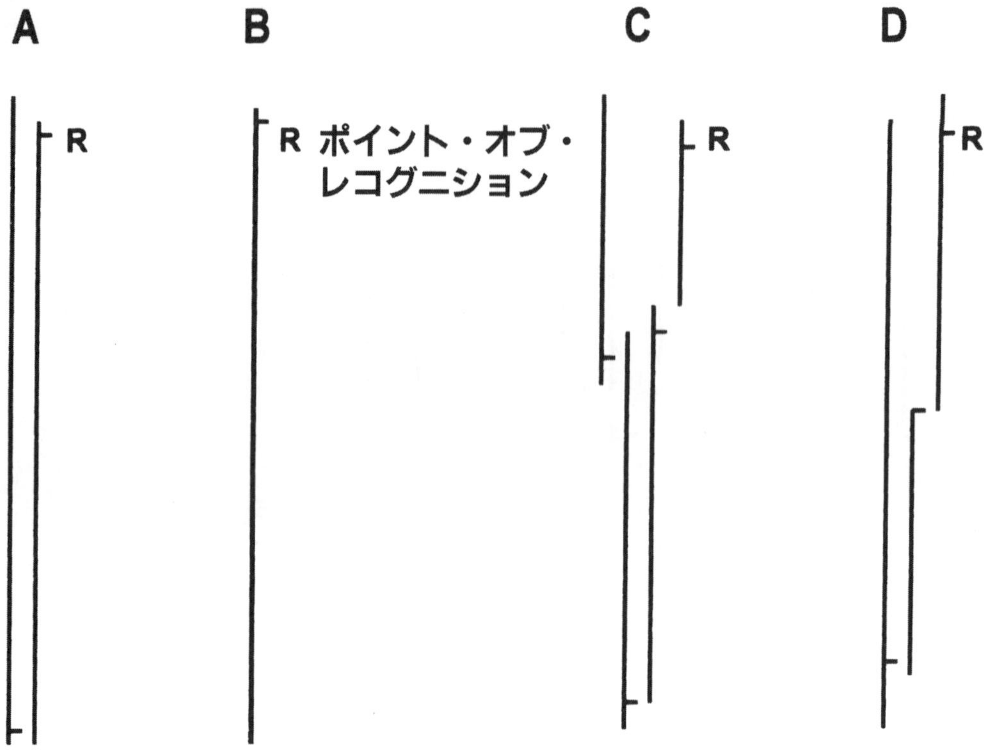

異なる時間枠でのRRTの形

そこで、どうトレードするのか？

これらの値動きが非常に強力であるため、線路が形成されるとすぐに「成り行き」で仕掛ける向きもあれば、あとで述べるフィブのリトレイスメント水準を仕掛けの目安にする向きもあろう。線路が再び極端な値動きを継続するようならば、判断を誤ったと分かるだろう。0.618の戻り水準のフィブノード＊を上回る水準で逆指値注文を出すことを勧める。相場がポイントR（レコグニション＝認識）に達したあと、上昇の値動きに対する0.382の押しの水準で仕掛けができれば最高だが、しばしば継続した値動きがあまりにも強い場合が多い。このため、あとで述べるもっと高度な手法を取る必要があろう。私としては通常、ポイントRを付けたあとの大きな値動きのエクステンションに対して、（仕掛けのために）逆指値注文を入れるものの、小幅な押しに対しても、仕掛けを試みている。両方の注文が通れば、それでいい。また、逆指値の仕掛けだけが通っても、それでかまわない。

チャート6.24

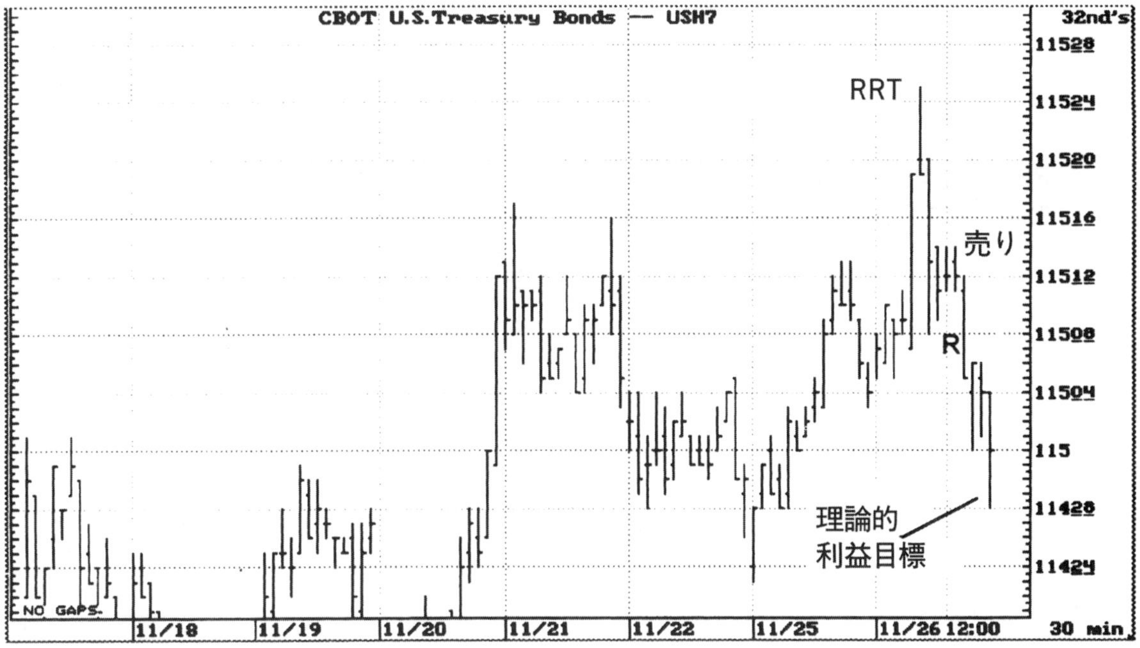

上のTボンドの30分足チャートを見ると、線路が115-25まで伸びているのが分かる。線路だったと判断されるのは、その後の値動きがエクステンションを開始した水準である約115-08まで反落しているからだ。それが認識（R）のポイントである。115-14でフラットトップになっている点に注目しよう。これは、上値では供給が多いことを示唆している。この水準がわれわれの売り場である。戻りで売りが執行されなかった場合や、利益の倍増を狙うならば、115-08で売りの逆指値注文を出すのもいいだろう。これは30分足チャートである。これらのポジションを長期保有するつもりはない。114-28の安値近くにフィボナッチの利食い水準（OP）を定める。より長い時間枠のトレンド（ここでは示していない）が売りモードにあれば、より大きな利益を狙って維持してもいいが、エクステンションの高値に向けた戻りに向かって再び売ることも可能だ。だが、ここで示されているイントラデイ線路に基づいたトレードの場合には、「安全な」利益をもたらしてくれる「安全な」トレードとなった。私は利食い好きだが、読者も同感だろう。

チャート6.25

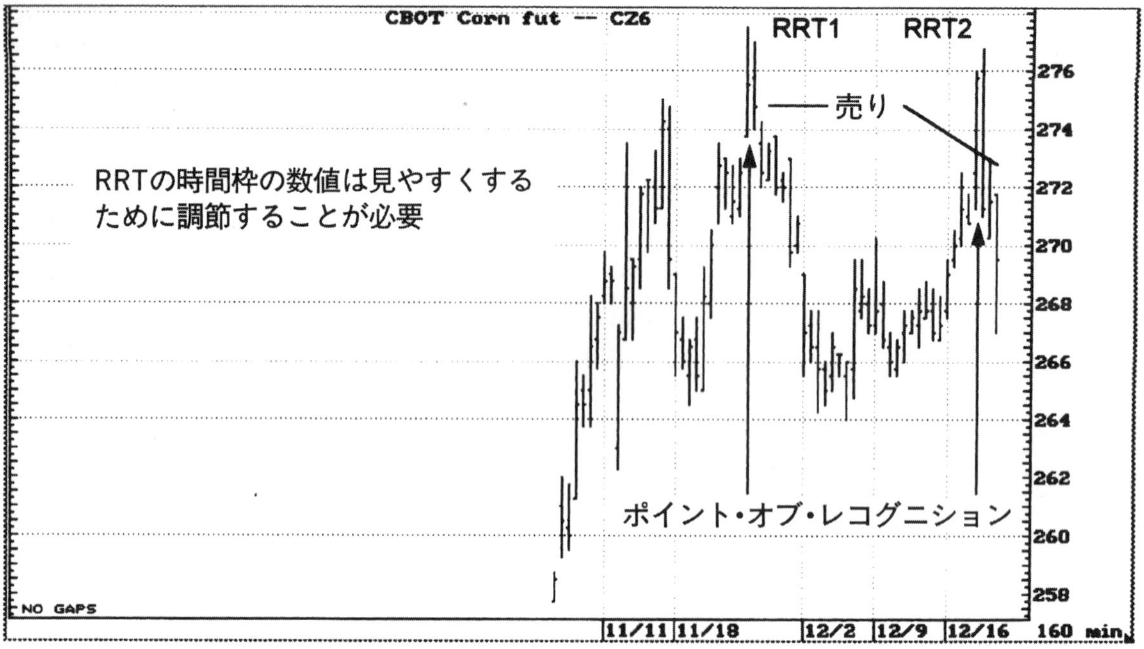

上のトウモロコシのチャートには、線路が２つ示されている。それらは、「通常の」時間枠（第２章参照）とは違う期間で表示している。これは、すぐに線路が判断できなくても、それを見つけるために時間枠の選択で「遊べる」ことを示したものである。私は、どんな時間枠のシグナルであっても、それに基づいてトレードが行えると言っているが、これがまさにそうである。

線路であるRRT１の二番目のバーの終値が最も安い安値、すなわちポイント・オブ・レコグニションからどう反発したかに注目しよう。われわれが売るうえで注目している戻りは、これよりも短い時間枠では埋もれてしまっている。

線路であるRRT２は効果的だが、この限月は納会が近づいていたためにこのシグナルを確認するためには、つなぎ足チャートか期先限月のチャートを見る必要があろう。現物市場でトレードを行っている当業者でもないかぎり、このチャートでのシグナルでなく、より先の限月のチャートでのシグナルに基づいてトレードを行いたい。

これまで述べた方向性指標の多くの場合と同様、そのパターンが現れれば、私は積極的なテクニックを活用して仕掛ける。この特有のシグナルを予測するのは非常に危険であり、実際御法度になっている。理由は、さらに高度なフィボナッチテクニックを説明するときにはっきりしよう。

面白いことに、1988年にS&Pを買ったときに、私はこのシグナルを学んだ。ブッシュ副大統領（当時）は、真剣に経済対策を考えずにバーバラ夫人と遊び回っているとのうわさが市場を直撃したのだ。これは、すべてのイントラデイのトレンドを下向きに転じたものの、すべては未確認だった（トレンドとうわさの両方で）。私は買いを手仕舞って、売りになった。次に気づいたときには、われわれは線路のトップまで押し上げられていた。この時点で私の損失は２倍になっていた。私は意地になり、損失のないところまで下げたのに買い戻さなかった。しかも、未確認の下降トレンドは消えたものの、私が当初の買い建てのコンテクストで使用していた確認された上昇トレンドに逆らったトレードを行っていたのだ。これはあきらかにミスだった。私は、このようなものにつかまるようなドジではなかったはずなのに。しかし、実際につかまってしまい、30分後ようやく手仕舞うと、適時に手仕舞った場合に比べて、より多くの損失を被っていた。運の良いことに、翌朝には素早く体勢を立て直し、小幅のフィブノードに向かっての最初の押しで買いを入れた。線路が誕生したのだ！

金の**チャート6.26**を掲載する。ここで線路を見つけられないようだと、眼科にかかったほうがいい。

チャート6.26

「ルックアライクス（そっくりさん）」

ルックアライクスとは、「よく似ている」方向性シグナルや「ニアミス」の方向性シグナルのことである。これらは必要な条件を満たしていない。例えば、ダブルレポでスラストが理想的とはならず、その期間や特性の面で不備があるのである。あるいは最初と二番目のブレイクで、天井の間隔が所定の基準よりも多少大きすぎるのかもしれない。さもなければ線路のエクステンションのバーが多少短いか、線路が「田舎」でなく「都市近郊」で発生しているのだろう。フェイラー（失敗）となる前のヘッド・アンド・ショルダーズのネックラインを割り込んでからの値固めの期間が、期待している数営業日ではなく１営業日だけかもしれない。こういった状況は、すべてルックアライクス（そっくりさん）だ。ルックアライクスはしばしばそれがまねる方向性シグナルと似たような動きをするものの、完全に条件を満たした方向性指標に比べれば、ルックアライクスに基づいたトレードで成功する確率は低い。私は、より控えめな情熱でこれらのシグナルに対応しており、少なめのポジションを建てている。読者は、ルックアライクスには手を出さないほうがいいかもしれない。どちらの対応でもかまわないが、トレードを行う場合は相場の流れに逆らってはならない。

「ストレッチ」

この方向性指標は、買われ過ぎ・売られ過ぎのオシレーターと強力なフィボナッチの支持線や抵抗線を統合したものである。この概念をまだ説明していないので、このシグナルについて説明するのはかなり難しい。第７章、第８章、第９章を参照。

この指標の背景にある基本的な考え方は、有力で、異なる方式によって算出されるこれら２つの先行指標の統合された力に基づいてトレードをするというものである。これら２つの主要な先行指標は、各々の価格価値が接近したときに支持線や抵抗線を示唆するのである。

厳格に仕掛けを行ったとしても、ストレッチは、ほかの方向性シグナルよりもリスクが大きい。このシグナルはダウンスラストで買いを入れ、アップスラストで売りを出すのだ。このシグナルの利用を決める前に、その意味を十分理解するべきで、物理的逆指値（第13章のボンサイやブッシュ、フィブ戦術）を置くか、仕掛けを慎重に監視するべきである。

「フィブスクワット」

この方向性指標は、ストレッチと似ているもので、何かほかのことが起きる水準で、強力なフィボナッチの支持を必要としている。この何かほかのこととは、スクワットのことである。そこで、スクワットとは何かということになる。スクワットは私の友人で同僚のビル・ウィリアムズ（プロフィチュニティ・トレーディング・グループ[Profitunity Trading Group]、住所：2300 Pilgrim Estates Dr., Texas City, TX 77590）によって開発されたもので、これはある価格バーのレンジと、そのレンジが形成された期間内の出来高、またはティック出来高を表したものである。この基本的な考え方は、出来高が多い一方で、価格に動きがほとんどない場合、支持線か抵抗線が強力であることを示唆しているというものである。ベテランのトレーダーのなかには、「チャーニング」という言葉を思い起こされる方もおられよう。これは、株式市場で出来高が多い（1日で6～8万株）ものの、価格はほとんど動かない現象だ。この指標への私のアプローチの背景にある考え方は、まずはフィボナッチの支持線と抵抗線がどのあたりになるかを探り、その後にその水準に達したときに、スクワットが形成されたかを見極めるものだ。そのことが証明されれば、このスクワットは支持線や抵抗線を確認するものとなり、自分に有利なトレンドがなくても、トレードを行ってもいいのだ。しかし、この指標に基づいたトレードはストレッチ同様に、これまでに述べたほかの方向性指標よりもリスクが大きい（成功の確率は低い）。しかし、みなさんのなかのハイパータイプやオーバートレーダーにとっては、5分足チャートまで拡大して適用できることから、良いツールとなる。ストレッチにせよ、フィブスクワットにせよ、トレードに成功をもたらす適当な確率がもたらされる。

補足しておくが、フィブスクワットはひとつのコンテクストで、ひとつのコンテクスト内のみで最も有効となる。例えば、相場が週間ベースでは強気のトレンドにあるものの、週間ベースでのストキャスティックスに基づいた修正によって下落しているとする。そして、MACDは堅調を維持しているとする。買いを入れるうえで選択できるデイリーのフィブノード水準がいくつかあるとする場合、実行に移す前に、それらの水準のひとつについてスクワットの出現を確認するのは有益となる。

スクワット＝前のバーに比べ、（ティック）出来高がより多くなり、MFIはより少なくなる

MFI＝rb÷v
rbはティックまたはポイントのバーのレンジ
vはティック出来高

スクワットは、出来高が多くなり、バーのレンジが小さくなる傾向があるために、凝った公式を考えなくても見てすぐにそれと分かる。**チャート6.27**参照。

チャート6.27

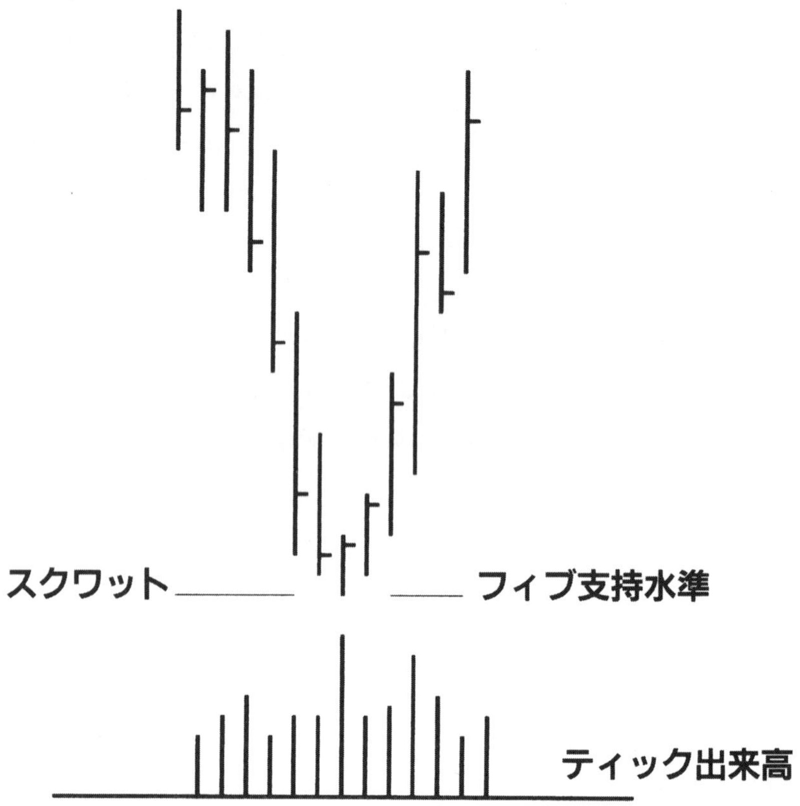

次ページのチャート6.28はフィブの支持線（表示されていない）の上にある株価で、出来高が膨らむなかで、１日のバーのレンジが狭くなっている。その後、株価はほぼフィボナッチの理論的利益目標で天井を打っている。第８章と第９章を完全に理解されたあと、OPの上昇を再度チェックしよう。ところで、この上昇トレンドは結果的にかなり大きな上昇相場へ発展した。

「フィブスクワット」のフィルタリング

私は、「スクワッティネス」の水準が、スクワットのフィルターとして重要であることを発見した。スクワットをフィルターする場合、前述の公式の一部をしかるべく変更する必要がある。つまり、スクワットとは、ひとつ前のバーに比べ、（ティック）出来高が30％多くなり、MFIがより少なくなる。WINdoTRADEr 4の開発者であるラリー・エアハート氏（住所：3700 Norh Lake Shore Drive, Suite 7-09, Chicago, IL 60613、TEL 312-871-4687、FAX 312-789-7434）は、この分野で貴重な研究を行った。大事なことは、本物のスクワットと呼べるためには出来高が30％以

チャート6.28

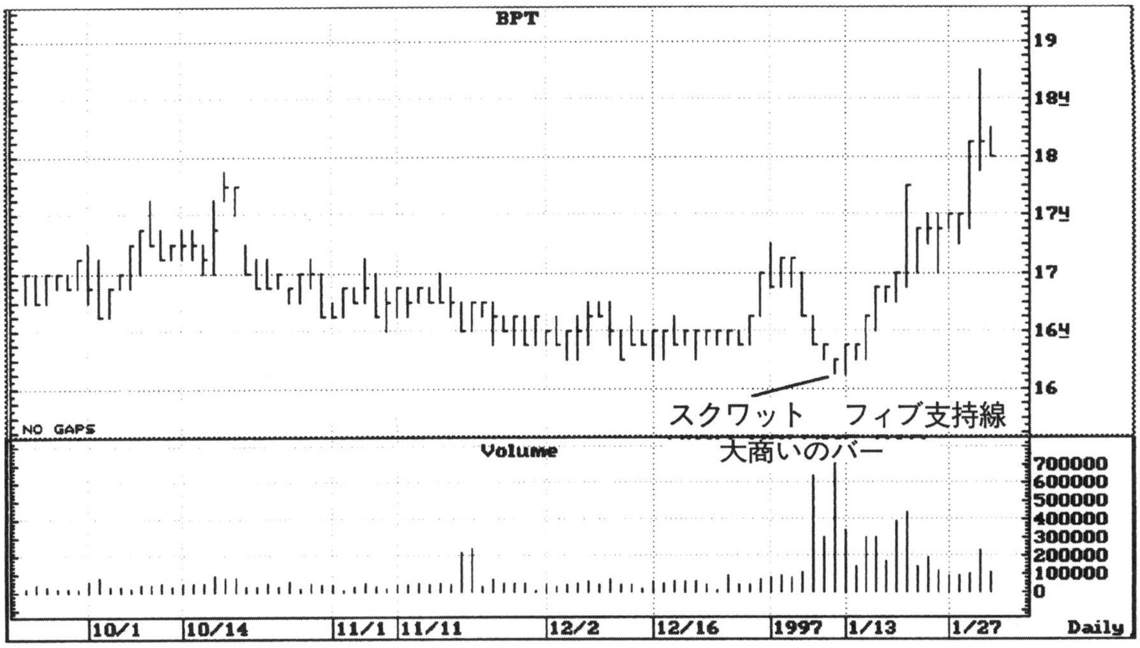

上増加する必要があるという点だ。また、５分足チャートや30分足チャートではなく、４分足チャートや６分足チャートのほうがスクワットを頻繁に見られる。線路と同様に、この指標の存在を見つけられるものであれば、通常考えているもの以外の時間枠でもいいし、そのほうが望ましい場合もある。

ひとつ前のバーの出来高が分かり、非常に狭いレンジとなり、注目している時間枠の２分の１または３分の１が過ぎれば、スクワットを予想できる。必要とされる出来高は、引けの時点でつかめるだろう。とにかく、レンジが許容範囲を超えていないか確認する必要がある。

スクワットで「トレード」するもうひとつの方法は、主要なフィブノードの付近でスクワットの発生が確認されるのを待つのだ。確認されれば、最初の小さいフィボナッチの押し・戻り水準で仕掛けをするのだ。損切りの逆指値は、スクワットバーの底（天井）かそれをわずかに下回る水準に設定する。これと似たようなテクニックを第13章のフィボナッチ戦術の項目でマインスイーパーＡとして述べる。

よくある質問

方向性シグナルは予想できますか？

本書で示したシグナルはすべて予想できるが、方向性シグナルを予想するのは、なかでも大きなリスクが伴う。典型的なパターンのフェイラー（失敗）や線路を期待するのは、自殺行為になりかねない。

方向性シグナルがトレンドシグナルに優先するのはなぜですか？

特性からいって、方向性シグナルのほうがトレンドシグナルよりも有力だからである。

例に挙げられているのは、大半が買い方向けになっています。これらのシグナルは売り方に対しても有効ですか？

有効である。おそらくより有効だろう。一般大衆や経験の浅いトレーダーは、買う傾向が強いためだ。失敗すれば、彼らはすぐにパニックに陥る。

自分と反対の仕掛けをしている人に対して同情したりしませんか？

それは、自分で選択したことだ。小魚になるか、サメになるかの世界なのである。小魚は食べられてしまい、賢いサメは大きなサメが寄ってくると姿をくらます。

要点を簡潔に述べると、実際の市場の動きについてよく研究することを勧める。繰り返されるパターンやよく現れるシグナルのフェイラー（失敗）の有効性を試そう。そうすることによって、すぐに自分自身の方向性シグナルを開発することができる。最も難しいのは、それらのシグナルが出現するのを待つことだ。

第７章

買われ過ぎ・売られ過ぎオシレーター——何が有効で、何が有効でないか、それはなぜなのか

CHAPTER7 OVERBOUGHT & OVERSOLD OSCILLATORS——WHAT WORKS, WHAT DOESN'T, AND WHY

概説

買われ過ぎ・売られ過ぎというのは、トレーダーがトレードを行ううえであまり理解されていない市場状態のひとつだ。大半のトレーダーは、この主題について知っていることを活用しようとして損失を出してしまう。これは別に驚くことではない。われわれは偶然性と先行指標に頼っており、これらの概念が提示している課題に対してきちんと準備ができているトレーダーはほとんどいない。こうした誤解があることから、私が何をどう活用するかを事細かく説明するのではなく、オシレーター一般の幅広いトピックについて述べることにしよう。何が有効で、何が有効でないか、それはなぜなのか。

オシレーターに対する意見は、通常は次のようなコメントに要約できるだろう。「オシレーターは保ち合いの市場ではよく働くが、ひとたびトレンドが形成されると働かなくなる」。この考え方は典型的なものだが、重要なトレード戦略がもたらす富を大きく制限し、ゆがめるものである。このコメントの背景にある考え方は、およそ次のようなものだ。市場が保ち合いにある場合には、買われ過ぎに対しては売り、売られ過ぎに対しては買う……それで利益が期待できる。この「聞こえがよく、気分のよい」戦略は、あなたが市場がいつ保ち合いになっているかを的確に識別し、十分な確実性を持って売買注文を出せることを暗示している。どなたか、この判断を下す手法として、ADX（平均ディレクショナルムーブメントインデックス、J・ウエルズ・ワイルダー・ジュニア著『ワイルダーのテクニカル分析入門——オシレーターの売買シグナルによるトレード実践法』［パンローリング］）を試してみようという人はいないだろうか。この手法が気に入る方もあるだろうが、私は遠慮したい。私はこの手法について、特にイントラデイチャートにおいて十分な正確さがないとみている。では、前のコメントの後半の部分についてはどうだろうか？

「ひとたびトレンドが形成されると、オシレーターは働かなくなる」。この考え方は、トレンドに逆らった仕掛けをすると、損切りや手仕舞いの逆指値注文が執行され

てしまい、結果的に損失を出す恐れがあるということである。

この最初のコメントが内包している本当の問題は、働きの定義の方法である。多くの市場例を使って、正しいオシレーターがあなたのために働くものになり得るか述べていこう。

だが、活用法や見込みの利益について述べる前に、どのオシレーターが一般によく活用されているか、買われ過ぎ・売られ過ぎのコンテクストとして、どのオシレーターが最も使えるかについて述べよう。

ストキャスティックス

ストキャスティックスは、トレーダーの持つ手法のなかで常に誤用されがちな指標のひとつとなっている。トレーダーらは通常、75%以上になれば買われ過ぎ、25%以下になれば売られ過ぎと考える。これは、考案者のジョージ・レインの教えではないし、ストキャスティックス・ポップ・インディケーター（ジェイク・バーンスタイン著『ショートターム・トレーディング・イン・フューチャーズ［Short Term Trading in Futures］』）に関するジェイク・バースタイン氏の研究が示すものとはまったく正反対なのだ。事実、ジェイクの研究によれば、強い相場の変動の50%は、75%と25%のバリアをクロスしたあとで発生しているのである。

Tボンドの日足チャートである**チャート7.1**には、縦のラインで示した箇所が2つある。ここは25%以下の売られ過ぎの水準で、ここで買いを入れると損切りさせられたはずのところである。強調しておくが、私は第5章で読者に説明したものではなく、より典型的な（より強い）14期間のストキャスティックスをここで用いたが、それでもこの状況が発生したのである。新米のトレーダーにとってもっと複雑な問題は、トレンドを形成している市場では通常、継続中のトレンドの典型的なリトレイスメント（押し・戻り）の局面でも、ストキャスティックスがこの極端な（75%と25%の）水準に達することはめったにないという事実だ。この水準まで達するのを待っていては、大きな下降トレンドにあっては売る機会はないだろうし、大きな上昇トレンドにあっては買う機会はないだろう。

MACD

トレーダーのなかには、市場の値動きの行き過ぎの指標として、あるいはもっとひどいことに、ダイバージェンスのツールとしてMACD（移動平均収束拡散法）を活用している。第5章からお分かりのように、これはうまく考案された極めて有効なトレンドを示すオシレーターであって、買われ過ぎ・売られ過ぎを表すツールではない。

チャート7.1

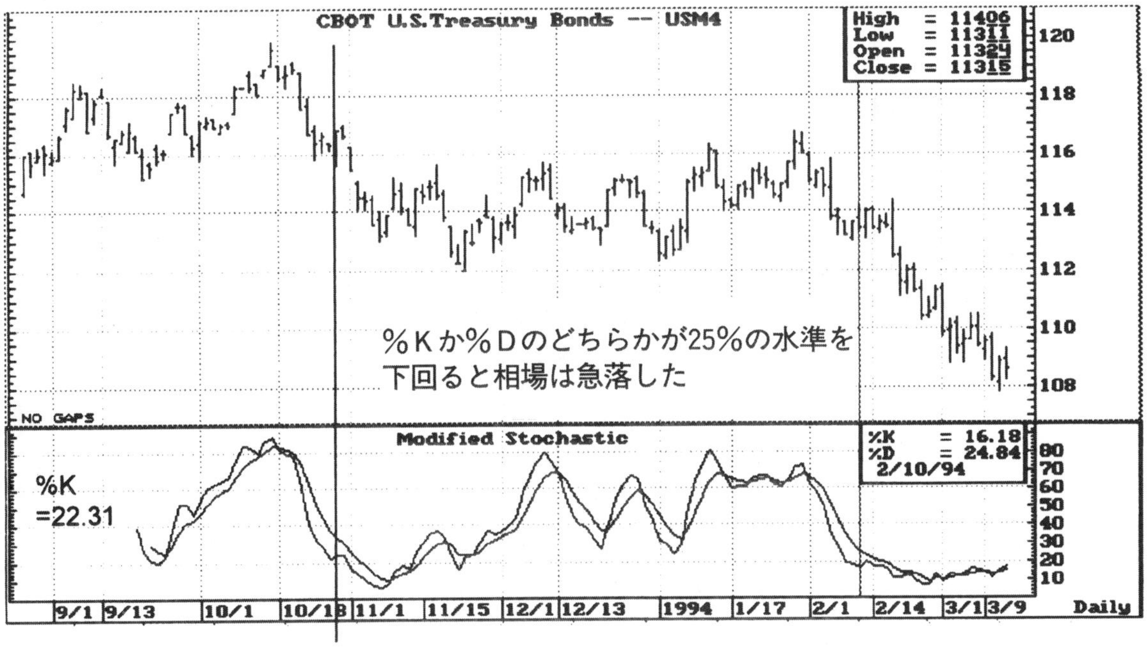

ただし、買われ過ぎ・売られ過ぎの指標として、MACDのスローラインとファストライン間の距離を利用した革新的なテクニック（ジェイク・バーンスタイン著『ショートターム・トレーディング・イン・フューチャーズ』）がある。ただ私はこれを目的とするのであれば、もっといい手法があると考えている。

RSI

RSI（相対力指数）がその答えではない。RSIは、『ワイルダーのテクニカル分析入門』（パンローリング）の著者、ウエルズ・ワイルダーによって考案されたもので、普遍的かつ市場を越えての適用が可能で、買われ過ぎ・売られ過ぎの分析としてはストキャスティックスやMACDよりもずっとましではある。ワイルダーがその目標に到達したのは確かだが、もっと高度なトレーダーには何か物足りなかった。RSIは0～100で標準化されており、ストキャスティックスと同様に、相場の強気の動きを押しつぶしてしまうのだ。オシレーターが95で大幅な上昇が続いている場合、上値の余地は4.999ポイントしかないことになる。

次ページのコーヒーの日足チャートでは、RSIが96.50に到達したあと、どうなるのだろうか？　価格は大幅に上昇したが、RSIは93.78に低下した。そのなかでデトレンデッドオシレーター（DOSC）は9.41から16.19へ上昇した。この例におけるこ

チャート7.2

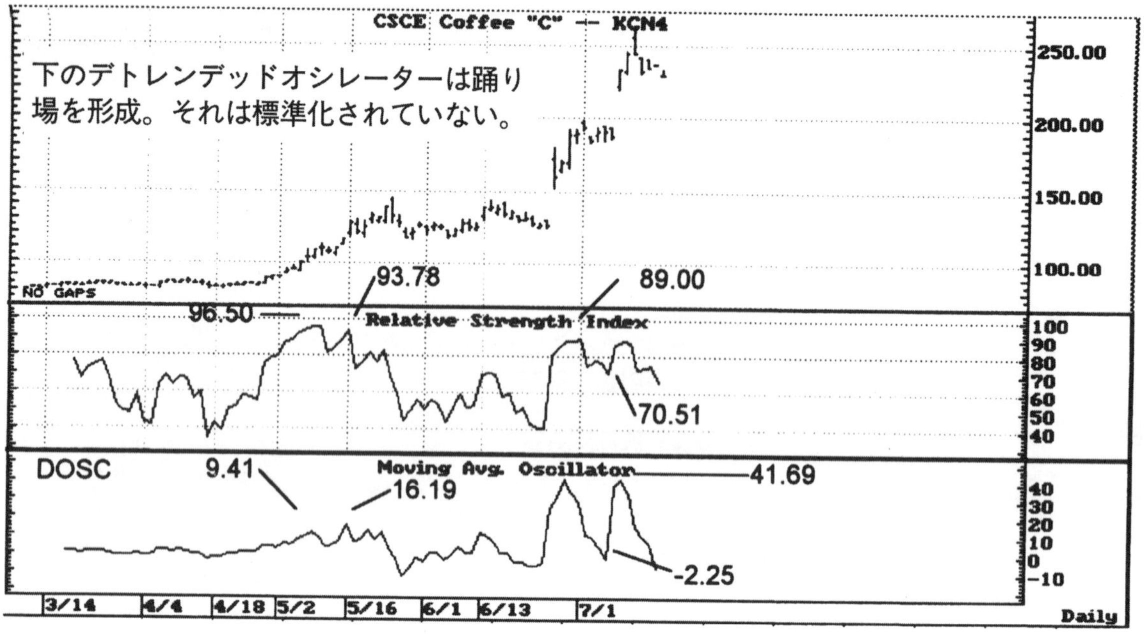

の２つの指標は、７期間についてのデータをインプットした。チャートの右側に高水準のデトレンドが見られる（相対値で見た場合、当初の値の9.41の４倍以上）。RSIは実際のところ89.00となって、当初の数値よりも低い。重要なのは、相場に対して買われ過ぎ・売られ過ぎが識別できる数値なのである。これらを明確に示す指標を活用しようではないか。

また、コーヒーでの買われ過ぎは、トウモロコシでの買われ過ぎと特徴が異なっている点も考慮しよう。しかも、トウモロコシの買われ過ぎは、S&Pでの買われ過ぎとも特徴が異なっているのだ！　標準的なRSIを利用している場合、この特徴を出せるゆとりはないのである。

CCI

最後に、CCI（コモディティチャネルインデックス）もある。私はCCIに対しては、ほとんど不満はない。私が利用しているオシレーターに似た働きをする。ドナルド・ランバート（ドナルド・ランバート著『コモディティ・チャンネル・インデックス――ツール・フォー・トレーディング・サイクリック・トレンズ［Commodity Channel Index : Tool for Trading Cyclic Trends］』テクニカル・アナリシス・オブ・ストック・アンド・コモディティーズ誌1983年７～８月号120～122ページ）が考案したこの指標はトレンドとサイクルワークに関連していたものの、この指標を利用するトレーダーの大半は買われ過ぎ・売られ過ぎのツールとして利用している。CCIは0～100で標準化されていないため、利用するときには理解を深めておく必要がある。この指標があまり使われない（または誤用されている）のは、そのためだろう。CCIは有益だが、私としてはデトレンデッドオシレーターのほうがより良い結果を多くもたらすとみている。

デトレンデッドオシレーター

このデトレンドは、ずいぶん前からある指標だ。考案者がだれで、いつ考案されたか、私は知らない。デトレンドは、トレンドを示す移動平均線に対するその日の終値の変動幅を計測しようとするで、そのためデトレンデッドと呼ばれる。トレンドを所定の移動平均線として定義し、その後で数学的に一定の平均、つまりゼロラインを算出するのだ。

デトレンドの計算式は簡単だ。

デトレンデッドオシレーター＝終値－移動平均線

チャート7.5で示すように、正当な変動幅は、高値や安値から移動平均線を差し引いたものだ。

私の同僚のなかには、「この不可解な数式＝天才」であり、そして「＝利益」となるとの信仰を持っている。私は、常に物事をできるかぎり単純にすることを良しと考えている。1980年代初頭に8088プロセッサーでこの指標について研究して以降、数式は簡単にするというのをモットーにしてきたし、それが理想的な考えだと思っている。

私は、DMAの場合と同じ手法でデトレンドについて研究した。私は広範囲のデータのなかで、複数のトレード環境におけるこの指標の有効性の品質について調査をした。私は、その数年後に普及した典型的な最適化テクニックはどれも利用しなかった。

デトレンドの広範な組み合わせ（シンプル、加重、指数、数学的MA、中値、高値、安値、終値など）について、私は文字どおりに何千ものデータを研究し、最後に以下の最高のデータセットにたどり着いた。

1．（今日の）終値－終値の3日単純移動平均線
2．（今日の）終値－終値の7日単純移動平均線

この2つのデータのうち、終値の7日単純移動平均線（MA）が私の適用するこのコンテクストで最も有効なのは明らかだった。ただし、以下に述べる特に戦略1の下では、私は依然としてこの2つのデータセットを利用している。

この苦労した冒険については、もたらされる利益のほかに、私が満足しているもうひとつのことがある。それは、15年以上たった現在でもこのパラメータを変える理由が見当たらないという点だ。

デトレンデッドオシレーターの活用

さて、簡単に適用できる戦略のなかで、この強力で融通のきくこのオシレーターの活用方法について述べよう。

戦略１

ポジションの価格の買われ過ぎ・売られ過ぎの平均が70、80、90、100％に達すれば、利食おう。

戦略１を利用するうえで考慮するべき大きな点は、われわれが買われ過ぎ・売られ過ぎを算出するのに使う時間枠、そして……買われ過ぎ・売られ過ぎの平均は何を意味しているかに関する定義である。

経験が役立つのはこの場面である。私のトレードの80％が５分足チャートによるものであるものの、私はいつも買われ過ぎ・売られ過ぎ水準をデイリーベース、すなわち日次データについて算出している。誤解のないように、少し言い方を変えよう。私の仕掛けはイントラデイチャートに基づくものであるにもかかわらず、私は理論的利益目標を決定するのに必要な買われ過ぎ・売られ過ぎをイントラデイチャートを使って算出するようなことはしない。買われ過ぎ・売られ過ぎ水準を決定するのに、私はオシレーターの山と谷を見ている。最新の日次データをおよそ６カ月前までさかのぼって検討している。

買われ過ぎ・売られ過ぎの平均は、ひとつの価値判断であって、厳密な計算によるものではない。**チャート7.3**には96.85、101.00、100.70の３つの買われ過ぎのピークがあるが、私ならば買われ過ぎの平均を約98.00にする。

私は通常、オシレーターの買われ過ぎの平均の約90％に相当する価格に（仕切りの）注文を置いている。相場がその水準をつければ、このトレードとは「アディオス（さよなら）」するのだ。あなたならば、これよりも低い、あるいは高いパーセンテージを選ぶこともあるだろう。突発的なニュース、あるいは大口のトレーダーが市場に参入して相場をコントロールしている場合に、デイオーダー（当日有効の注文）を設定しておくのは最善の防御だ。この注文が執行されなかった場合には、取り消すか、失効させるだけだ。

さて、あなたが注目しているオシレーターの数値に基づいて、この水準で利食いた

チャート7.3

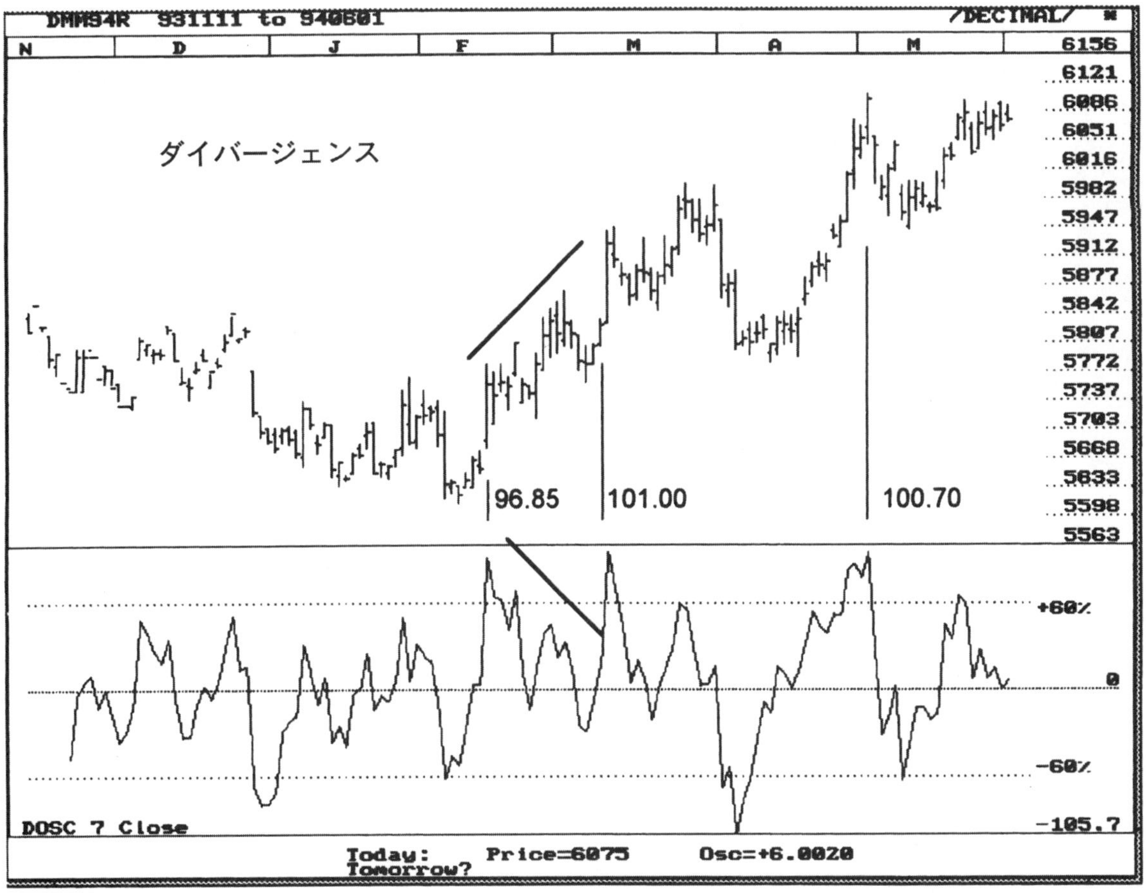

いと思っているとする。フロアに電話して、担当者に「7日デトレントの88（98の90%）で手仕舞いだ」と言っても無理だ。実際の価格が必要だ。前もってその価格を得るためには、オシレータープレディクターが必要になる。これについては、この章の最後と**付録G**で少し詳しく述べる。手仕舞いをしたいデトレンデッドオシレーター水準に相当する価格水準を前もって算出するのに必要なオシレータープレディクターがなくても、別の選択肢がある。一部の分析ソフトウエア（とりわけアスペン・グラフィックスやトレードステーション）を活用すれば、特定の指標についてある水準でアラートを設定できる。警告音が聞こえれば、手仕舞いの注文を出すのだ。これはいい方法だが、指標に対するアラート設定での問題は、警告音を耳にして、対応して、そしてフロアに電話したとしても、トレードをし損なうことがあるという点だ。明確に言って、こういった価格水準は不安定なのだ。市場がランナウエーモード（一方向に進んでいる）でないかぎりは、こういった価格は通常、長くは続かない。

アラートが鳴り始めたときに注文を出して、ポジションを維持していれば利益を拡大できたはずのランナウエーの相場を撤退するだけになってしまう可能性もある。したがって、手仕舞いの水準を知るために、指標のアラートを使うとすれば、成り行きで手仕舞いして、あとは幸運を祈るだけである。シカゴ・マーカンタイル取引所（CME）の地下駐車場にあるメルセデスやジャガーは、たまたまそこにある訳ではない。ローカルズがこうした高級車を乗り回せる理由のひとつは、成り行き注文のおかげによるものである。要注意だ。

チャート7.3に示すように、買われ過ぎの状態が行き過ぎになったときに毎回利食えるならば、その後の下落によってドローダウンには悩まされずにすむ。この下落局面では、トレーダーの大半は損切りの逆指値注文を不適切にも接近させていたために、その逆指値が執行されてしまうのである。だが、この下落局面はフィボナッチの押し・戻り水準で再び参入する機会なのだ。撤退の機会ではない！

もしあなたが理論的利益目標（LPO）の戦略を適切に使えば、利益を収めるトレードの確率は飛躍的に高くなるはずだ。ただ、相場が動き出し、その動きを持続しているときには、あなたは手仕舞ったあとになってしまうかもしれない。もちろん、複数の仕掛けをして、その一部についてだけ理論的利益目標（LPO）を設定することもできる。こんな実験もしてみたことがある。私は複数の口座を同時平行的に運用し、そのなかでLPOの適用を、すべてのポジション、一部のポジション、そしてまったく適用しないの３つに分けてみた。最終的には、確実に利益を収めた口座はすべてのポジションに対してLPOを設定したものだった。

戦略１には、当然の結果がある。例えば、あなたがイントラデイの時間枠でトレードし、フィボナッチの利益目標を活用しているとしよう。この戦略は、デトレンデッドオシレーターで定義するように、相場が行き過ぎかそれに近い水準の状況にあるときには、クローズ・イン・オブジェクティブス（COP）を設定するのである。このテクニックの変形は、私が教えたフロアトレーダーも活用している。ピットでの彼らの行動は、買われ過ぎ・売られ過ぎの水準が近づくにつれて大きく変化する。あなたの行動も変わるだろう。考えてみよう。ある市場がある特定の日に買われ過ぎの平均で70～90％に達した場合、この市場は抵抗線に遭遇することになり、少なくともその後の数営業日は保ち合い圏での展開になるだろう。こういった状況下では、過去の高値を「逆指値で買うこと」は避けよう。むしろ、フィボナッチの支持エリアに向かってのイントラデイの押し目に注目して、ポジションを建てるようにするべきである。そして、相場が再び買われ過ぎの平均に接近するか、あるいはフィボナッチの目標水準に近づいた場合の、どちらかが先に出現したならば、ただちに過去の高値水準でポジションを手仕舞うべきである。買われ過ぎ・売られ過ぎを生み出す価格水準は毎日変化するということを覚えておこう。これはダイナミックな市場の状況であり、ダイナミックに計算された市場レベルでトレードするほうが、固定したマネーストップのような統計的に計算されたレベルでトレードするよりも勝つ可能性が高い。

皆さんのなかに、理論的利益目標を設定するのにを躊躇する方がいるのは理解している。ひとたび市場から撤退してしまうと、仕掛けのテクニックがないことから、再び仕掛けにくいからだ。この問題の一部は、第9章、第10章、第11章にある高度なフィボナッチ分析、ディナポリレベルを勉強すれば、問題のほとんどが解消されよう。

戦略2

デトレンデッドオシレーターは、仕掛けのテクニックでフィルターとして活用できる。

高度な仕掛けのテクニックについて知り、理解できるまでは、私は高い確率で下手な仕掛けをしていた。最終的に損切りとなるような仕掛けはよくないが、市場が予想どおりに動く前に大きなプレッシャーを受けるようであれば、その仕掛けもまずかったことになる。私は、自分が設定した仕掛けの水準に対する買われ過ぎ・売られ過ぎの平均の数値を判断するために、デトレンデッドオシレーターを活用して、こういった不運な状況を大幅に減らせた。

ポジションの価格水準が買われ過ぎ・売られ過ぎの約65%を上回っている場合、私はトレードを行わない。翌日もシグナルが有効であれば、再度デトレンドを見て、今度はトレードを行っても「大丈夫」かどうか確かめる。あなたが持っているツールでデトレンドを設定する方法が分からない場合、次のことを試してみよう。オシレーターセット・アップ・メニューに行って、終値の1日移動平均線（すなわちその終値）から終値の7日間単純移動平均線を差し引くのだ。それがうまくいけば、次はあなたの仕掛けのシグナルが出た時点でのオシレーターの数値を見て、買われ過ぎか、売られ過ぎかを判断しよう。その後に行動（オシレータープレディクターがあれば、これらの水準を前もって算出できるほか、自動的に支持線・抵抗線を表にしてプリントアウトすることも可能だ。これはCISトレーディングパッケージの「タイムセーバー」の機能の特徴だ）するのだ。

チャート7.4を考察したうえで、価格が終値でMAを上回った場合にはどの水準で買いを入れるか、価格が終値でMAを下回った場合にはどの水準で売りを出すかという単純なシステムを考えよう。私はここでは、多くのトレーダーが通常使用しているずらしていない12日間の単純なMAを示した。この例では、2つの買いシグナルが選択されている。

ここでの考えは単純で明白である。もしあなたが、極度に買われ過ぎ状況での買いシグナル（安全でない）に従う場合、買われ過ぎ・売られ過ぎの適度な水準でのシグナル（安全な）を利用する場合よりも、大きな痛みを経験することだろう。この場合、

チャート7.4

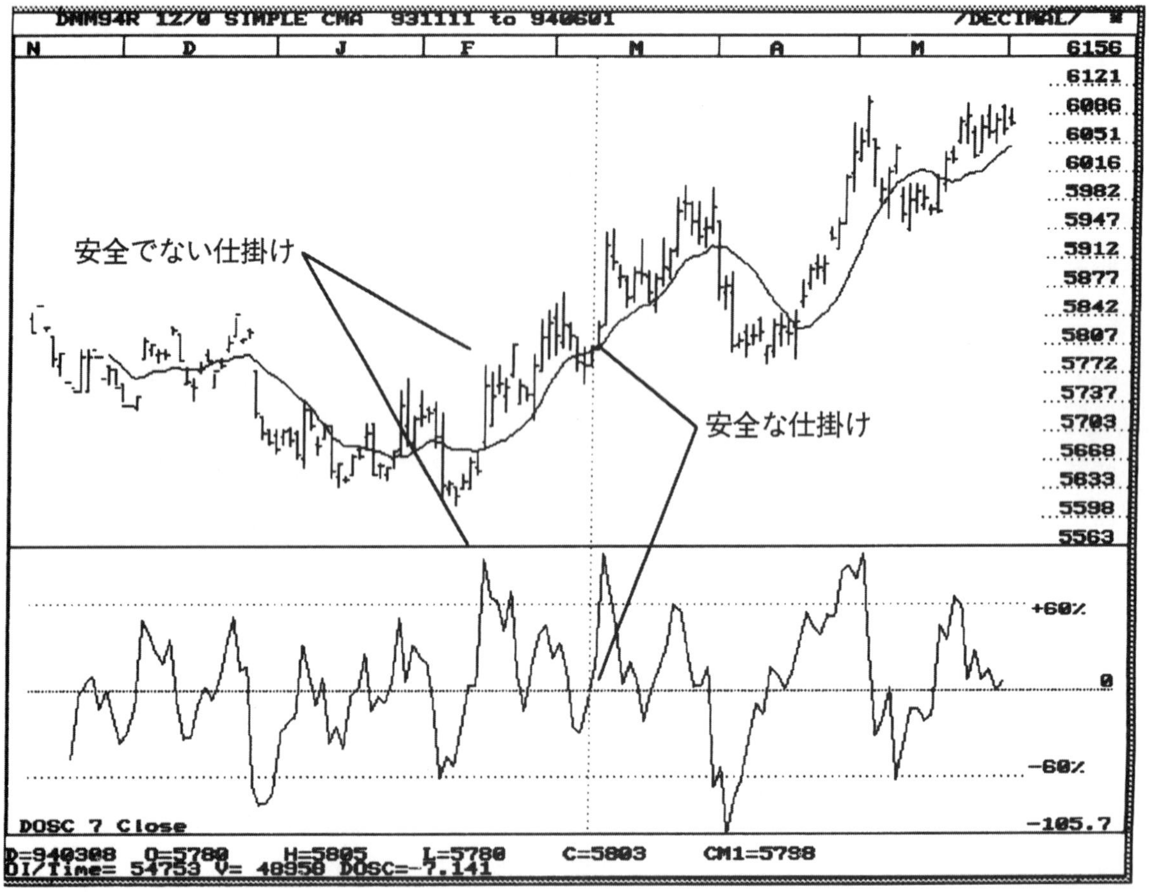

トレードに飽きたり、動揺してトレードから撤退することをしなければ、言い換えると、このシステムの基準に従い続ければ、どちらのシグナルに従っても利益が得られただろう。しかし、このシステムの基準にイントラデイでの損切りの逆指値が設定されていたり、その逆指値が現在の相場に近い水準にきつめに置かれていた場合には、安全でないほうの仕掛けは大きな損失を被った可能性がある。

ボラティリティブレイクアウト

もしボラティリティブレイクアウトに基づいてトレードをしているトレーダーがこの戦略を知れば、あきれ返るだろうが、私はポジションを建てる前に市場を少し落ち着かせてもけっして悪くないと思っている。うまみのあるトレードを逃がすことになるのではないか？　ごもっとも！　損切りで何度も手仕舞われる可能性は避けられるだろうか？　もちろん！　ネットでの結果はプラスになっているだろうか？　そうなるでしょう。しかし、自分でこの戦略を試してみてから、結果を評価してみよう。多くのトレーダーは、興奮を求めてこのゲームに参加しており、利益は二の次にしている。一部のトレーダーは利益の出るトレードの確率で、30％か40％の水準で満足している。私はそれでは満足できない。自分のふさわしい場所を模索する必要があるのだ。

戦略3

買われ過ぎ・売られ過ぎの水準は、損切りの逆指値を置くのに使うことができる。

最大の買われ過ぎの値、または最大の売られ過ぎの値に相当する相場を調べれば、その水準から適切な距離、Ｔボンドならば32分の数ポイント、S&Pならば50ポイント程度の距離を置いて損切りの逆指値を設定することができる。ただし、その注文の意味するところに気をつける必要がある。前に提案したように、もしあなたが終値から移動平均線を差し引いた水準を用いる場合、ストップ・クローズ・オンリー（引けのみ可能な逆指値注文）のみにするべきである。実際にイントラデイの損切りの逆指値を設定したいのならば、自分が売り方か買い方かによって、高値や安値から移動平均線を差し引いた水準を利用しよう。これらのオシレーターの値は、終値に基づいて算出したオシレーターよりも、それぞれ高くなったり低くなったりするために、損切りの逆指値の水準がそれに対応して異なってくる（**チャート7.5**を参照）。ひとつだけ約束できることがある。それは偶然でもないかぎり、あなたの設定した損切りの逆指値の水準は、ほかの逆指値水準とは重なることはないという点だ。そして、あなたの手仕舞いの逆指値はダイナミックなものであり、日々移動するのである。言うまでもないことだが、あなたはマネーマネジメントのパラメータのなかにあり、ポジション保有中のシグナルはすべて有効である。

戦略３を用いる最善の時期は、自分の仕掛けのテクニックに非常に自信があるときだ。このことは、相場水準に近づけた損切りの逆指値注文にじゃまされたくないし、これらの手法が機能するのに必要な時間と空間をかけてみることを選択しているのである。２つの可能な例を示そう。

ラリー・ウィリアムズは常にある形式のパターン認識に基づいて、多くの種類のハイリスク、潜在的な高利益、非裁量的システムを考案した。ただひとつ問題なのは、これらのシステムの一部が「ストップ・クローズ・オンリー」（引けのみ可能な逆指値注文）のみであり、また新規にポジションを建てた日には損切りの逆指値をまったく設定しないことだ。一部のシステムユーザーがこの点について懸念を持つのは当然だ。これに代わる方法は戦略３で提案したように、高値や安値から移動平均線を引いた水準に損切りの逆指値を置くことで、あからさまなポイントに置いた逆指値を市場にさらけ出すことをしないですむ。

チャート7.5

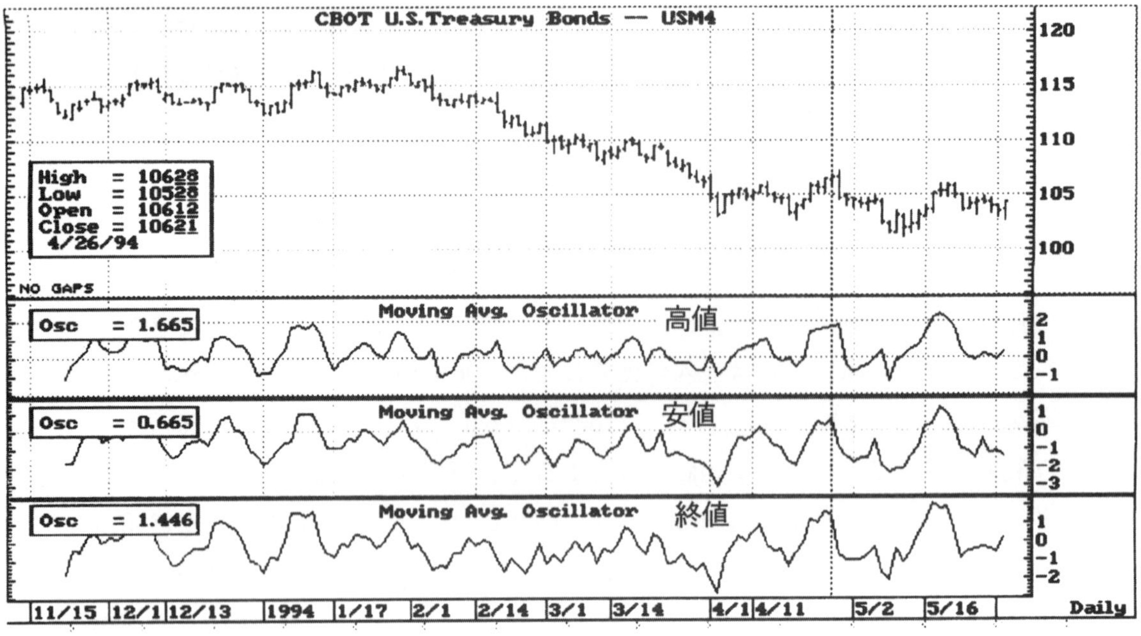

本書のフィボナッチのテクニックの説明では、読者は何度か、最初に置く損切りの逆指値、より離れたところに置く損切りの逆指値、または最終的な損切りの逆指値（ディザスターストップ）の必要性を目にするはずである。戦略３は、どの水準にその逆指値を設定するべきかという疑問に対する答えを示している。この損切りの逆指値はほとんど執行されることはない。当初の仕掛けのシグナルが打ち消された場合には、私は「成り行き注文」で手仕舞うか、または仕掛けた方向への最初のリトレイスメント（押し・戻り）で手仕舞う。そのあとで、ディザスターストップを取り消すのである。

市場が売られ過ぎている場合、最大の買われ過ぎに置く損切りの逆指値は大きく離れた位置にある。しかし、この市場が買われ過ぎの域に近づいてくると、この逆指値水準に接近することになる。買われ過ぎの平均と売られ過ぎの平均の低いパーセンテージを使って損切りの逆指値を設定する水準を調整することができるが、私としては70％以下の水準には設定しないことをお勧めする。

戦略４

第６章でストレッチと呼ばれる方向性指標について述べた。第６章は、仕掛けるレンジを設定するために、主要なフィボナッチの抵抗線や支持線のほか、買われ過ぎ・

チャート7.6

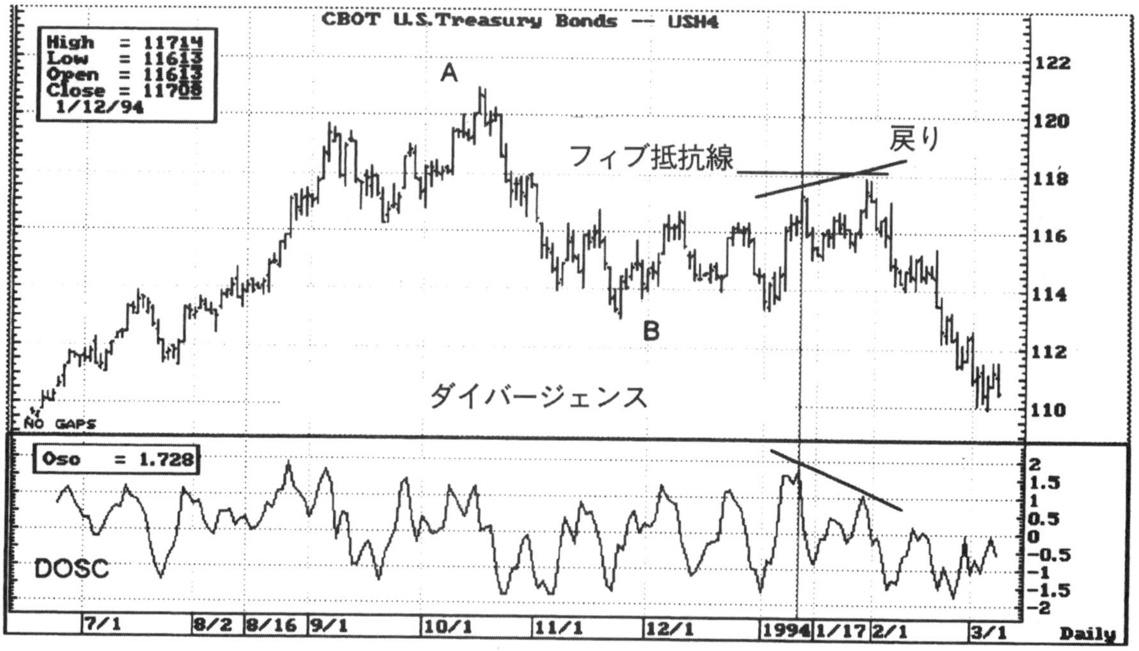

売られ過ぎの最大のオシレーター水準を利用している。これが戦略4だ。既存のトレンドに逆らうのは危険だということは疑いの余地がないものの、試してみる価値はある。なぜなら、この2つの有力な指標の合体した力は大きいからである。

本書ではフィボナッチ分析についてはまだ説明していないために、次の説明は多少飛躍している。現時点で理解ではない場合には、第8章～第11章を読んでから、再び読み返すことをお勧めする。上記の**チャート7.6**はTボンドの日足チャートだが、これを選んだ理由は2つある。カーソルは最初のストレッチの売りにある。相場はこの水準からフィボナッチの支持線へ下落したあと、上昇に転じて理論的利益目標（COP）に達している。この水準はAからBまでの下げの0.618リトレイスメントの水準と一致している。これが、われわれが最初のストレッチの売りを執行したのと同じ、フィボナッチの押し・戻りエリアとなっている。繰り返すが、もし最大の買われ過ぎとほぼ同じ価格水準に、主要なフィボナッチの抵抗エリアがある場合、この指標の合体した水準を売りのレンジとして執行しよう。

注目すべき重要なポイント

最初のストレッチの売りのあと、相場は2営業日にわたり大幅に下落した。これはこのブレイクに対するセットアップのシグナルだったのだ。確率の高いブレイクの局面で、どのくらい利益が得られるかお分かりだろうか？　こうしたブレイクでは、イントラデイのトレンドがすべてあなたにとって有利な状況にあり、しかも売りに対して増し玉することができる。あなたが自信満々ならば、大口のポジションを建てて根こそぎ利益を持ち去ることができる。大きな利益を得るのに必要なのは、５ポイント程度の下げではなく、むしろセットアップに対する忍耐と今後の相場の成り行きに対する自信である。このケースでは、抵抗線に出合ったあとのイントラデイの下げは積極的な売りによって支えられて支持線まで下げている。この支持線は、第９章と第10章で述べるテクニックを使えば、前もって算出することができるものである。

反発して孤立した新高値を付けている場面では、前に指摘したように、主要なフィボナッチの抵抗線までの戻りにとどまっている。デトレンデッドオシレーターが依然高水準のために、再度の売る機会が訪れた。特定の価格水準に対応した買われ過ぎ・売られ過ぎの水準を前もって決定すれば、われわれは特定のトレードをどう処理したいかについて、十分な情報に基づいた自信の持てる決定を下すことができる。

すべてのバラにはトゲがあり、損切りの逆指値を設定したり、ストレッチを活用すると、既存の変動に逆行して、チクチク刺される可能性もある。例えば、終値から最大のMAを差し引いたあたりを売るの水準にする場合、安全な損切りの逆指値としては高値からMAの最大水準を差し引いた水準や、より遠く離れたフィボナッチエリアに置く必要があろう。私は、マネーストップは市場には設定しない。もし安全な損切りの逆指値水準が私のマネーストップを超えているようであれば、トレードを最初から行わないだけだ。

ここではオシレーターがテーマなので、このあたりで禁止事項を述べても差し支えないだろう。仕掛けのテクニックとして、相場に対するオシレーターのダイバージェンスを利用してはならない。ただ、あなたがそれをフィルターに通す素晴らしい手法を持っているのならば話は別だが……。前回の例には最初の高値と戻り高値の間にダイバージェンスのシグナルがある。しかし、このシグナルは、確率の高いシグナルとは言いがたい。たとえ、最高のオシレーターであっても、これによって特に素人のトレーダーに対して、大きな損失をもたらす可能性が往々にしてあるのである。**チャート7.2**やこの章でのほかのチャートを見返してもらいたい。相場に対するオシレーターのダイバージェンスがたくさんあるが、市場ではダイバージェンスに基づくプレーヤーらがストップロスの逆指値で撤退させられている。過去のデータで見れば、有効なダイバージェンスを発見できるだろうが、将来のトレードという現実の場面では、このテクニックは正確さに欠けていることが分かるだろう。

チャート7.7

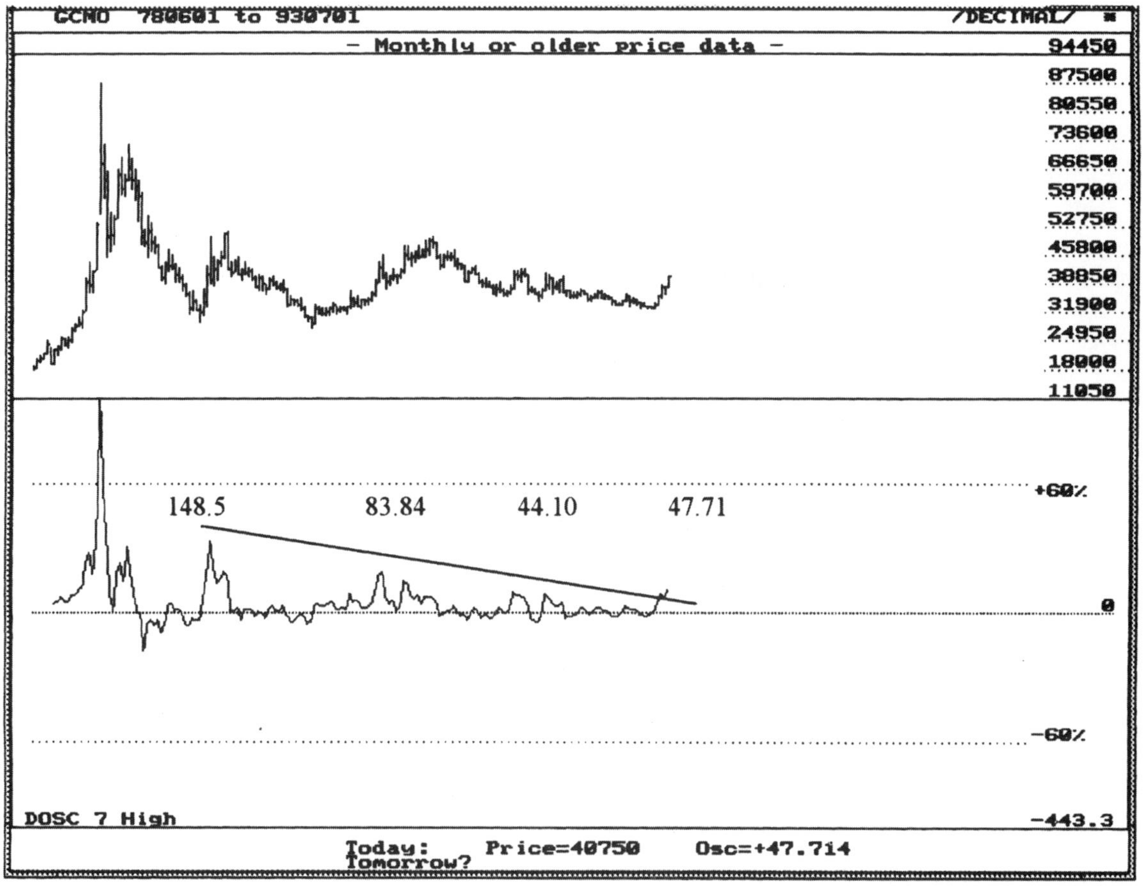

戦略5

メジャートレンドの変化を決定するデトレンデッドオシレーターの特別な応用で、その応用例は数多くある。一例を示そう。この戦略の背景にある考え方は、長期のデトレンデッドオシレーターのブレイクアウト（保ち合いからの放れ）は、長期の相場のブレイクアウトよりも重要だということである。**チャート7.7**の金の月足チャートを見よう。

金市場が1980年に大暴落して以降の月足ベースのオシレーターでは、対応する相場の上昇を反映して、初めて前回のオシレーターの高値を大幅に上回っている。私は、オシレーターと相場とのダイバージェンスは気にしていない。むしろ、オシレーターが長期間にわたり下落したあと、前回の高値を上回っている現実に注目している。このコンテクストでのモメンタムの算出に注意されたい。われわれは終値でなく、高値から移動平均線を差し引いた水準、または安値から移動平均線を差し引いた水準を利用している。これは、このコンテクストでのモメンタムは相場が残した最大の急騰を測定するのであって、ある瞬間のその強さを測定するのではないからだ。

この状況は、金の弱気市場が終わって長期の保ち合いか、あるいは上昇に向かう可能性を示唆している。この想定が確認されるためには、次の価格上昇によって47.71を大きく上回ることが必要だ。上昇パターンのなかで修正安を示すのもいいだろう。今のところ、これはまだ発生していない。

ボラティリティブレイクアウトのテクニックについては、第１章やこの章の戦略２で少し言及している。この方法の成功の背景にある考え方は、ボラティリィのピークは相場のピークに先行するという点であり、この推理には有効性があるということだ。金の例がまさにそれである。ボラティリティの極端な動きに対してどう対処するかについて詳しいことは述べないが、次のコメントによって私の普段のアプローチが理解できよう。まず、その状況が実際に出現するまでは極端な水準（例えば、買われ過ぎ・売られ過ぎの平均の２倍の水準）かどうか分からないために、前述のように、買われ過ぎ・売られ過ぎの水準に近づけば、私は利食うようにしている。後知恵であるが、ボラティリティが本当にブレイクアウトした場合にはブレイクアウトの方向で仕掛けるために、第９章、第10章、第11章、第13章で述べるテクニックを利用する。第二は、私は吹き上げを取り除くために、これらのブレイクアウトをフィルターにかける。この突出した値動きは見事なボラティリティのブレイクアウトを形成するが、定義から言えば、相場の極端な動きの終了を意味する。

最後になるが、提案したように、あなたがデイトレーダーであれば、日々の買われ過ぎ・売られ過ぎのデータを使って、デトレンデッドオシレーターやオシレータープレディクター水準を算出しよう。デイリーベースのトレードをする場合には、日足と週足の買われ過ぎ・売られ過ぎの水準に注意を払おう。トレード期間を１週間単位にする場合には、週と月のオシレーター双方の水準に気をつけよう。これらのテクニックを利用することによって長期投資のリターン向上にもなる。

とりわけ、私が長年にわたって強調している市場原理に留意してもらいたい。この原理は私の市場へのアプローチに本来備わっており、前述のルールによって確立されたものだ。

機会を失うのは資産を失うよりもまし！

オシレータープレディクター

1980年代初頭に私は、それ以前よりももっと効率的に利益を得る方法を見いだすことが必要だと判断した。当時、私はフィボナッチの拡張分析について知らなかった。私が開発したディスプレイド・ムービング・アベレージは、まあまあの仕掛けの結果だったものの、当時利用していた手仕舞い戦略は、私の考えよりもより多くの「含み益」を失っていたのだった。どんな含み益であっても、それは私にとっては利益なのだった。私はこの利益を得るために、リスクを想定していた。この仕掛けの前にはかなりの下準備を行った。市場にどんな利益ももっていかれたくなかったからだ。問題は、「DMAクロスオーバー（交差）を待つのではなく、相場の極端な動きを示している場面でどう手仕舞うか」だった。デトレンデッドオシレーターが最善の買われ過ぎ・売られ過ぎのツールだと確信した私は、エンジニアの経歴を生かして、市場の買われ過ぎ・売られ過ぎの状態に相当する相場水準を１日早く示すような一連のパラメータの方程式を創出することができると思った。この課題について、私のプログラマーのジョージ・ダミュシスに相談した。彼は机に向かい、２週間にわたってこの課題に精力的に取り組んでくれたおかげで、オシレータープレディクターの背景となる計算方法が編み出された。そして、成果はグラフィックのプログラムとしてCTSトレーディングパッケージに組み込まれている。

この発見が、私にとってどれほどプラスになったことか。どの相場水準で理論的（過去データに基づいた）利益、すなわちビジネスマンの利益を生むかを、丸１日早く正確に予想できるようになったのだ。理論的利益目標を設定すれば、利益を収めるトレードのパーセンテージが上昇するのは確実だった。理論的利益目標で利食いするうえでの主な問題は、リスクの低いポイントで市場に再び参入するための知識が不足しているトレーダーが多いことだ。この問題は、第８章～第13章で対処する。

付録Gは、オシレータープレディクターが実際にいかに有効であるかという例を示したものだ。

まとめ

フィボナッチの分析に進む前に、全体の計画（第３章）について簡単に要約し、これまで学んだことを見ておこう。

１．資金と自己管理

参考文献と**参考資料**に注目してほしい。

２．市場のメカニズムの理解

このページに進むまでに、市場のメカニズムについて説明を行った。必要に応じて、追加の説明を行っていく。より詳しくは、**参考文献**を見てほしい。

3．トレンドと方向性の分析

ラッギング（遅行）とコインシデント（偶然）指標の理論について述べた。

トレンドを見つけるための最善の方法について学んだ。

トレンドを上回る強力な方向性シグナルについて学んだ。

4．買われ過ぎ・売られ過ぎの評価

この理論について述べた。

トレードを効果的にフィルターにかけ数値化する方法を学んだ。

理論的利益目標を設定する方法を学んだ。

重要なのは、特定の市場について、買いか、売りか、見送りかを知ることが可能であり、あるトレードについて適度な利益が期待できるかどうか判断する手段があるということだ。

5．仕掛けのテクニック（先行指標）

次に上記の基準に従って参入を決めた市場で、できるかぎり安全に仕掛ける方法について述べる。また強力な損切りの逆指値を仕込むためのテクニックについても研究する。

6．市場からの手仕舞いのテクニック（先行指標）

その後に、理論的利益目標を決定するためのさらなる方法について述べる。

第3部
ディナポリレベル
SECTION3　DINAPOLI LEVELS

今日のすべての市場は、共通のものを持っている。それが、先物商品であっても、外為、株式、ミューチュアルファンドであってもである。速度とボラティリティは、劇的に増加している。1983年にはS&Pで1日のレンジだったものが、今では5分足のチャートの1本のバー（足）に示されている。あなたのトレードする商品が何であれ、昨日の手法は、今日のチャレンジに対して、陳腐となっている。この問題に対応するには、先行指標の適切な使用が有効である。

第 8 章

フィボナッチ分析、基本

CHAPTER8 FIBONACCI ANALYSIS, BASIC

概論

あなたもおそらく将来はトレードの利益の一部を使って、現在や過去の文明の偉大な地のいくつかを旅行するかもしれない。あなたがそれをすれば、私と同じことに気づくだろう。それは、フィボナッチとの関連があるアテネ、ローマ、アムステルダム、パリ、エジプト、南米の多くの地域などにおける建築様式に内在しているということである。これらの美的に快い外形がこうした数学的な指針に由来する点では、基本的な共鳴が存在するのである。

音楽の進行や水晶の形成において、またウサギの出生率においてでさえ、フィボナッチの拡張について興味深い進化が観察できる。DNAのねじれ、ミツバチの巣模様をあらかじめ組み込んだ構造、あるいは（エジプトの）ギザの霊感を与える大ピラミッドであろうと、フィボナッチの関連はどこにでも見られる。人体自体も、フィボナッチにからめた研究対象になる。私は最近、自分の研究会のひとつで、顔面の復元について学位論文を書いたある外科医に会った。彼の研究の目的は、手術で成功した顔立ちと、復元された骨が「黄金分割」に則してどのようにして模倣されたのかを量的に関連付けることだった。フィボナッチ級数やこれら級数から出される数字が、すべての存在に内在しているのは否定できない。

したがって、無意識のうちに人間は、その内に秘めている法則によって行動していると言える。この側面は特に、マーケットに関して明白だ。マーケットは、欲望や恐怖といった人間の最も重要な感情と密接にリンクしているからだ。

歴史

レオナルド（フィボナッチの本名）は1170年ごろ（イタリアの）ピサで、裕福な商人ギエルモ・ボナッチ（Guilielmo Bonacci）の息子として生まれた。イタリア語のfiglioは英語のsonを意味し、figlio Bonacci（ボナッチの息子）は数年間を経て

Fibonacci（フィボナッチ）に縮まった。レオナルド・フィボナッチ（Leonard Bonacci）は当時、傑出した数学者だった。彼の功績は、フィボナッチ級数として知られる数列や比率を発見したことだ。

フィボナッチ級数の発見は、アメリカ大陸の発見と同じようなものである。アメリカ先住民はコロンブスがアメリカ大陸を発見する前に、アメリカ大陸の存在を知っていた。これと同じく、トレーダーと同様にわれわれにとっても極めて重要な数理面で定義される比率は、長期間にわたり存在してきた。

黄金分割や黄金比率の1.618対１（あるいは、0.618対１）には、多くの名称がある。とりわけ、黄金分割はこの本のコストをきっちりと概算している。ギリシア人は、黄金比率を〝phi〟の文字で表した。中世の数学者のパシオリは、黄金比率を「神授の比率」と名付けた。ケルパーは、黄金比率を「幾何学の宝石のひとつ」と呼んだ。この流派のある人は、黄金比率を「旋回する四角形の比率」と呼んだ。この名称が定着しなかったことは、私にとっては喜ばしいことだ。この本のタイトルが『投資市場への旋回する四角形の実践的適用（The Practical Application of Whirling Squares to Investment Markets)』となっていたとしたら、どう受け止められただろう。

由来

フィボナッチ級数には、われわれの大半が想像できる以上に、あるいは想像したいと望む以上に、興味深い側面がある。その可能性を考察すれば目が回るかもしれないが、それは数学者が作るホットファッジサンデーなどのようなものだ。周知のとおりの数列を注意して見ていただきたい。数列は１、１、２、３、５、８、13、21と無限に続く。この数列は１、１から始まって、直近の２つの数を加えれば、次の値になるというものだ。比率は、数値をさまざまな方法で割り算して得られる。例えば、13を21で割れば0.619となり、21を13で割れば1.615になる。また、８を21で割れば0.381となる。逆に、21を８で割ると2.625になる。数列のできるだけ高い数値で割り算すれば、正確なフィボナッチ級数の比率に近づく。しかし、正確なフィボナッチ級数に到達することはけっしてない。割り算した場合、小数点以下のケタ数が無限に続くからだ。これは、数学では無理数として知られている。

加算数列の興味深い側面のひとつは、どこで始めてもよい点だ。５と100といったように、２つのどんな数値からでも始められる。そうすれば、すぐに同じ比率の数列が出来上がる。

５、100、105、205、310、515、825、1340、2165

1340÷2165＝0.6189

2165÷1340＝1.616

フィボナッチ氏がエジプト旅行後に、フィボナッチ級数を「発見した」とみなされているが、私が同氏について考察するときには別のイメージを受ける。ギエルモ・ボナッチの息子であるフィボナッチが13世紀のあるとき、大量のパスタを食べたあとに、ある樹木の下に腰を下ろしているところを想像していただきたい。突然にその考えがひらめいたとき、おそらく彼の両手両足では足らず、そろばんに頼らざるを得なかっただろう。私がフィボナッチ級数をS&Pなどに適用し始めたときに感じたのと、同じような感触だったに違いない。

ワオ！

私はフィボナッチ関連の詩的特質について長く言及できるが、それをすれば、マーケットに対するその実践的な側面の適用を言及することが後回しになってしまう。フィボナッチについて掘り下げて研究したいのならば、より難解な側面を論じた書物がたくさん発行されている（フィボナッチ関連の数学上の概念に関する情報源の多くは、本書の後ろにある**参考資料**に記載されている）。これらの書物には、私の説明よりもずっと詳しくフィボナッチ関連の数学について記述されている。それに、私にはこの話題に対する畏敬の念が足らないために読者のなかには怒こる方がいるかもしれないので、フィボナッチ級数や比率についての詩的特質、由来、歴史的背景などの説明はほかの人たちに任せようと思う。本書は、マーケットに対してフィボナッチの概念の実践的な側面を応用することについて書かれている。だから、そのような趣旨で現実に立ち返り、この章まで読み進んでいただいた読者のために下記の警告を繰り返し述べる。

フィボナッチ分析は、適切なトレーニングを積み、全体の計画の一環として、適切なコンテクストでのみ応用されるべきだ。

指針

ここに以下の章で「説明すること、説明しないこと」を列記している。

説明すること……、

●基本的な価格軸に適用されるフィボナッチの拡張とフィボナッチの押し・戻り水準の分析。

●筆者の解釈による高度な価格軸に適用されるフィボナッチの拡張とフィボナッチの押し・戻りの分析。すなわち「ディナポリレベル（D―レベル）」。

説明しないこと……、

●時間軸に対するフィボナッチ分析のあらゆる応用。
●フィボナッチ級数のあらゆる利用方法（筆者は決まった比率だけを活用している）。
●フィボナッチの長円形。
●フィボナッチの弧状。
●フィボナッチのらせん状。
●フィボナッチに触発された価格帯。
●フィボナッチに触発されたトレンドライン。
●比較的マイナーなフィボナッチの比率で、例えば、0.09、0.146、0.236、0.5、1.382、2.618など。

私がここでカバーしていないトピックスも、興味深いものである。それらの一部には、独自の利点がある。ただ、私の経験、研究、トレードへの直接的応用などから判断した場合、特に読者の現時点の学習曲線から見て、それらを適用する時間に見合う価値がないことは明らかである。それらは説明を甚だしく複雑にするので、私が最も有用で実用的と判断した見解や概念だけを取り扱うことにする。

2つの主要な比率である0.382と0.618を利用した基本的な押し・戻り分析

チャート8.1は、ポイントAからポイントBまでの下落を表している。リトレイスメント（押し・戻り）理論は相場の二つの頂点（AからBまで）からなる値動きの垂直の距離を測り、この値幅に対する0.382の比率のリトレイスメント（押し・戻り）を算出するよう説いている。ここでは、この水準は確かに価格の上昇局面での抵抗線（売り場）になる。

リトレイスメント理論は、相場が算出された戻り幅の水準で上げ止まるとは言及しておらず、一段高を目指せば強力な抵抗線に遭うとしているだけだ。

戻り局面で価格が0.382の比率のリトレイスメント水準を超えて上昇し続ければ、同下落幅に対する0.618の比率のリトレイスメント水準がまず間違いなく、次の強力な抵抗線になる。相場は、この戻り幅の水準で上げ止まるのだろうか？　それは分からない。しかし、この状況で売りを出そうとしているのならば（コンテクスト）、どちらかの調整ポイントが売るのには絶好の価格水準だといえる。損切りの価格水準を

チャート8.1

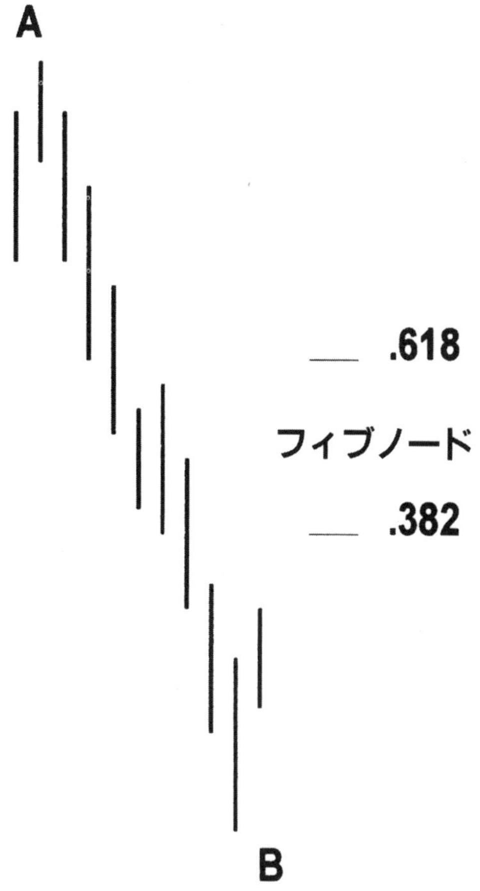

模索しているのならば、どちらかのポイントのすぐ後ろに仕込むほうが、投資資金リスクをもとに計算して置くストップで仕込むよりもずっと賢明なアプローチになる。

チャート8.2も同様に、ポイントAからポイントBまでの動きを表している。今回は上昇局面だ。フィボナッチの押し・戻り分析によると、上昇幅に対する0.382と0.618の比率の押した場面が支持線になると予想される。

以下は、上記の基準に関する方程式。

フィブノード方程式

F 3 = B − 0.382 × (B-A)

F 5 = B − 0.618 × (B-A)

F3は、3/8フィブノードか、0.382の押し。

F5は、5/8フィブノードか、0.618の押し。

チャート8.2

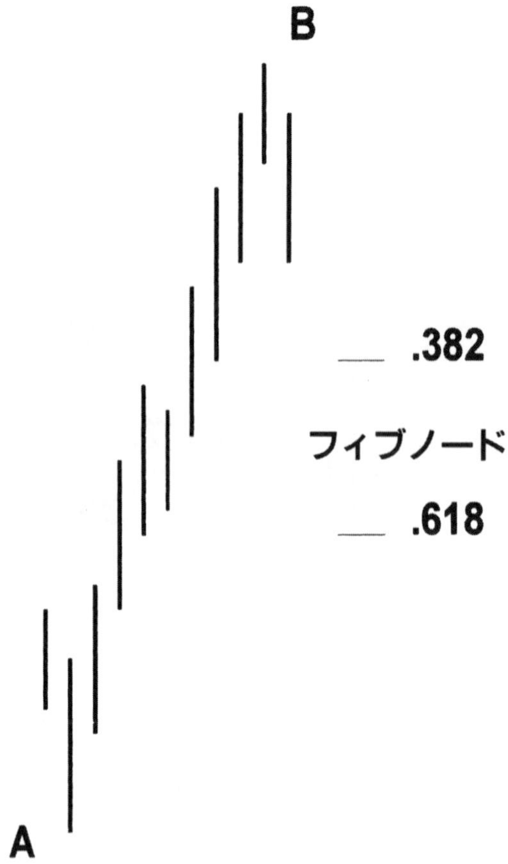

これらは押しや戻り水準に関するスラング的表現で、初期のギャン理論まで起源をたどることができる。ギャン理論では、1/8のポイントが支持線や抵抗線とみなされている（著者の講義をじかに聞いたり、セミナーの録音テープを聞いたことがある読者のために付言するが、著者はしばしば、3/8フィブノードや5/8フィブノードのように、フィブノードを引用している）。

フィブノードは、上記の方程式の応用から算出される数字である。２つ（あるいはそれ以上、のちほど説明する）のフィブノードのペアは、市場の変動によって形成される。これらは、上から下げた場合には支持線を引き出し、下から上げた場合には抵抗線を引き出す。

注　私はこの値動きの両頂点について述べた。それは終値でもなく、毎時間の中値でもなく、標準偏差の交差に先立つ最近の２つの高値の平均値でもない。ご理解いただけただろうか？　あなたが注目しなければいけないのは、高値と安値だけなのだ。

チャート8.3

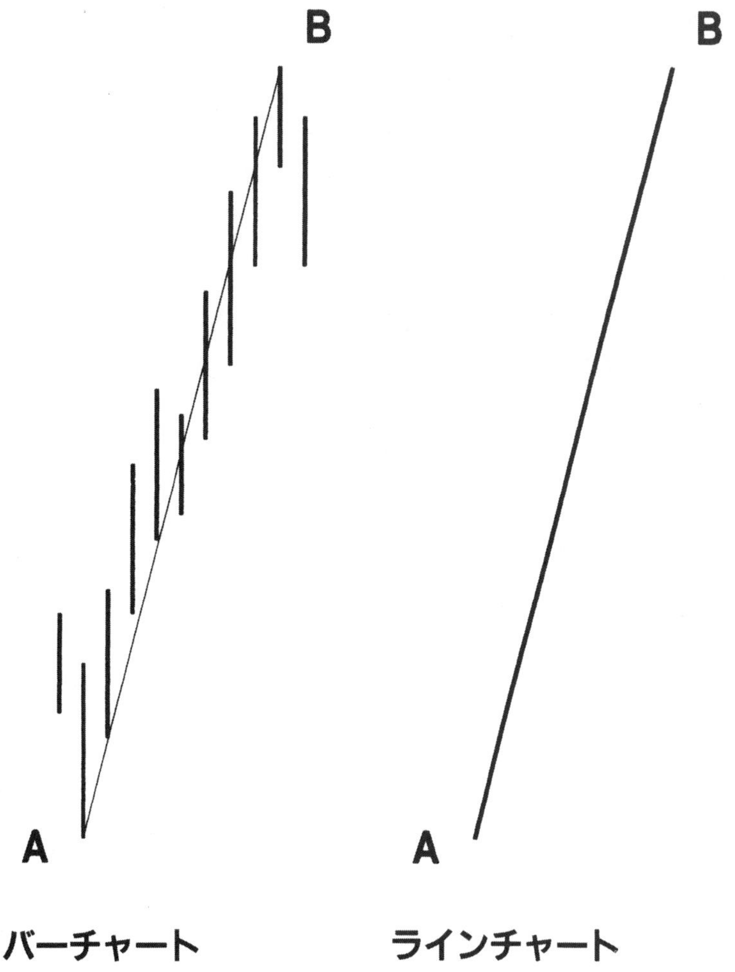

明快にするために、以下の章ではしばしば、理想的なバーチャートとしてラインチャートを使用している。これらのラインチャートはいつも、市場の変動幅の両頂点（安値と高値、高値と安値）を結ぶ線になる。**チャート8.3**参照。

この本で教示されている高度なフィボナッチのテクニック（ディナポリレベル）の応用について混同した場合には、分析中のバーチャートを正確に映すような、ラインチャートを引くことだ。このような簡単なやり方のほうが、学習期間を大きく短縮することになる。

3つの主要な拡張比率である0.618、1.0、1.618を利用した基本的なフィボナッチの拡張分析

拡張分析によって示される数学的な関係は、価格の拡大パターンを制約したり特定するもので、理論的価格（利益）目標が提示される。われわれは、これらを目標ポイント（OP）と呼んでいる。3つの目標や目的は、ABCの各ポイントを結んだ相場の値動きから算出できる。まず最初のスラスト（急上昇・急下降）は、**チャート8.4**で示されているような上昇や下落の値動きである。Cのポイントは通常、AとBのポイントを結んだ値動きの価格帯に位置しているが、これは必ずしも絶対必要条件とはならない。

チャート8.4

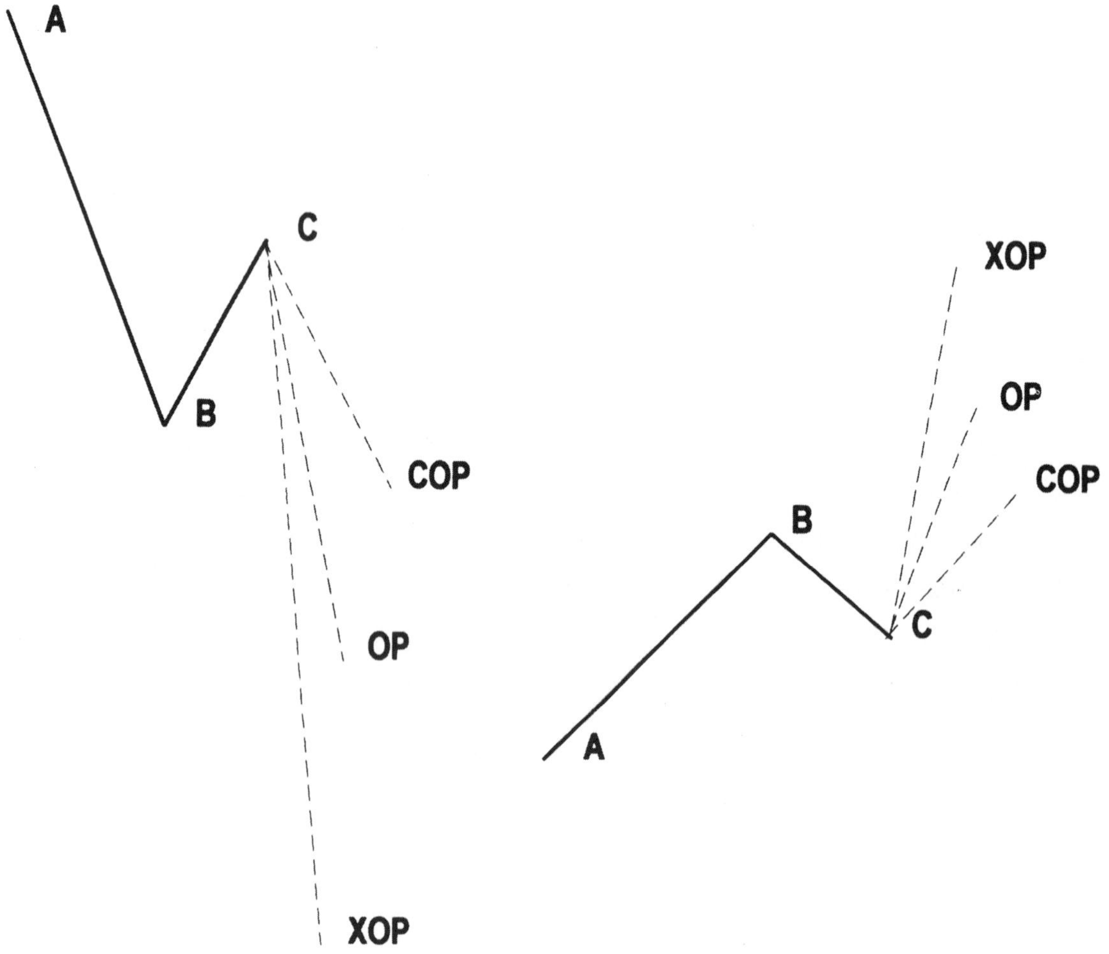

以下の公式は、これらの利益目標を算出するときに使用される。価格チャートは、ポイントCから、ポイントAからBに至る値動きの方向にエクステンションされる。これらのエクステンションは破線で示され、価格が連続して推移する可能性を示唆している。

目標ポイント方程式

OP ＝B－A＋C	目標ポイント
COP＝0.618×（B－A）＋C	収縮した目標ポイント
XOP＝1.618×（B－A）＋C	拡張した目標ポイント

この問題に関する以前の研究や広く認知された理論では、拡張はポイントCのリトレイスメント（押し・戻り）地点よりも、上昇局面や下降局面におけるポイントBから始まる理屈になっている。私の研究や経験は、この理屈と合致しない。拡張が始まる地点として、ポイントCを使用するべきである。下げ相場での拡張がゼロを下回った場合、マイナスの数は「認識」されないことを理解するべきである。そうでなければ、手持ちの株式やトウモロコシを処分するために、あなたにお金を払う向きが出てくることになる。ある種の税金回避手段を除いて、これがどういう場面で起こるのかは分からない。

拡張分析は、時間に関して何も触れていない。念のために確認するが、破線の値動きは異なる時間に、それぞれの目標を達成するように示されている。実際のところ、既存のABの動きは、フィブノードに反して、３つのすべての目標ポイントに到達する可能性もある。強い方向性のある値動きの場合、価格はXOPまですぐに到達することもある。AからBに至る動きの市場の強さや、あるいはBからCまでのリトレイスメントの勢いの欠如や深さに基づき、これらの３つの値動き目標のうち、どれが最初に達成されるのかを判断することが可能である。OPは目標ポイントを示す。COPは収縮した目標ポイントで、３つのうちで最も小幅な目標になる。XOPは拡張した目標ポイントで、最も幅が大きい。一般的には、大幅なリトレイスメントが起こる前であれば、OPの目標がCOPの目標よりも頻繁に達成される。XOPの目標は、達成される頻度が最も少ない。

その他の有効なフィボナッチ拡張比率もあるが、過度に混乱してしまう可能性と、確認済みの信頼性との間でのトレードオフ（相殺）を検討する必要がある。私の研究や経験によると、上で述べた拡張は最も信頼でき、注目に最も値する。このことは、次章のディナポリレベルでこれらの比率がどのように使用され、組み合わされ、応用されるのかを把握したときにはっきりとしてくる。

よくある質問

フィボナッチの弧の概念を論じていただけますか？

私の専門領域はフィボナッチ分析だが、市場の分析にフィボナッチ分析のすべてを使用するわけではない。私の専門分野は、市場へのフィボナッチ分析の実践的な応用が中心である。言い換えれば、いかにフィボナッチ分析を利用して、金儲けができるのかである。

私は、1989年にフィボナッチの弧を研究したことがある。フィボナッチの弧は、私のトレード手法として取り入れるだけの十分な実用面はなかった。この研究を続けたければ、**参考文献**にフィボナッチの弧と関連項目の資料がある。

7日間のオシレーター、7×5と25×5のDMA（ずらした移動平均線）を使用していますが、7と25はフィボナッチ級数にはありません。なぜ使用しているのですか？

7と25がフィボナッチ級数でなくても、気にしていない。7と25は、指摘の分析で有効なのである。私は、フィボナッチの狂信者ではない。私は、役立つものを使う。

フィボナッチの理論は、どうしてうまく機能するのですか？

ある種の自己達成の予言だといえる。知識が豊富でも乏しくても、その知識を持つ参加者がそれをうまく活用して利益を得られるからだ。ただ、これでは説明不足だろう。フィボナッチ理論は、自然法則なのだ。われわれは皆、リスク・苦痛・恐怖に対する各自の許容範囲がある。われわれはまた、いろいろな程度の欲望も感じる。これらの各感情はいろいろな度合いで示される一方で、多くの人のこれらの感情の平均は、フィボナッチの数的関係によってなんとか定量化され、市場においてはっきりと表れるのである。

第９章

ディナポリレベル

CHAPTER9 DiNapoli Levels

序論と注意

ディナポリレベル（D―レベル）は並外れた正確さがあり、１分足チャートから年足チャート、おそらくもっと長いスパンのチャートに至るまで適用できる。超短期のトレードを計画しているのならば、かなり厳しい努力が必要と心掛けなければならない。適切なソフトウエアと組み合わせればコンピューターは作業量を軽減してくれるものの、絶え間ない集中はわれわれを疲労困憊させてしまうものである。アプローチの品質や分析の完全さにもかかわらず、これで燃え尽きてしまうことが多く、この過程では苦労して獲得した資産も減少させてしまうことになる。

この本を通じて、私の研究成果だけでなく、苦労して成し遂げたトレードの実例から得た知識や経験にも言及するつもりである。私の使命の一部は、アリ地獄で赤旗を振ることだと思っている。長い間セミナー講師をやっていることから、私が教えた生徒らの成功や失敗を聞く機会も多かった。こうして得た情報によって、以下の注意事項をまとめた。この講座の内容をよく消化して、ディナポリレベルを正確に適用することを学んだならば、あとは自信過剰やその結果、マネーマネジメントを怠るとまったく予期しない追証請求を発生させてしまう。これ以外に、注文執行やフロア業務の経験不足に加え、これまでのコンテクストの適用のいい加減さなども、次の重要な落とし穴になる。見当違いの市場でトレードしているのならば、フロア業務の知識が限られていても問題ない。いずれにせよ、損をするのだから。しかし、正しい市場でトレードしていても、ピット（立会場）内で注文の執行を急ごうとするほかのトレーダーやブローカーと競争になり、これまでに遭遇し得なかったような問題を経験することになる（ジョー・ディナポリ著『エックスド・トレード・オア・ホエアズ・マイ・フィル？［THE X'D TRADE or Where's My Fill？］』テクニカル・アナリシス・オブ・ストック・アンド・コモディティーズ誌1995年３月号88ページ）。

エリオット波動理論

多くの人は、エリオット波動理論がフィボナッチ分析と同じ意味合いを持つものと思っているが、それは違う。フィボナッチ分析は、それ自体が独自の分析であるし（勧めないが）、あるいはエリオット波動を含んでいても、含んでいなくても、総体的なトレード戦略の一部となっている。エリオット波動理論に精通している方は、この本で述べられているトレーディングアプローチにおける格別の価値をすぐに理解するだろう。ある特定のエリオット波動内でのカウントを認識することは、新米はもちろん、長期にわたってトレードしている方にとっても紛らわしいものである。ディナポリレベルは、この問題を回避して、拡張したり収縮する波動に着目しているのだ。

ディナポリレベル

第８章では、基本的なフィボナッチ分析を解説した。この基本的なアプローチの一部は、ほとんどの市場参加者が価格軸に関するフィボナッチ分析を使用するときに活用している。それはそれでよいのだが、さらに深い水準に到達するには、われわれの考えを明確化して定量化する多様な定義を持つべきである。これらの定義を理解することは、問題を把握したり、市場に対して高度なフィボナッチ分析（ディナポリレベル）を最終的に適用するための絶対必要条件となる。だから、これらの定義を完全に把握するまで、必要なかぎり何回もこの章の定義に立ち戻ることを勧める。

定義

マーケットスイング

マーケットスイングは、トレーダーが定義する数分や数年にわたる市場動向で、過去のある地点から起こった市場での「際立った」安値や高値から、直近の高値や安値までの値動きになる。マーケットスイングは、波動とも呼ばれる。以下のチャートでは、マーケットスイングは、フォーカスナンバーとリアクション５の間に表示されている。

リアクションナンバーまたはポイント

リアクションナンバーは通常、所定のマーケットスイング（ナンバー１から５）内での安値や高値となる。私は２つの理由によって、リアクションナンバーの定義で

チャート9.1

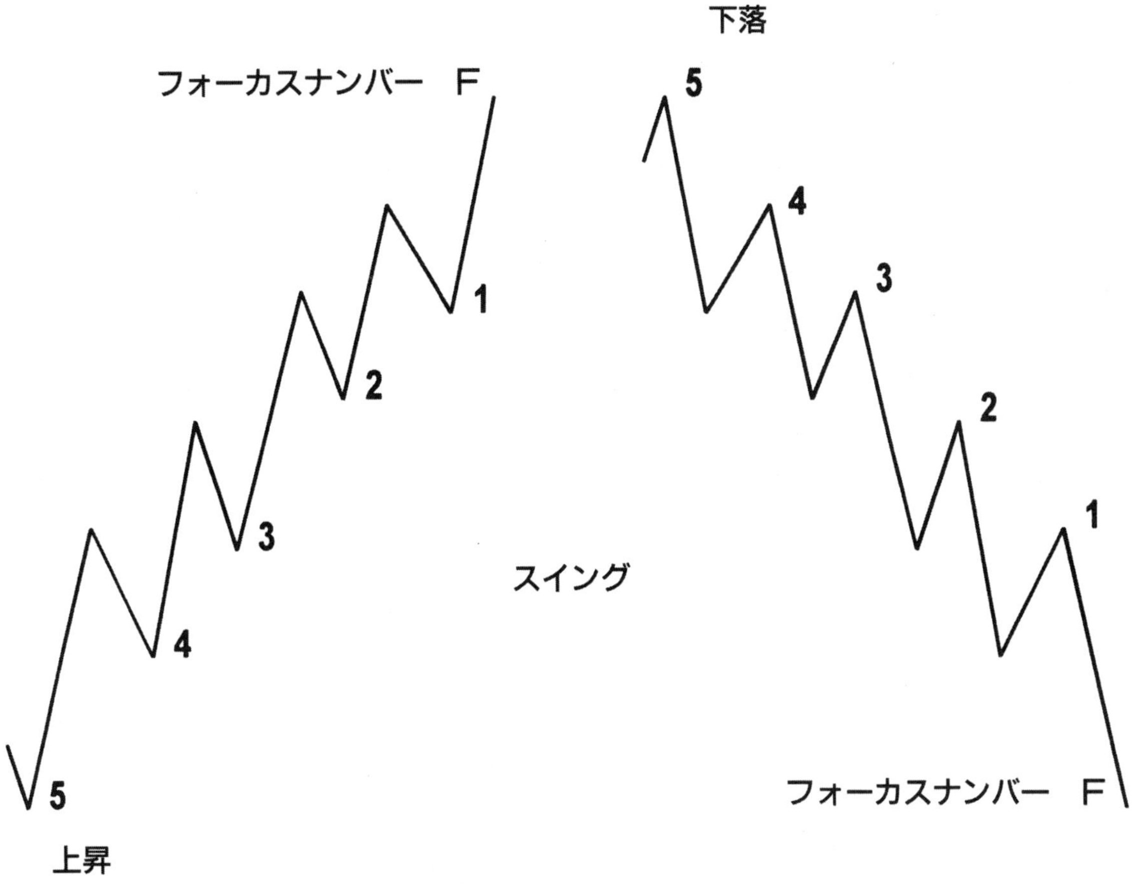

「スイング高値」「スイング安値」という用語の使用を避けている。まず最初は、読者の一部がこの用語に対して当てはまらない条件を付与するためだ。次の理由は、「スイング高値」と「スイング安値」が判明できない状況でも、リアクションナンバーが得られるからだ。

ひとつのマーケットスイングの範囲内には、多くのリアクションナンバーがあり得る。リアクションナンバーが安値なのかは高値なのかを決めるのは、マーケットスイングの値動きだ。上記のチャートでは、各マーケットスイングにはそれぞれ5つのリアクションナンバーがある。われわれの目的では、ポイント5は前のどのポイントからも反応していないのかもしれないが、リアクションナンバーの定義の範囲に入るとみなされている。例えば、ポイント5は新規公開株（IPO）の場合のように、過去最安値の可能性もある。実際のところ、ポイント5は、マーケットスイングの頂点あり、極めて意義深い重要性を持っている。ポイント5は、プライマリーリアクションナンバーと呼ばれたり、あるいは＊の印で示される。

フォーカスナンバー

フォーカスナンバーは、マーケットスイングの端にある。フォーカスナンバーはチャート上の位置で、これによって、提示されたマーケットスイングに対するすべてのフィブノード（調整幅）が算出される。フォーカスナンバーが変化すれば、提示されたマーケットスイングに対するすべてのフィブノードも変化する。

フィブノードまたはノード

フィブノードまたはノードは、フィボナッチの押し・戻り比率に基づく数値で、市場が上方から下落してそれに接近すればこの水準が支持線となり、市場が下方から上昇してそれに接近すればこの水準が抵抗線になる。２つのフィブノードまたはノードは、フォーカスナンバーとリアクションナンバー間で、次のように算出される。ひとつは0.382のリトレイスメント（押し・戻り）地点で、もうひとつは0.618のリトレイスメント（押し・戻り）地点となる。

フィブノードはまた、フィボナッチの押し・戻り水準と目標を算出して提示するために使用されるソフトウエアプログラムの名称だ。

目標ポイント

目標ポイント（OP）は、フィボナッチの拡張レシオに基づく数値で、上昇や下降する動きに対する利食いの目標水準となる。

コンフルエンス

コンフルエンス（K）は、異なるリアクションナンバーからの２つのフィブノードがまったく同じか、ほぼ同じの数値的価値を持つときに発生する価格水準や価格帯のこと。コンフルエンスは、0.382と0.618のフィブノード間のみで起こる。コンフルエンスの範囲には、コンフルエンスを引き起こす２つのフィブノードや、フィブノード間の価格レンジが含まれる。コンフルエンスは、単一のフィブノードよりも重要で強力な支持線や抵抗線となる。コンフルエンス（それへの接近）は、マーケットスイングのボラティリティや時間枠に左右される。このため、フィブノード・コンフルエンスは、チャートごとに大きくかけ離れている可能性がある。例えば、１分足チャートや月足チャートの価格レンジの両頂点は、途方もなく異なるものである。同様に、提示された時間枠での価格レンジは大きく変わることもある。価格レンジ幅は、ある１

日で250ポイント、別の日は1250ポイントになることもある。コンフルエンスは主観的なものだ。コンフルエンスはプログラマーや非裁量的なトレーダーらを当惑させ続けるものであり、このことはこのアプローチの長期の活用と実用性にとっては有益なことといえる。

リネッジマーキング

リネッジマーキング（いくつかのセミナーやトレーニングコースでは、リネッジマーキングはときどきクロス・ハッチ・マーキングと呼ばれる）は、どのリアクションナンバーが所定のフィブノードを形成するのかを視覚的に確認するために使用される半円形の弧。

理論的利益目標

理論的利益目標はあらかじめ設定され、トレードしている方向のもっと先に位置している。あなたが買い方ならば、上に抵抗線が存在している。また、売り方ならば、下に支持線が存在している。２つの理論的利益目標の位置を決めるテクニックは、オシレータープレディクターポイントとフィボナッチから派生する水準によって決定される。フィボナッチから派生する水準とはフィボナッチ拡張分析、あるいはあとで習うが、特定のフィブノード単独から形成される水準やコンフルエンスの水準などによって決まる。

トレードとは単にパーセンテージのゲームであり、正確な（理論的）利益目標の水準を設定すれば、持続して利益を得る可能性となる自分のトレードの勝率を著しく高めることになる。

アグリーメント

アグリーメントは、あるフィブノードとある目標ポイント（COPやOP、XOP）の接近が「ほぼ重なると受け入れられる程度の近さ」のときに起こる価格帯のこと。

フィブシリーズ

フィブシリーズは、価格軸に対するディナポリレベルの正しい適用から形成される組み合わされた一組のフィブノードのこと。これは、第８章の基本的なフィボナッチ分析のところで論じたフィボナッチ加算数列のことではない。

ディナポリレベルあるいはD－レベル

ディナポリレベルは、価格軸に対するフィボナッチ分析の高度な応用を管理する特定の規則群によって形成される支持線や抵抗線のこと。ディナポリレベルには、フィブノード、目標ポイント、コンフルエンス、アグリーメント価格帯が含まれる。

実例

ディナポリレベル（D－レベル）を決めるときの最初のステップは、フォーカスナンバーとリアクションナンバーを正しく設定することだ。

チャートをみてみよう。

チャート9.2では、時間経過に伴うマーケットスイングの進展を見ている。フォーカスナンバーは、この値動きの高値だ。過去の値動きでは、リアクション１が基本のリアクションナンバーとなる。この値動きは、２つのフィブノードをつくる。

現在の値動きにおける以前のフォーカスナンバーOは、新たな、あるいは現在のフィブノードを決めるときに重要性を持たない。現在の値動きには、１と２のリアクションナンバーが２つある。現時点では、リアクションナンバー２が基本のリアクションナンバーになる。第８章で学んだように、ひとつのリアクションナンバーにつき２つのフィブノードがあるので、全体では４つのフィブノードが得られることになる。

チャート9.2

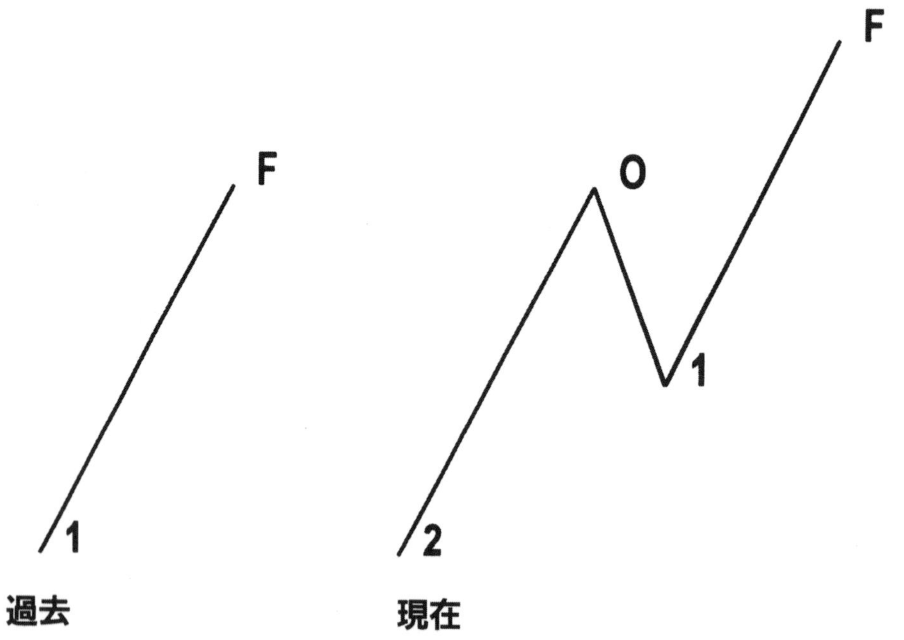

チャート9.3

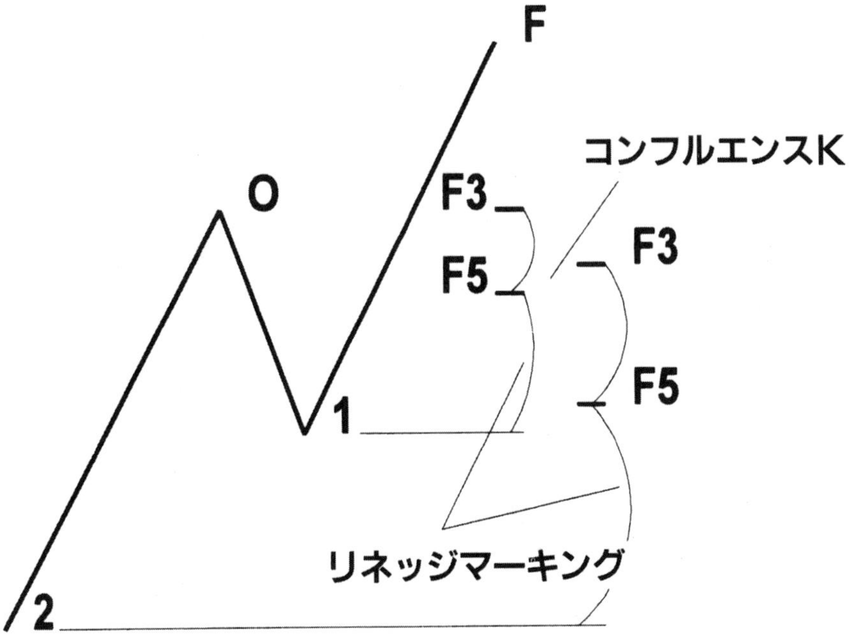

チャート9.3は、４つのフィブノード、ひとつのコンフルエンスの価格帯、リネッジマーキングを表示している。Ｆと１を結ぶ値幅の0.618の調整地点とＦと２を結ぶ値幅の0.382の調整地点で形成される価格帯にコンフルエンスＫがある。

どのリアクションナンバーの安値が、各フィブノードのペアを形成したのかを理解することが重要になる。各フィブノードのペアは明確に関連している。フィブノードのリネッジは、市場の値動きがフィブノードに接近したときのわれわれの反応の性質を詳細に伝えてくれる。リネッジを確認することなくチャート全体に引かれた一連のラインは、われわれの行動を惑わすだけである。それは、役に立たないものである。ひとつのマーケットスイングにおけるすべてのフィブノードは、同じフォーカスナンバーから形成されているので、そのフォーカスナンバーにリネッジマーキングを書く必要はない。それがフォーカスナンバーと呼ばれる由縁である。

チャート9.4

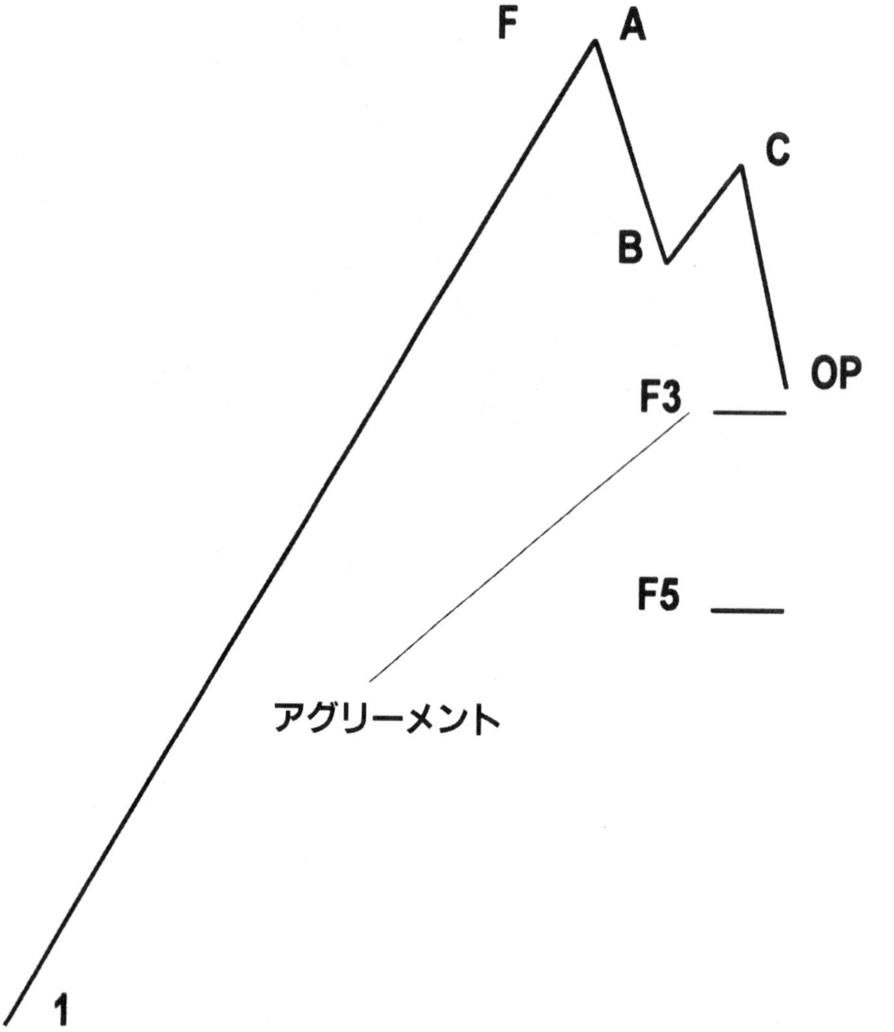

チャート9.4は、アグリーメントが起こる状況を示した実例。

フォーカスナンバーFとリアクション1を結ぶ上げ幅に対するフィブノード0.382の支持線は、Cから拡張した目標ポイント（OP）の水準にほぼ近いと判断される程度に接近している。ほぼ近いと判断される程度まで接近というのは、主観的な見方だ。それは、時間枠とボラティリティに左右される。

チャート9.5

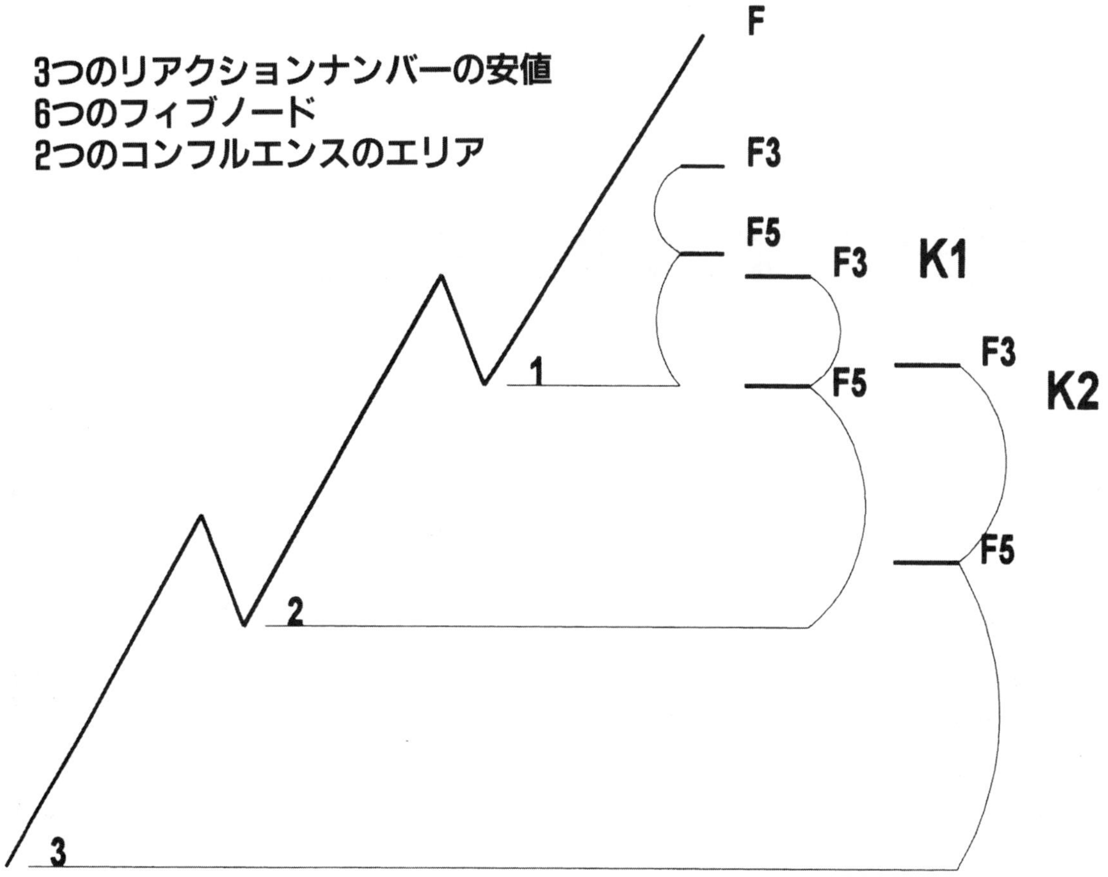

それではここで、もう少し複雑な値動きを見てみよう。

チャート9.5は、明らかに上昇トレンドである。下降トレンドは前に示したチャートと同じく、同様の方法で注釈される。

この上昇トレンドでは、K１とK２といった２つのコンフルエンスのエリアがある。市場が上昇傾向の状況なので（コンテクスト）買い方に回ろうとすれば、K１のコンフルエンスのエリアをわずかに上回る水準で買い、K２のエリアをわずかに下回る水準に損切りの逆指値注文を置くのが賢明な戦略になる。注文の詳細は、第13章のフィブ戦略のところで後述する。

それでは、実際の相場の実例を見てみよう。そうすれば、実際のトレードで、コンフルエンスの概念がどのようにうまく作用するのかが分かる。以下の**チャート9.6**は、ドイツ・マルクの月足チャートである。

チャート9.6

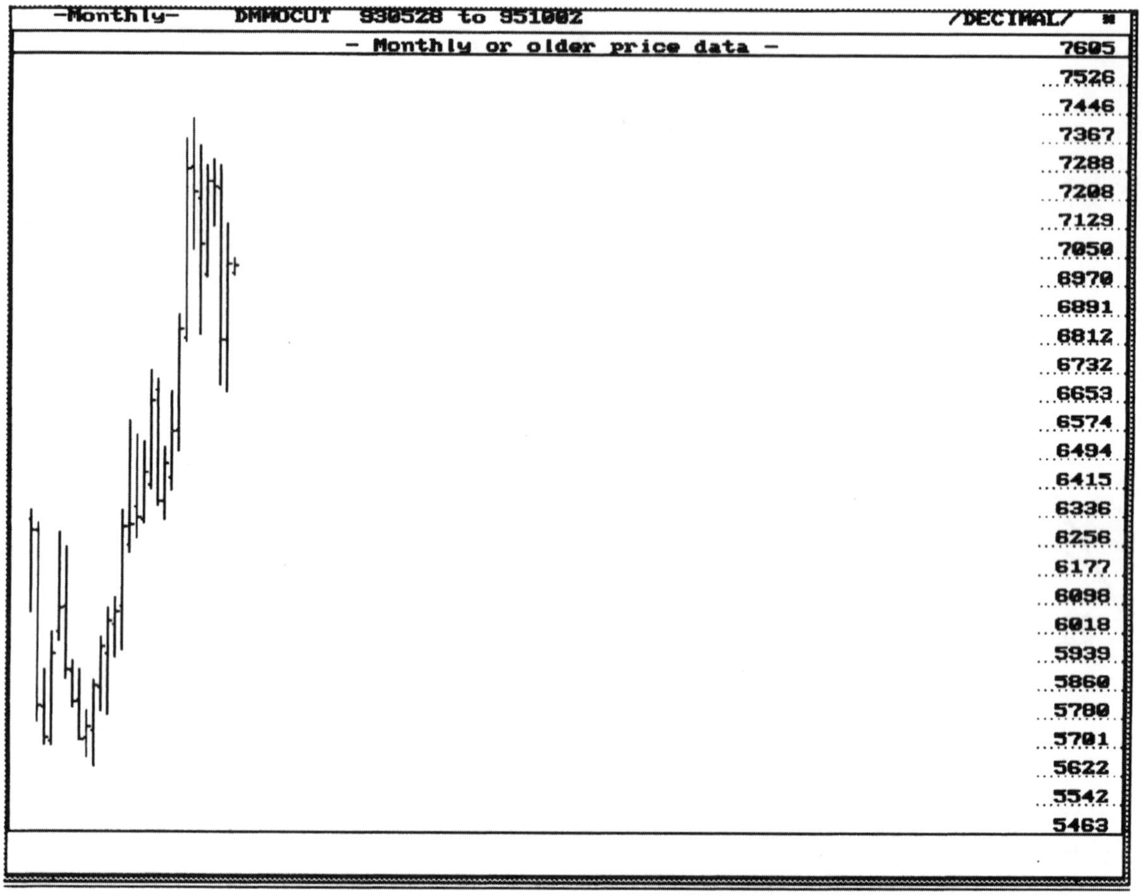

理想的なものとして描いた**チャート9.2**で示されたように**チャート9.6**を明示すると、4つのフィボノードが得られる。このうち2つは、**チャート9.7**で示されるようなコンフルエンスのエリアを形成する。

チャート9.7

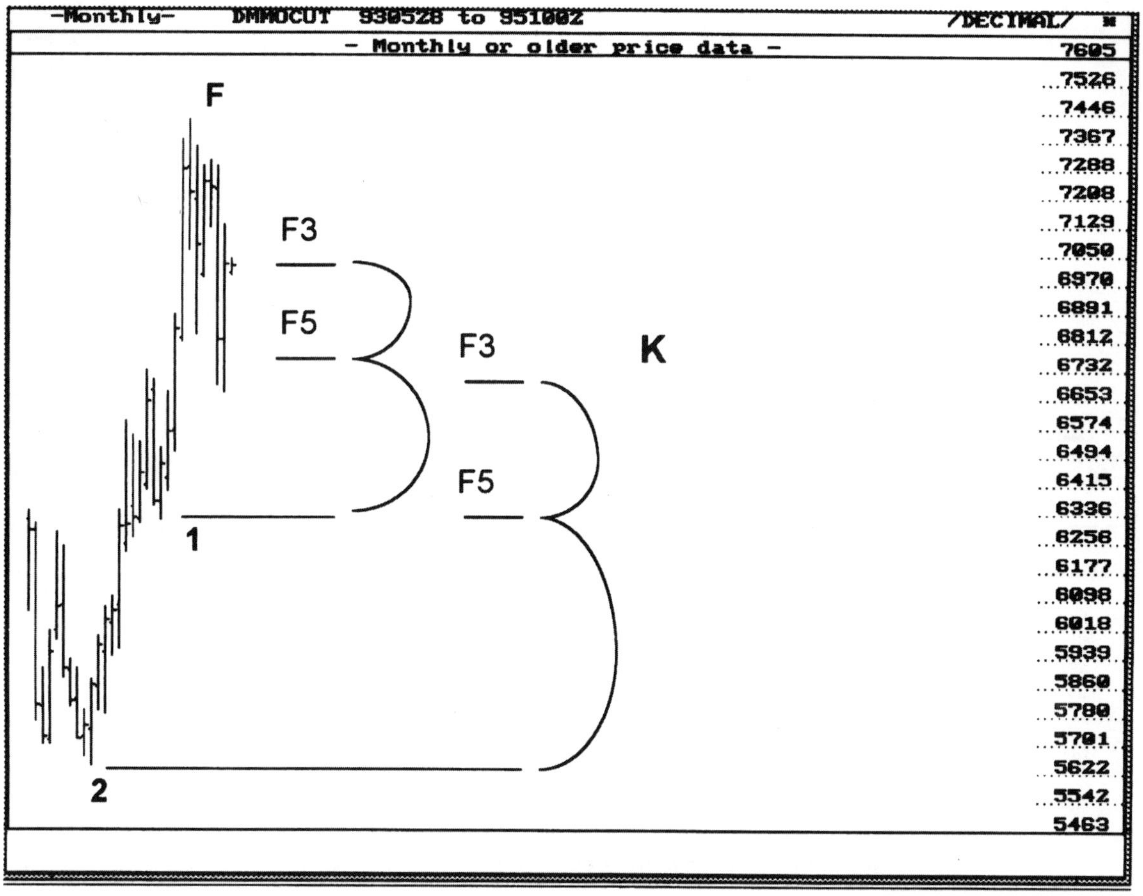

チャート9.8

予想どおり、コンフルエンスのエリアは強力な支持線となり、大幅な上昇に向けての下値を固める。**チャート9.8**に示された日足チャートを見ていただきたい。もしわれわれが月足ベースでのコンフルエンスのエリアについての知識がなく、この市場で売り方だったとしたら、不意を突かれることになったはずだ。理論的利益目標のわれわれの定義から判断すると、このコンフルエンスのエリアは売りのポジションを手仕舞う格好の価格水準になる。もしわれわれが月足ベースでトレードするのならば、リトレイスメント（押しや戻り）を付けるまで待って、売りポジションを再び建て直すこともできる（このトレードに対するわれわれのコンテクストが維持されているという前提だが）。デイリーベースでトレードするのならば、1日の値動きのなかで買い方になり得る多くの方法がある。その幾つかを検討してみる。

1．コンフルエンスのエリアからの反転は、日足で見てダブルリペネトレーションのようなものに思える。もしそうならば、急いで買い方に回ることだ。これを行う方法はいくつかある。

A．確認されたダブルレポのあとに、最初の小幅な押しの局面で買うこと。

B．確認されたダブルレポ後の最も小幅な押し場面を経てから、買いの逆指値注文を置いて高値で買うこと。

C．ダブルレポを見越して、押しの場面のあとに市場へ参入することだ。しかし、確認されたイントラデイのトレンドが自分に有利なのが条件。

2．あなたが選択した時間枠でトレンドが確認されたあと、押しの局面で市場へ参入すること。

3．われわれのトレードをサポートする方向性シグナルを探すこと。そしてそれに従って、買いから入ること。

強力なコンフルエンスのエリアは、方向性指標の章で詳細に述べなかったが（読者はその時点では、まだそれについての基礎知識を持たなかった）、特に週足や月足ベースでの強力なコンフルエンスのエリアは、それ自体が方向性シグナルになり得る。「ストレッチ」にあるように、相場が売られ過ぎでないかぎり、このアプローチはややリスクを伴う。私がこの戦略を用いるときには、確認されたトレンドを待ち、この場合は上昇トレンドだが、それから第13章で取り扱うフィボナッチ戦術の仕掛けのシグナルのひとつを利用することである。私の生徒の多くは、強力なコンフルエンスのエリアに注意を払っている。私は通常、マインスイーパーAやBを活用している。読者への助言としては、これらの戦術を知ろうとして、本書を読み飛ばさないことだ。この章をあとで読み返し、この本の説明の順に沿って取り組むことが賢明だと思う。

重要な注意事項

1．月足チャートでこれらのディナポリレベル（D－レベル）を事前に算出しなければ、支持線が間もなく現れるということをあなたは知ることはできない。市場は、沈む石のように急落していた。あなたは一段上の時間枠のチャートを常に研究すべきだ。そうすれば、より長期の視点で仕掛けるべき方向が分かる。

2．あなたが**チャート9.7**で示された最初の（最も高い）フィブノードの付近に日足チャート（示されていない）を見れば、トレード可能な適度の上昇を確認したことだろう。

3．**チャート9.7**において、2をA、1をC、1の直近の高値をBにそれぞれ置き換えれば、Fが申し分のない目標ポイント（OP）に近い水準になる。

4．第11章では、1日で500ポイント急落したダウを含む、一段と説得力のあるコンフルエンスの実例が挙げられている。この実例はやや複雑なので、第11章まで先送りしている。この実例には、より多くのリアクションナンバーの安値やそれに付随するさらに多くのフィブノードが含まれる。私は走り始める前に歩くことを学ぶのが最善の策と理解している。

精密レシオコンパス

ここで少し後ろに戻り、大金を投資しないで、価格チャート上にディナポリレベル（D―レベル）のマーキングを適切に記入する方法について話してみる。

精密レシオコンパスと呼ばれる精密な建築のツールが必要になる。

精密レシオコンパス（コースト・インベストメント・ソフトウエア社は、高性能、広範囲、軽量な精密レシオコンパスの適切な使用法を示すアプリケーションマニュアルと共に提供している。コンパスは、建築用部品の販売店に置かれていることもある。装置にはいろいろいろいろな種類がある。すべての装置がこの状況下での使用に適しているわけではないので、どのコンパスを購入するのかに注意すること）を使用すれば、最も費用がかからないやり方で、ディナポリレベルが正確に決まる。フィブノードの位置やリネッジを迅速でしかも簡単に確認できるからだ。私としてはグラフィックス（テクニカル分析）ソフトウエア（推奨しないという点では、フィボナッチのグラフィクス研究が盛り込まれているCISグラフィクスパッケージも同様である。このパッケージもまた、トレーダーがディナポリレベルを効率よく正確に適用するには不適切だ）を使用してディナポリレベルを決めることは推奨しない。これを使うと、チャート上には正体不明の一連のラインが引かれることになるからだ。このような手法は、あなたが手元にある情報に基づき自信を持って行動するための能力を弱めるものである。

コンピューターを使用してこれを達成したいのならば、幾つかの選択肢がある。あなたに十分な才能、コンセプトの理解、そして戦場の炎の中でのトレードのニーズの見通しがあるのならば、スプレッドシート（表計算ソフト）を適切にプログラムすることが可能だろう。別のやり方としては、フィブノードのソフトウエアがあり、これは、識別可能な記号を載せた表のプリントアウトを行うことができる。この方法は、現在の市場動向で遭遇しているフィブノードのタイプを正確に説明するものである。この記号は、リネッジマーキングと同様な働きをする。ソフトウエアを使用することは、精密レシオコンパスの使用を不要にすることではない。高精度のコンパスは、手元にあってとても重宝するものである。ただ、デイトレードをしているのならば、適切なソフトウエアなしで、状況に正確に追随することは事実上不可能だ。

要点　最良の結果を得るために、精密レシオコンパスや適切なソフトウエアを使用すること。

第10章

ディナポリレベル――複数のフォーカスナンバーとマーケットスイング

CHAPTER10 DiNapoli Levels――MULTIPLE FOCUS NUMBERS & MARKET SWINGS

さてあなたは、私のアプローチにおける確固とした基礎を会得したので、次の難解なレベルに進む時が来た。マーケットスイングを用いて、さらに高度なレベルのこの分析を始める。マーケットスイングは、毎日の市場であなたが目撃していることの極めて典型的なものである。ページをめくる前に、**チャート10.1**にあるフォーカスナンバーとリアクションナンバーを的確に書き込めるかどうか確かめていただきたい。

チャート10.1

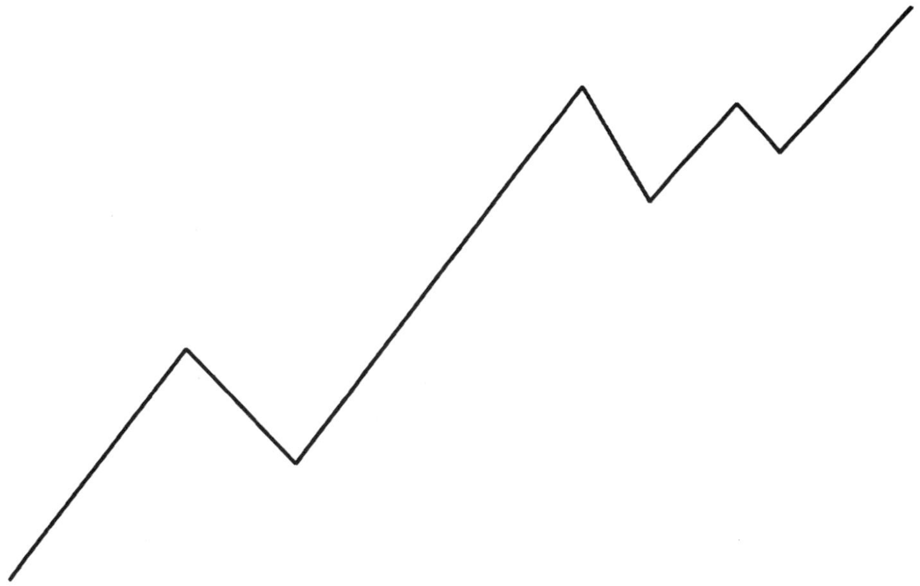

チャート10.2

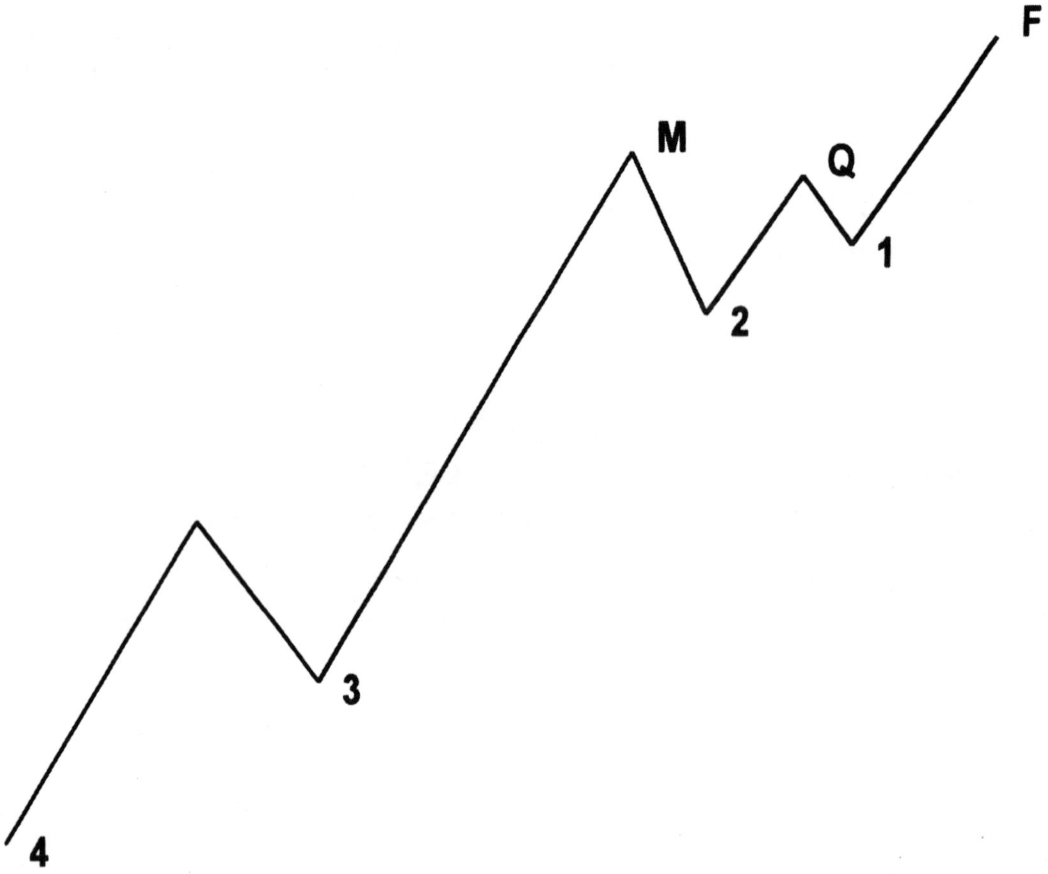

MとQの各ポイントは別として、上のように書き込めただろうか？

これに対するディナポリレベル（D―レベル）は、以下のようになる。

チャート10.3

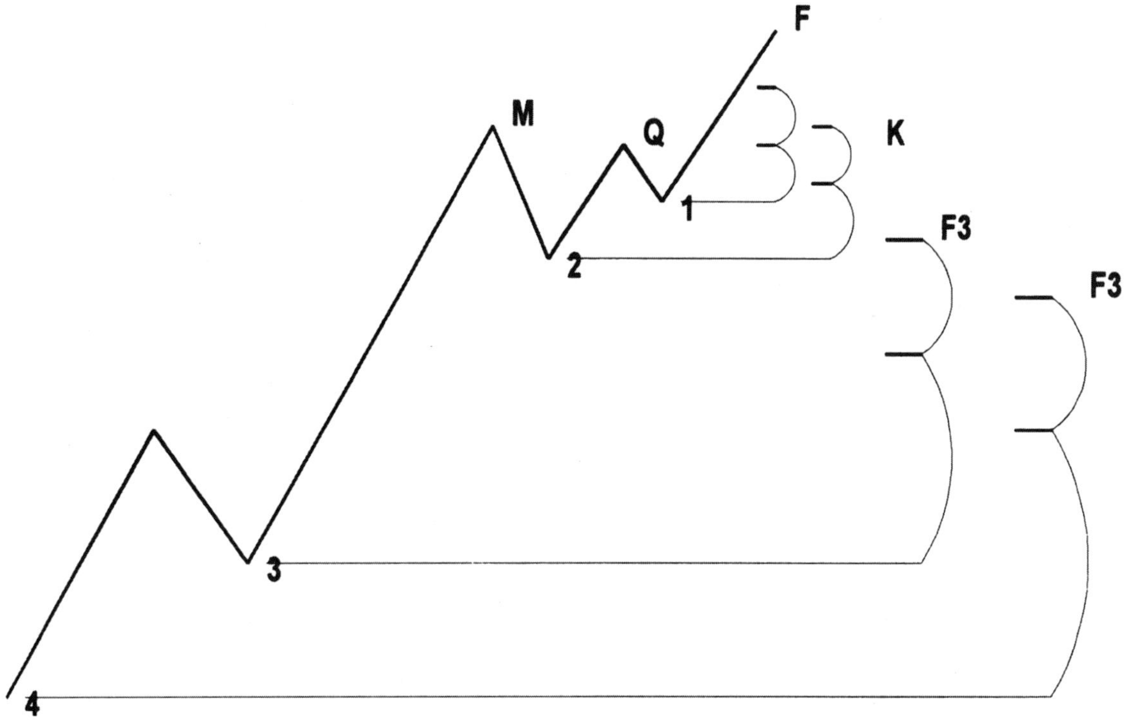

ポイントQはMの高値を上抜いていないが、1と明示されたリアクションナンバーの安値は依然として明確で、ディナポリレベルを形成するのに使用される。

リアクション1の0.618ノードとリアクション2の0.382ノードの間で、コンフルエンスエリアKが形成されていることに注目されたい。リアクション3とリアクション4からのそれぞれの0.382ノードの間では、ともに0.382フィブノードであるために、コンフルエンスは形成されない。リアクション4からの0.382ノードとリアクション3からの0.618ノードがもう少し接近していれば、もうひとつのコンフルエンスエリアKが形成される。

複数のマーケットスイング

それでは、２つのマーケットスイングがあるチャートを見てみよう。ひとつは上昇で、もうひとつは下降である。

このチャートにフォーカスナンバーとリアクションナンバーを正確に書き込めるだろうか？

チャート10.4

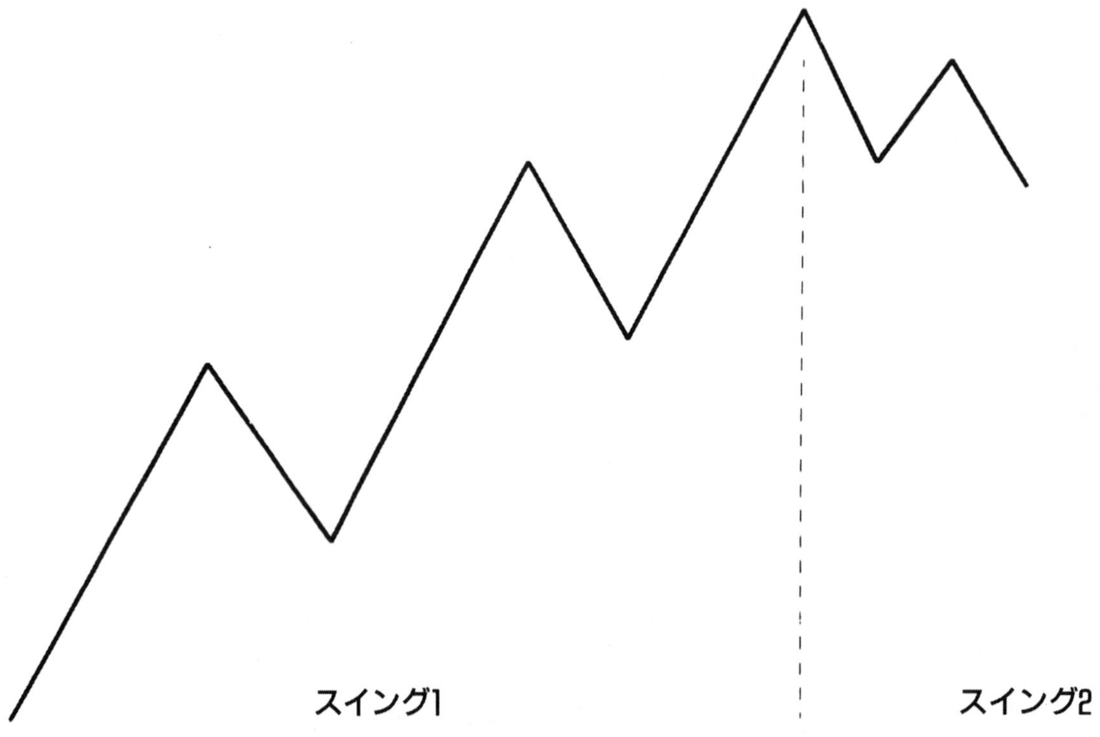

チャート10.5には、２つのフォーカスナンバー、フォーカスサポートF_S、フォーカスレジスタンスF_Rがある。フォーカスサポートナンバーはフィブノードを形成して支持線を導き出す一方、フォーカスレジスタンスナンバーはフィブノードを形成して抵抗線を導き出す。

チャート10.5

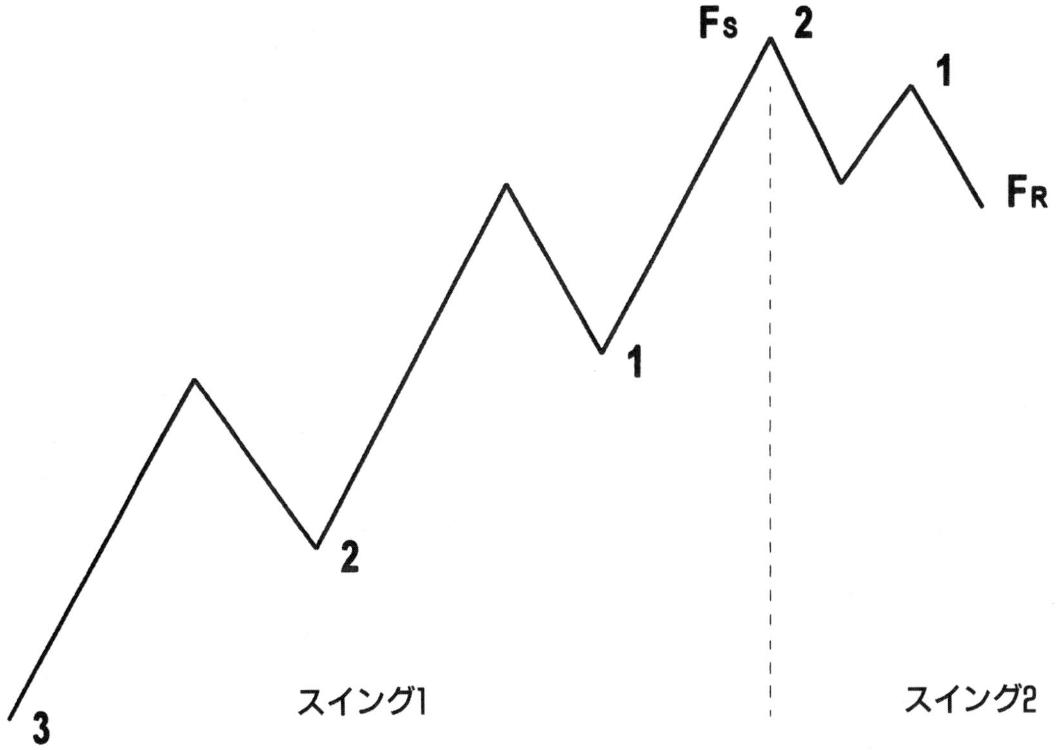

以下の**チャート10.6A**と**チャート10.6B**は**チャート10.5**の一部を示したものである。

チャート10.6A

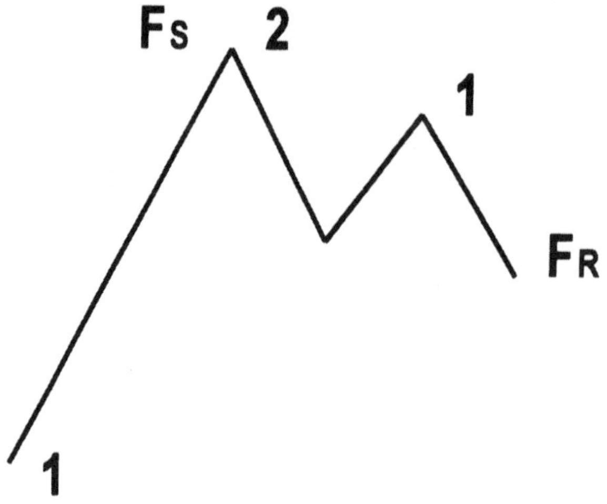

私としては、皆さんがこの上昇トレンドに対するディナポリレベルを正確に指摘できるものと思う。これには、合計６つの（支持線）フィブノードが含まれる。明解にするために、**チャート10.6B**では、支持線となるフィブノードを２つだけ示す。つまり、これらの２つのフィブノードは、ポイント１からFsまでの上昇トレンドに関係している。下降トレンドに対する抵抗線となるすべてのフィブノードは示されている。

最初の（最も高い水準の）支持線のノードは、Fsからの最初の調整安局面で、一時的に割り込まれたものの、維持されている。しかしチャートのポイントF_Rに至る次の下げ場面では、同ノードは明確に割り込まれてしまった。この最初の支持線のノードはもはや効力を持たず、われわれの分析の要因から除外してもいい。このノードは、相場によって除去されたのである。手元のチャートやソフトウエアのテーブル（スプレッドシートか、フィブノード）をよく整理することが、最大限の明確さを引き出し、最も望ましい意思決定を行うために不可欠となる。

FsからFrに至る下降局面では、２つのリアクションの高値、４つのフィブノード、１つのコンフルエンスエリアKがある。価格動向に依存する方向性指標の可能性は考慮から除くと、相場はF5にある支持線となるノードと抵抗エリアとなるコンフルエンスエリアKの間で反発する可能性もある。この値動きが短い時間枠のチャートで起こる可能性があることを認識すれば、小幅の利ザヤ稼ぎの可能性もある。

チャート10.6B

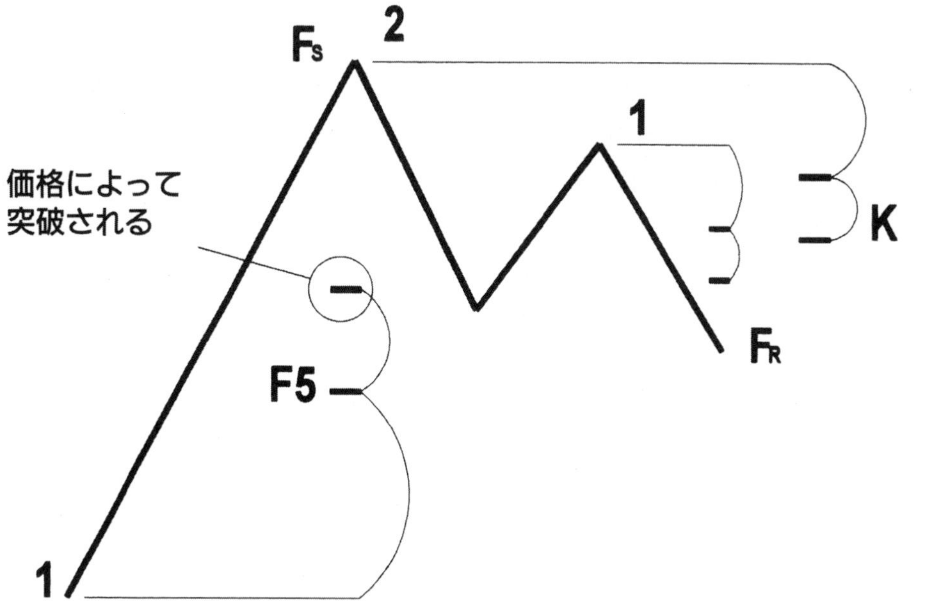

より高度なコメント

ここで元に戻り、価格がFsからの最初の押しの局面で、0.382の支持線となるノードを一時的に下回ったことについて述べてみよう。1986年や1987年当時だったならば、私はこのノードは効力がなくて、もはや無効であるとみなしただろう。しかし現在では、より多くの個人が初歩的なフィボナッチ分析を使用していることから、ある特定のフィブノードをわずかに下回る水準にはときどき、多くの損切りの逆指値注文が置かれている。これらの逆指値注文は、ピットの周りにまき散らされたガソリンのように機能する。そして、私と同様にそのことを知っているフロアトレーダーらは、マッチに火をつけることをためらわない。ただ、このノードは一時的に割り込まれただけで、それで下支えられたことから、私としてはこのノードが依然として機能していると見ている。もしわれわれに能力があるならば、ひとつ下の時間枠に移り、割り込みがどれだけ急激だったかを確認できる。この割り込みの時間が短ければ短いほど、このノードが依然有効とみなせる。これでまだ終わりではない。われわれはまた、Fsの高値から最初の支持線となるノードの付近までの下落局面での目標ポイント（OP）が存在する可能性を調べることもできる。もしOPが存在し、下落場面で0.382の支持線のノードとOPの間のアグリーメントの価格帯によって、安値を付けたあとで1まで回復したとするならば、このノードはまだ健在ということになる。このノードは、依然として機能している。これまでにやったことはすべて、OPを達成している。下の時間枠に移るときに考慮する三番目のことは、１からFsまでの上昇局面に隠されたリアクション安値に着目することだ。最初の支持線となるノードの付近にたくさんのストップが置かれている可能性があり、ピットトレーダーにとっては絶好の儲けのチャンスになっている。これらのストップがヒットした直後はノードよりもマーケットは若干下げるが、それでもこのノードは健在とみなすべきだ。

より多くのフォーカスナンバー

これまでに、同じチャートに存在する２つの活発なフォーカスナンバーの実例を見た。ひとつは支持線となるノードを引き出し、もうひとつは抵抗線となるノードを引き出している。

それでは３つのフォーカスナンバーはどうだろう――それは可能だろうか？

では**チャート10.7**に、自分で印を付けてみてほしい。

チャート10.7

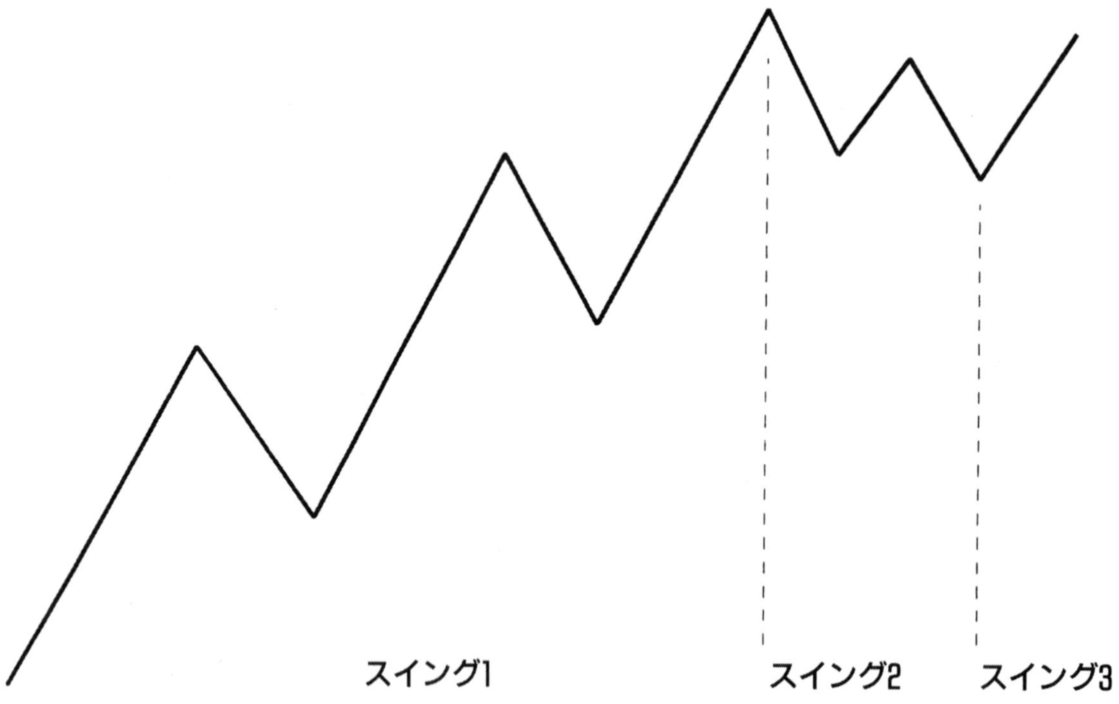

チャート10.8

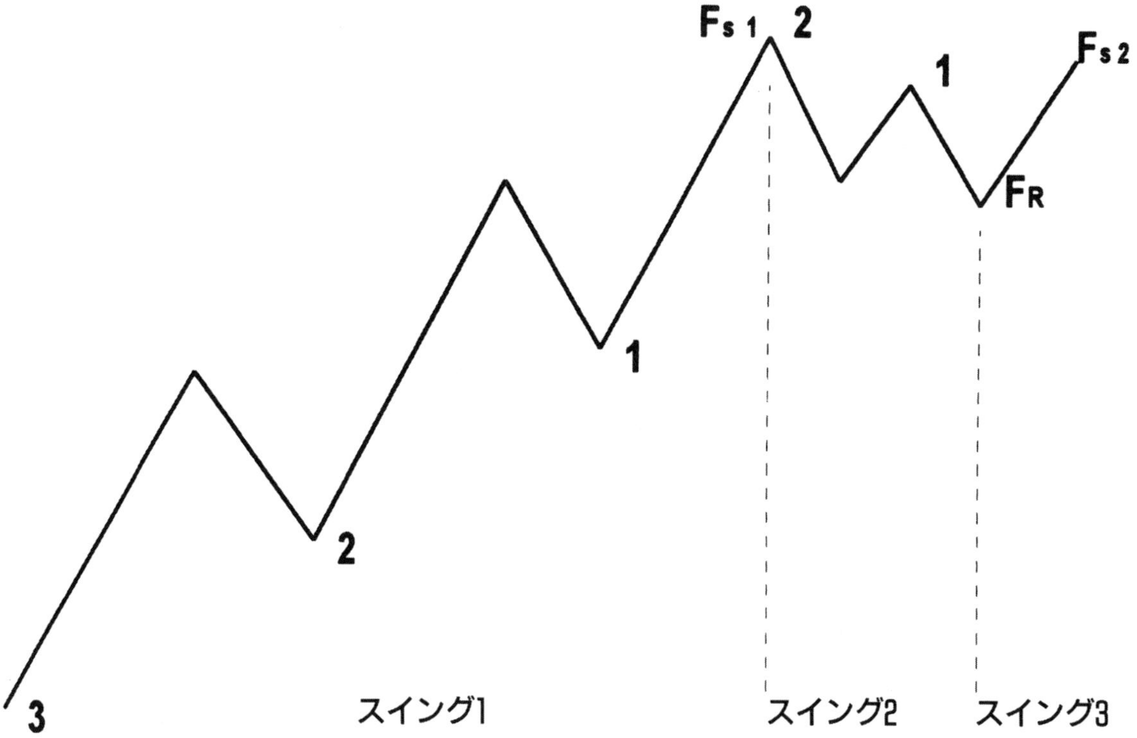

これらのチャートに印を付けるのに問題があるのならば、あなたの役に立つ幾つかの規則に注意してほしい。

1．チャート上では、マーケットスイングと同じくらい多くのフォーカスナンバーがある。
2．リアクションナンバーは常に、関連するフォーカスナンバーよりも、時間軸で見て前にある。
3．あるフォーカスナンバーが「所有する」、つまり上昇の動きのなかでひとつのリアクション安値と関連するためには、このフォーカスナンバーはリアクション安値が出現したあとでの最も高い高値とならなければならない。F_{S2}が4つではなく、ひとつのリアクション安値しか持たないのはこのためだ。価格水準では、F_{S2}はF_{S1}よりも低いのである。

あるフォーカスナンバーが「所有する」、つまり下降の動きのなかでひとつのリアクション高値と関連するためには、このフォーカスナンバーは、リアクション高値が

チャート10.9

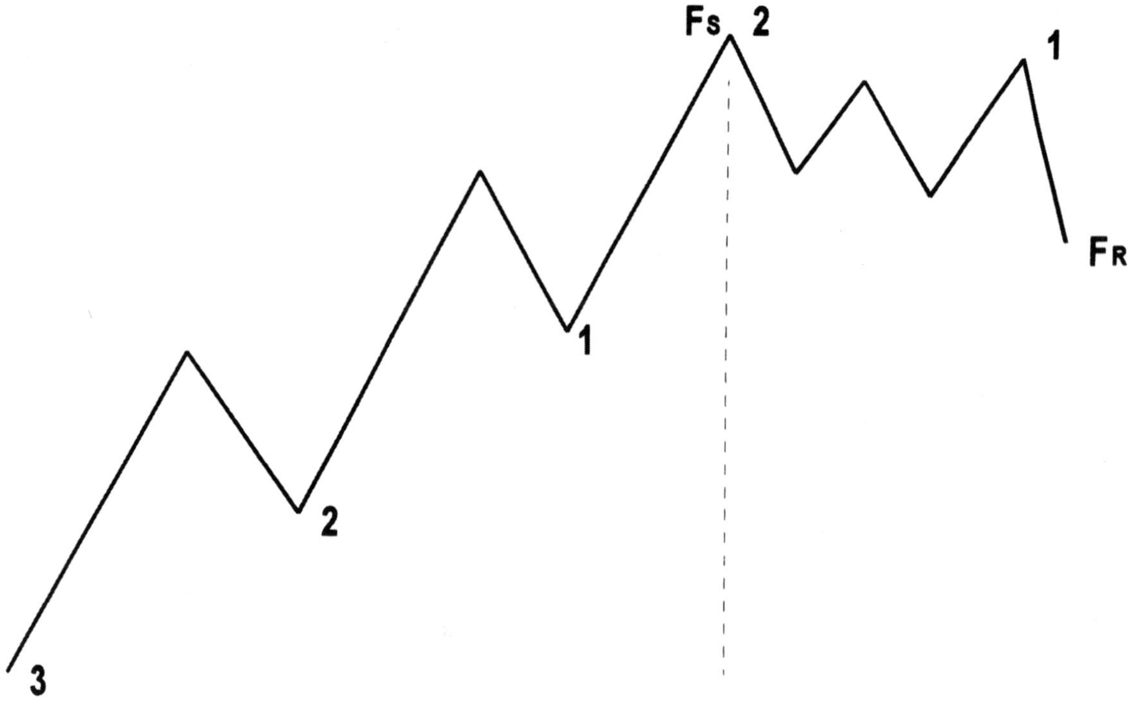

出現したあとでの最も安い安値とならなければならない。

F_{S2}がF_Rの価格水準を下回る場合には、**チャート10.9**で示されているように、F_SとF_Rの２つのフォーカスナンバーに戻ることになる。

フォーカスナンバーに対する時間枠の影響

チャート10.10のように、時間枠を大幅に長くした場合には、これに現れるマーケットスイングは一段とシンプルな値動きになる。考えてみていただきたい。５分足チャートから60分足チャートに移行すれば、識別できるリトレイスメント（押しや戻り）はほとんどなくなる。すなわち、リアクションポイントがなくなるのだ。時間枠を長くしたときにはいつでも、同じような状況になる。逆に、時間枠を短くすれば、より多くのリアクションポイント、コンフルエンスエリア、仕掛けの位置や利食い目標を調整する機会が得られる。

次章では、時間枠の移動とその効果についてさらに論じる。混同しても心配することはない。これからは、多くの実例が提示される。前述した規則にのっとる心構えであれば、これらの考え方は驚くほど簡単に理解できるだろ。この理論をどのようにして考え出したのか疑問を持つだろうが、それは５分足チャートでS&Pをトレードし

チャート10.10

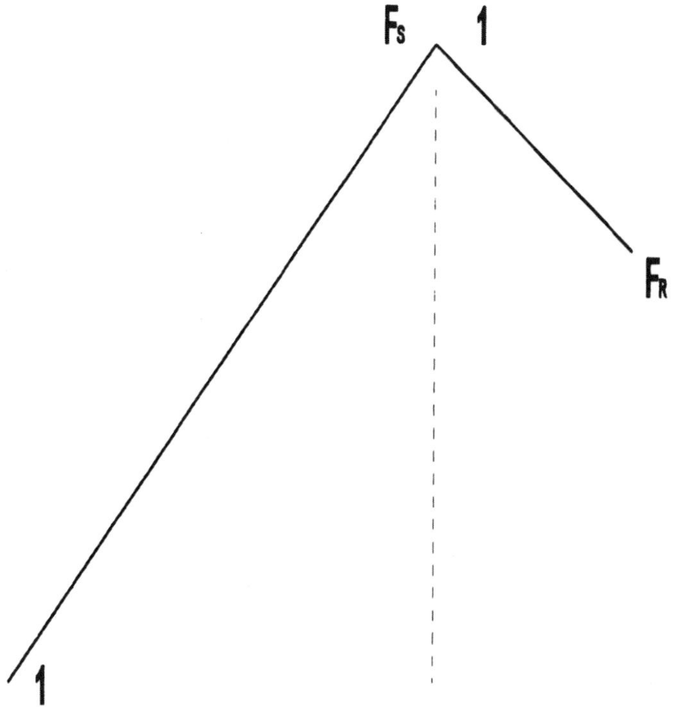

た経験がきっかけになっている。予期していなかった価格水準に支持線が現れたときに、過去にさかのぼってこのような支持線や抵抗線を形成するのに必要となり得るフォーカスナンバーとリアクションナンバーを算出したのだった。それから、非常に長い検証プロセスを経た３年間ぐらいあとに、この理論を確立した。

レス・イズ・モア（少ないほうが多い）

この見出しがなぜ真実なのか分からないとすれば、おそらくあなたはまだ20歳代か、30歳代だろう。トレードに関しては、これは極めて重要なことだ。人はしばしば、各自の能力の限界以上まで挑む。トレーダーの一部は、23の指標と94の支持線をフォローしていれば、２つの指標と６つの支持線よりもずっと包括的な分析が得られるものと思っている。利益確保の目的でトレードするときに市場動向を見なければならない場合は、もっと市場を見ていただきたい。しかし、スパゲティ（命令の流れがあちこちに飛んで混乱した形にコーディングされたコンピューターソフトウエア）のチャートで混乱しないように。

チャート10.11

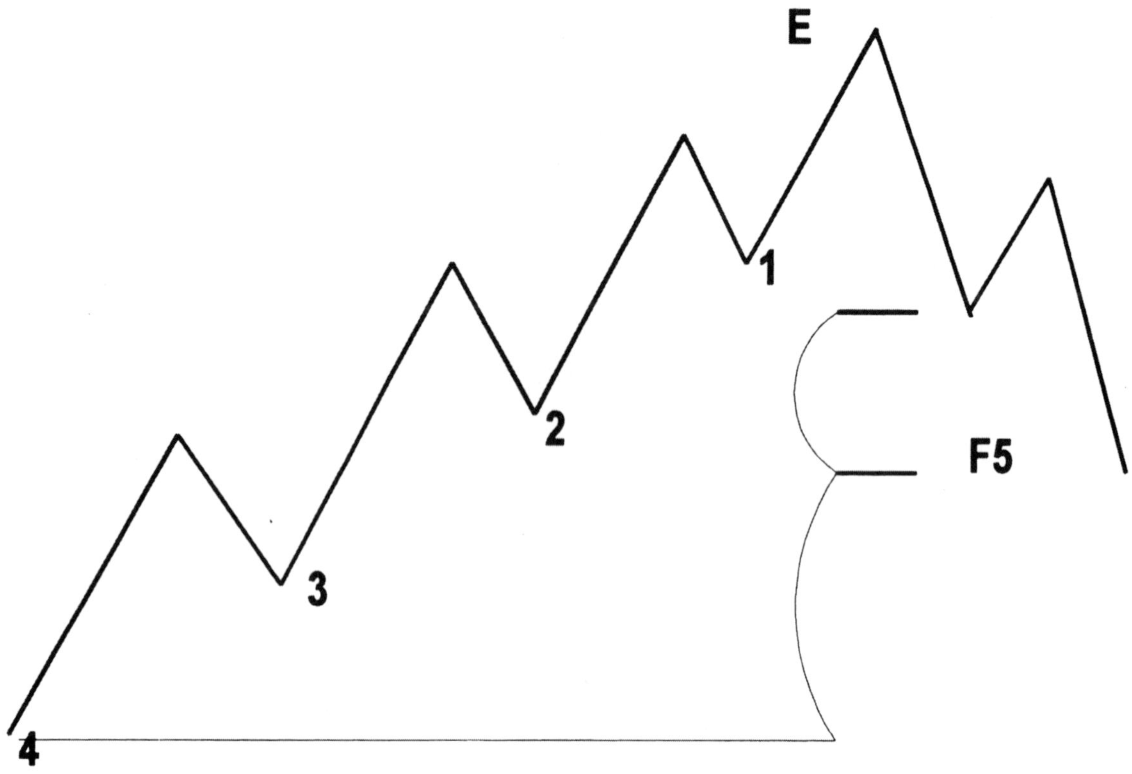

フィブシリーズの剪定

物事をできるだけシンプルにすることに関しては、フィブノードは関連がなくなり次第削除することで、それによってわれわれの目標への道を簡素化して明確にできるか再度見てみよう。

チャート10.11は、価格が小幅な押し付けながら、ポイントE（Enough＝十分）に到達するまで上昇する値動きを明確に示している。価格はそれから、目標ポイント（OP）まで下落して、すべての上昇幅の0.618ノードとの間でアグリーメントが形成される。これは、トレーダーとしてのわれわれの生活を合理化してくれている。なぜならばわれわれはこの時点で、下落局面で割り込まれたすべてのフィブノードを考慮しないですむからだ（少ないほうが多い）。最初のリアクション安値４を上回る水準にあるF5は、このチャートで示された唯一の強力な支持線のノードとなる。

次の**チャート10.12**は、プライベートレッスンで使用しているお気に入りチャートである。これはS&Pの５分足のラインチャートで、この日FRB（米連邦準備制度理事会）が公定歩合を２ポイント引き下げ、米大統領夫人が首席補佐官と浮気したとう

チャート10.12

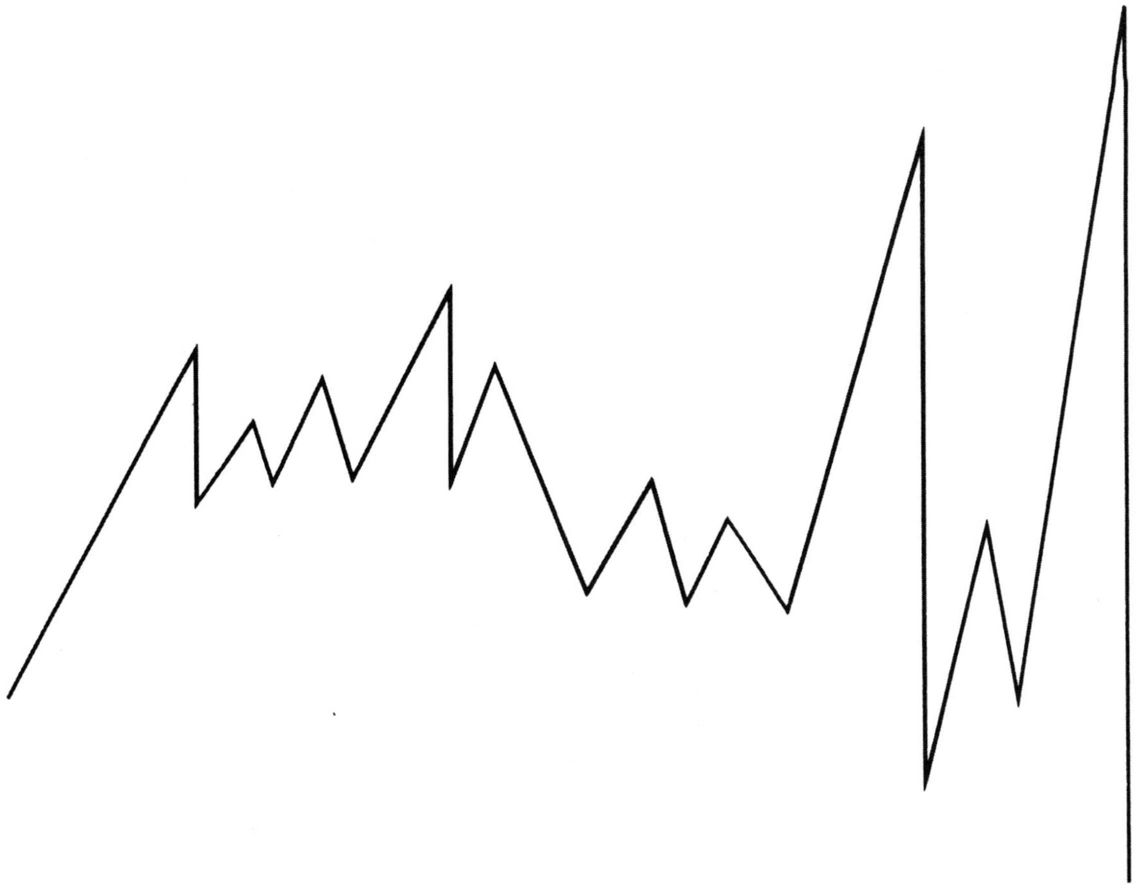

わさされ、米大統領がその関連の事件で負傷した。また、中国は台湾に侵攻し、そして米議会がキャピタルゲイン課税の減税を承認し……あとの事件は、読者の想像にまかせる。

ページをめくる前に、上記のチャートに印を付けてもらいたい。

このチャートには、有効なフィブノードが２つだけ残っている。しかしこの値動きでは、資金力を残しているトレーダーは２人とは残っていないだろう。残りすべてのフィブノードもトレーダーも、この相場の騰落で排除されてしまっているのだ。

チャート10.12A

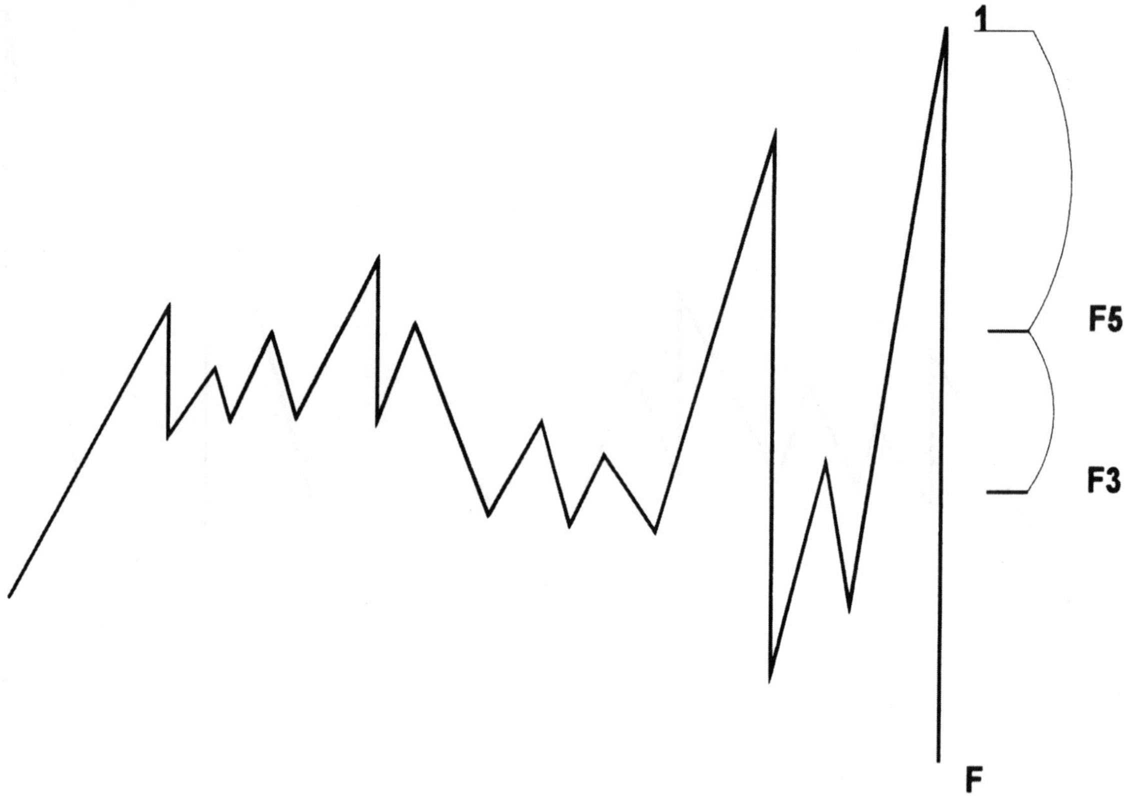

第11章

ディナポリレベルによるトレーディング

CHAPTER11 TRADING WITH DiNapoli Levels

概説

あなたがディナポリレベル（Dーレベル）を使ったトレードで成功するには、この本を通じて教える内容の総合的な理解が鍵となる。同じデータでも、時間枠チャートが異なれば、あなたの戦略がどれだけ違ったものになるかということをよく認識できることが極めて重要である。このことをすんなりと理解するためには、必要ならばできるかぎりの時間をかけるべきだ。配当は、たっぷり支払われるはずである。

時間枠の移行

一部の読者には、この内容が当たり前すぎてバカバカしいかもしれない。だが、時間枠データがディナポリレベルの形成にどう影響するのか、をなかなか視覚化できない人もいるだろう。ただ、難しいと感じる人でも、グラフィックソフトを利用して、ディスプレーに同一データを異なる時間枠チャートで表示していけば、明確になっていくはずである。

チャート11.1

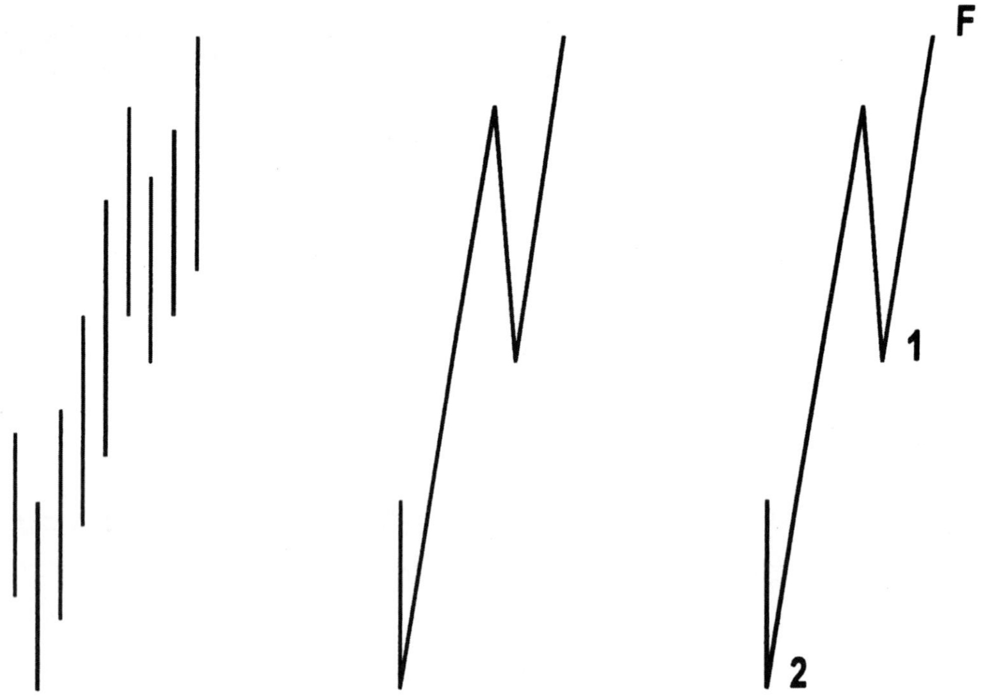

A　30分足チャート　　B　ラインチャート　　C　ディナポリレベル

まず、極めてシンプルな例から始めてみよう。30分足チャートの**チャート11.1A**には、上昇を示す9本のバーチャートが見られる。ラインチャートの**チャート11.1B**には、ディナポリレベル作成に必要なすべての情報が示されている。**チャート11.1C**には、この相場の上昇や下落に対するフォーカスとリアクションナンバーの印が正しく付けられている。

チャート11.2

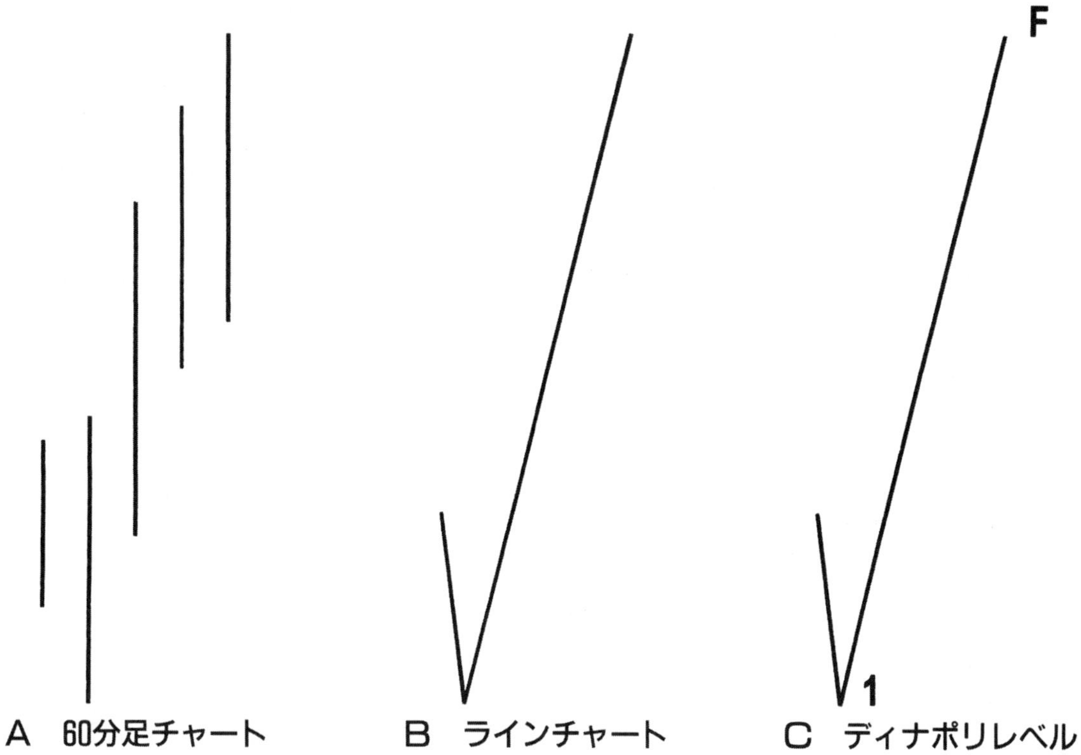

まったく同じ上昇の値動きを60分足チャートで描いた場合、バーの数は８本も必要ではなく、わずか５本ですむ。各バーが倍の時間を示しているからである。このバーチャートをラインチャートにすると、リアクション（ナンバー）がなくなってしまう。

いずれのチャートも、表示された時間枠では同様に正しい。ここでポイントとなるのは、時間枠を以下のように拡大する場合である。

５分足から60分足へ
日足から週足へ
週足から月足へ、など

リアクションポイントの数が減少するため、ディナポリレベルの数も減少する可能性が高いということだ。

逆に時間枠を以下のように縮小する場合。
月足から週足へ
週足から日足へ
60分足から５分足へ

ディナポリレベルの数は増えていく可能性が高いことになる。

例えば、あなたがデイリーベースのトレーダーであり、現在使用しているツールでは時間ベースのデータしか入手できない（安価なディレイの相場データサービスによくありがちなことだが）としよう。60分足チャートには、日足チャートよりも多くのフィブノードができるだろう。このため、仕掛ける位置や損切りを設定するポイントをより細かく決めることができる。終値（エンド・オブ・ザ・デイ）でも分析を行うのは可能だが、60分足チャートの機能があれば、1日の動きのなかで埋もれるようなリアクションナンバーに基づくフィブノードについても、さらに作成することができる。このような追加のフィブノードは、コンフルエンスのエリアを作り出すもので、これは、より長い時間枠を使うトレーダーらには見えないものとなる。

理想的なトレード例

日常のトレードの状況で、ここまでに学んだ手法をいくつか応用してみよう。**チャート11.3**のように、時間枠を十分に短くしてコンフルエンスを適切に確認できるようにしておくものとする。トレンドに関しては、下記の基準を適用する。ストキャスティックス（図では示されていない）が「売り」のシグナルを示しているものの、MACD（これも図には示されていない）は「買い」モードを示しているとする。さらに、単純化のために、相場がコンフルエンスのエリアにまで下落した場合も、上昇トレンドは維持されているものとしよう。

問題　どこで仕掛け、どこに損切りの逆指値を置くか？

解答を検討する前に、読者自身がよく考えてみていいただきたい。このケースには、一読して理解できること以上の内容が含まれている。ちなみに、正解は複数存在する。

ハイテンションのハンクの答　ジョー、私ならば現在の水準ですぐに売りを出し、コンフルエンスのエリアで利食うよ。そのあとに買いポジションを建てるんだ。

この答は、ハンクがマーケットスイングの下げでトレンドを見極めるために時間枠を適切に短くする能力を持つならば、正解と言えるだろう。ハンクが自分の売りを正当化するためには、下降トレンドが必要であり、時間枠を短くすれば、MACD・ストキャスティックスによる「売り」のシグナルが出る可能性があるが、それはハンクが自分で仮定していることであり、所定の基準の範疇を超えたものである。また、注文が執行される確率を高めるためには、売りポジションの手仕舞いであれ、新規の買い注文であれ、Kコンフルエンスの水準ではなく、コンフルエンスを上回る水準で注

チャート11.3

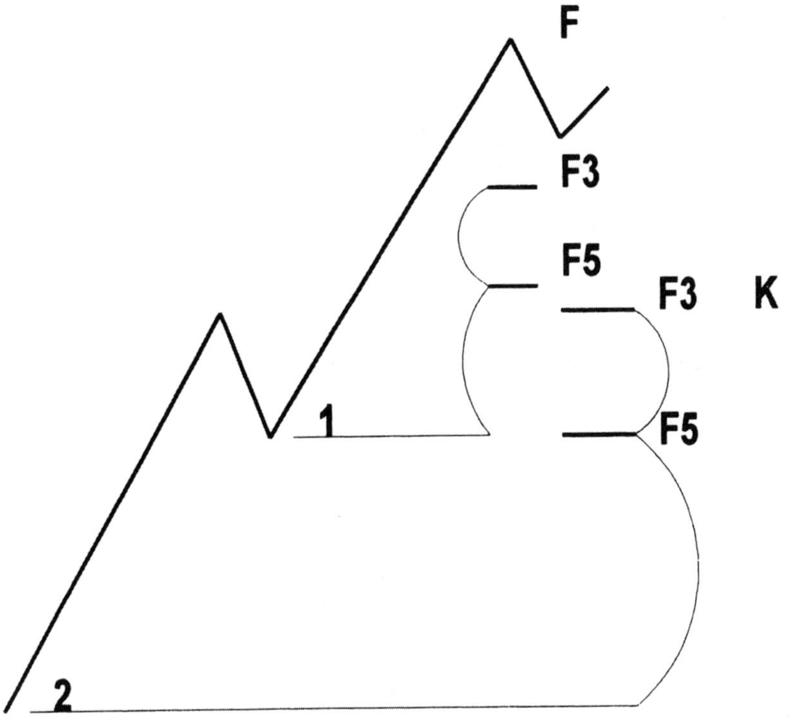

文を出す必要がある。また、ハンクは質問に完全には答えていない。損切りの逆指値注文の設定について何も語っていないからである。彼はトレードに対してやる気満々で、損失に対する防衛をなにも考えてはいない。私がハンクにアドバイスするとすれば、落ち着いてトレードを再構成することである（トレンド分析に関して第４章と第５章を再読する必要がある。**参考文献**、**参考資料**、**付録**で各種のトレーディング心理に関する書籍類を紹介している。カール氏には役に立つだろう）。さもないと、高い授業料を払う羽目に陥るだろう。

保守的なカールの答　ジョー、私ならばリアクション２の0.618の押しの水準に買い注文を設定し、リアクション２の以前の安値の下の水準に損切りの逆指値注文を置くよ。

　この答は、リアクション２の0.618の押しの水準で上昇トレンドが継続し、コンフルエンスまで上昇トレンドが保証されているという基準を前提にしている。このトレンドがカールの仕掛けのポイントまで維持されていることを前提にするならば、彼には以下のことを推奨することにしよう。

A．売りの逆指値（損切り注文）はリアクション２の水準に設定するべきで、リアクション２を割り込んだ水準にするべきではない（信頼できるブローカーがピットにいることが前提だが）。
B．買い注文はプライマリーノード（これは、彼らによるとリアクション２の0.618の押し）を上回る水準とするべきで、プライマリーノードの水準に設定するべきではない。

トレンドが継続するとして、保守的なカールの仕掛けの条件を満たした場合、この答は受け入れられるものの、しかし警戒しすぎといえる。このように、大きなリトレイスメント（押し・戻り）の出現を期待して待つ戦略の問題点は、そのコンテクスト（この場合はトレンド）が仕掛けのポイントですでに過去のものとなっている可能性があることだ。そこで、正しく仕掛けるためには、マインスイーパーAやマインスイーパーBの活用が必要になる。第13章のフィボナッチ戦術を参照されたい。

勤勉なダンの答　ジョー、私ならばコンフルエンスをすぐ上回る水準でトレードを開始するよ。そして、自分のマネーマネジメントの基準に照らして、損切りの逆指値はコンフルエンスの下か、プライマリーノードのF5の下に設定する。あとのほうの逆指値設定基準を選択する場合は、トレンドに注意するよ。トレンドが下放れて下降トレンドになったら、成り行き注文で手仕舞うか、その時点でディナポリレベルの抵抗線を計算し、抵抗線となっているノードの水準かそれ以下で、買いポジションを手仕舞う最初の機会を待つことにするよ。

いい答えだ、ダン。でも、何かが欠けている。

ここで、ハイテンションのハンクの再登場！　私ならば最初の0.382の支持ノードの上で買いを入れ、コンフルエンスの下に損切りの逆指値注文を置くんだ。

これは私の考えといっしょだ。でも、理由を教えてくれ。

相場の動きに乗り遅れたくないからだ！

勤勉なダンが再登場する！　ハンクの二番目の解答は、確かにジョーの好みだろう。理由は、下げの動きの下降目標ポイント（OP）と最初の0.382のリトレイスメントエリア間にアグリーメントがあるからだ。

チャート11.4

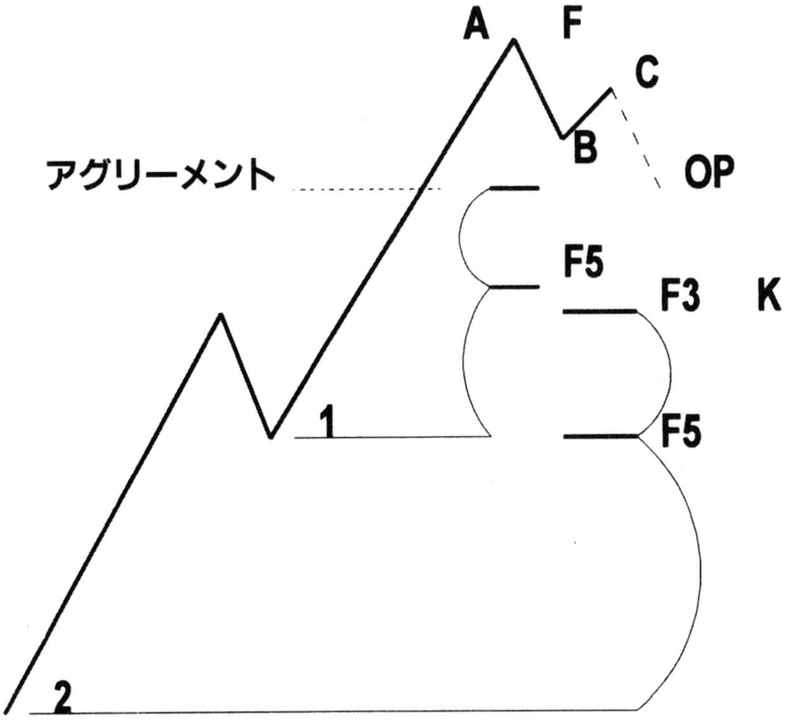

正解だ！　**チャート11.4**を見よう。

こうした一連の思考の過程を通じて、同じ方法論を使った分析でも、受け入れられる解答が必ずしもひとつだけではないことが理解できるだろう。

より高度なコメント

この時点ではまだ少し難解かもしれないが、私自身の損切りの逆指値の設定についてより詳述しておこう。

もしより長い時間枠のトレンドが買いを支持している（つまり、現状よりもより安全なコンテクスト）場合、最初の逆指値の設定は最初の0.618のノードの下となるだろう。

逆に、より長い時間枠のトレンドがこのトレードを支持しない場合には、逆指値はコンフルエンスのすぐ下の位置となる。

もしトレードの基準として、単なる上昇トレンドではなくて、方向性シグナルが上昇だったならば、方向性シグナルのほうが上昇トレンドよりもより強いことから、私としてはアグリーメントが存在しない場合でも、最初の0.382ノードを上回った水準で仕掛けただろう。もし方向性シグナルが特に強気を示している場合には（例えば、ダブルレポ・フェイラーなど）、過去の高値や高値Cの水準に逆指値を置いて買う。私としては、（最初の0.382での）買い注文が「いくら以下」の指値で成立しても、あるいは「買いの逆指値」で成立しても結構である。ディレクショナルムーブメントのサイズが倍になるのはかまわない。

ディナポリレベルの拡張分析と理論的利益目標

それでは、もう少し複雑な複数のマーケットスイングの例を、フィボナッチの拡張分析と理論的利益目標（LPO）に関して見ていこう。**チャート11.5**である。

204ページに進む前に、**チャート11.5**上にあるすべての利益目標の位置を付けてみよう。常ではあるが、目の前に見えているよりずっと多くのものが存在している。

ダンはその答で、仕掛けが買いなのか、売りなのか、見送りなのか、私がなにも特定しなかったことをきちんと認識している。このタイプの組み合わせでは、A、B、Cの印の付け方次第で目標ポイントは上昇も下落もありうる。

ハンクの**チャート11.5**に付けた符号は正しいが、完全ではない。私は、明確にするために、すべての印をダンの解答には含めなかった。しかし、すべての拡張は記入している。もし私が、このひとつのチャートに両方の印を書き込むとすれば、一方をA、B、C（ハンクの答)、もう一方をA'、B'、C'（ダンの答）とすることになるだろう。抵抗線の目標ポイントと支持線の目標ポイントは、この２つを組み合わせの印から導き出した。

しかしダンと同じくらい勤勉でも、まだ十分とは言えない。何が足りないかお分かりだろうか。次に進む前に、理論的利益目標の定義についてもう一度よく考えていただきたい。

チャート11.5

われわれの理論的利益目標の定義では、フィブノードのリトレイスメント（押し・戻り）の水準は、相場によりブレイクされて無効になっていないかぎりは、含まれるべきである。これらのフィブノードを含むと、所定のマーケットスイングのなかには、（3つでなく）5つの理論的利益目標のポイントがあることになる。

チャート11.5Cを見ると、2つの独立したフィボナッチの抵抗線が見える。フォーカスナンバーのF_{R1}とF_{R2}の2つである。いずれも、1つずつリアクションポイントを「持って」いる。明確にするために、F_{R1}シリーズのフィブノードのみを示してある。もしあなたがF_{R2}シリーズは細かすぎて考慮に値しないと考えるならば、**チャート11.5**のシリーズにはいずれも時間枠での印を付けていないという事実を思い出していただきたい。私は、ここでは意図的に縮小しているのである。もしこれが5分足チャートならば、F_{R2}から1までのノードは無視しても構わないかもしれないが、例えばこれの時間枠が週足だったらどうだろうか。

チャート11.5Dには、支持線のノードが示されており、これは売り方にとっての理論的利益目標となっている。0.382のノードはすでにブレイクされているために、この図には示されていない。0.618のノードのほうが、この時点の相場が理論的利益目標としている水準である。われわれが問題にしているこれらの目標値は、いずれもトレードのコンテクストや最初の仕掛け（「ブレッド・アンド・バター」に関して第6章の方向性指標の箇所を再読するには、良いタイミングだろう）を行うときの基準により左右される。

以下に記したのは、利益目標を決定するときに考慮すべきコンテクストの条件である。

1．市場はどの程度買われ過ぎ・売られ過ぎになっているのか。

チャート11.5A　ハイテンションのハンクの答

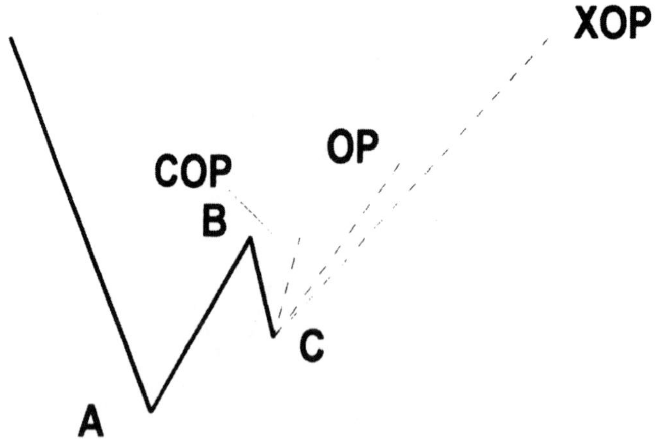

チャート11.5B　勤勉なダンの答

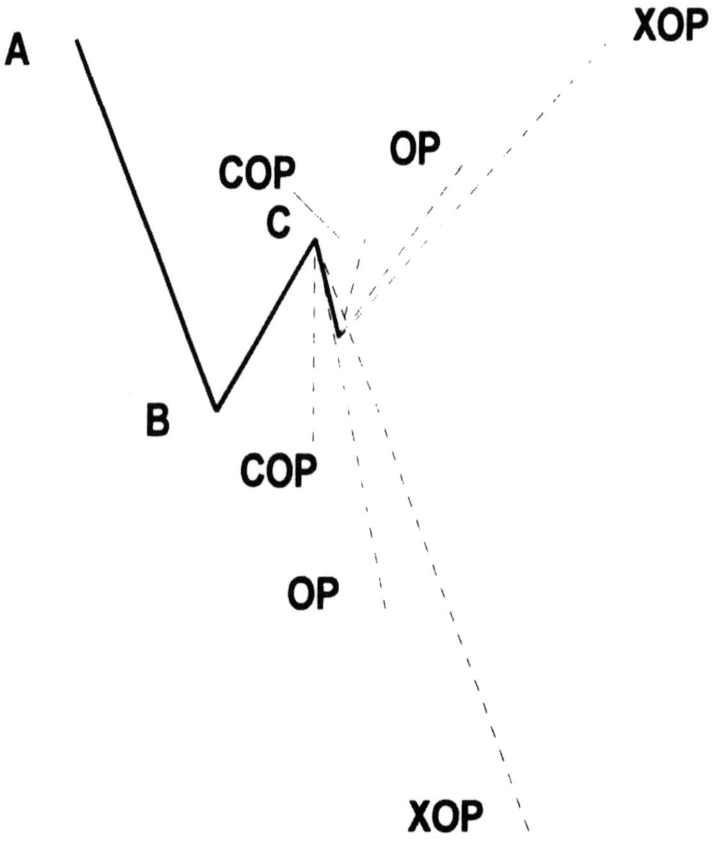

チャート11.5C

理論的利益目標としての抵抗線ノード

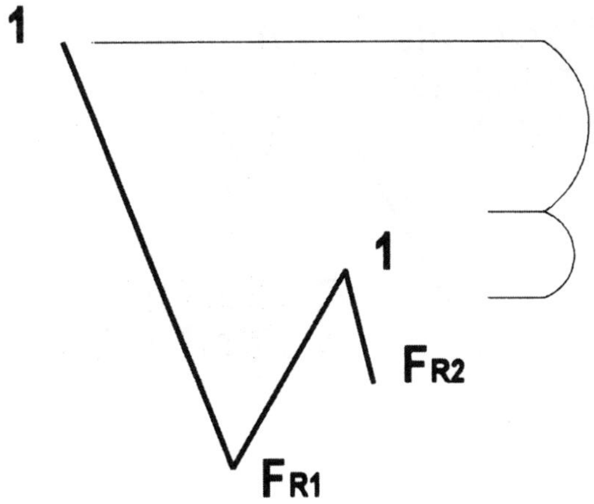

チャート11.5D

理論的利益目標としての支持線ノード

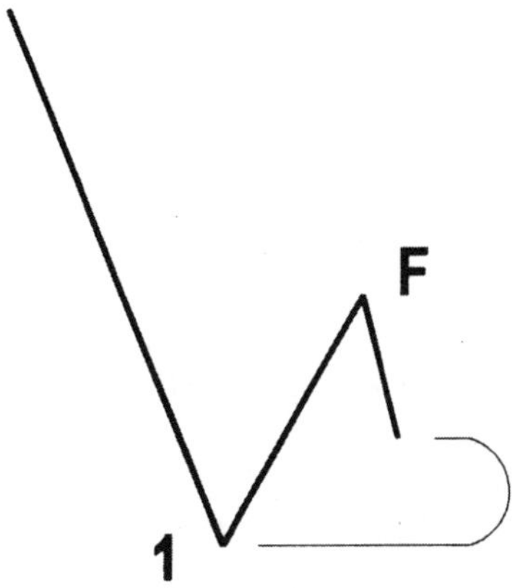

チャート11.6

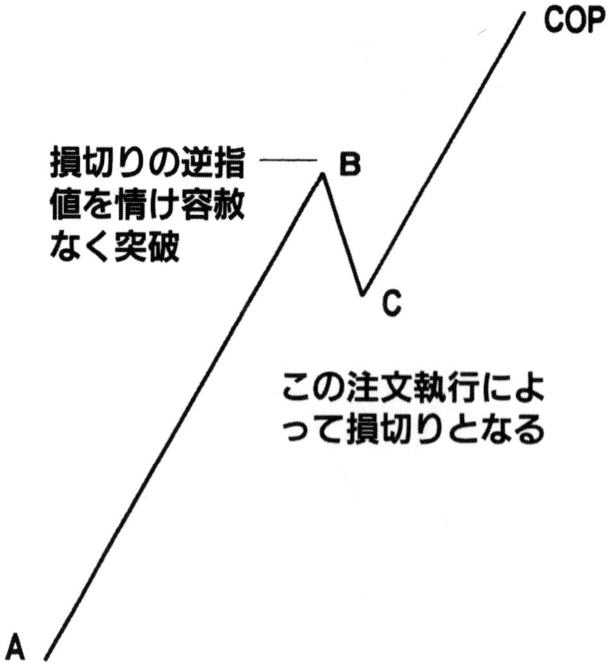

2．トレードを行う根拠としたのは、方向性指標かトレンド指標か。
3．より長い時間枠トレンドは、われわれに有利か不利か。
4．われわれのトレードに有利になっているより長い時間枠では、トレンドシグナルは確認されたか、未確認か。
5．デイトレードに関しては、引けまでの時間がどれだけあるかを知っておく必要がある。
6．AからBの動きに、スラスト（急騰・急落）が明確に見られたか。
7．ストレスを感じるポイントに接近してはいないか。経験の浅いトレーダーは、利益よりも損失のほうが快適に感じる。利益水準のために過度のストレスを感じているようならば、不合理な行動を起こす前に、目標値の達成をあきらめるべきだろう。

損切りの逆指値設定に関する補足

損切りの逆指値注文の設定に関してより徹底的に考察するために、上昇相場の例を見てみよう。下落場面でも、同様のことが応用できる。

ディナポリレベル（D―レベル）は、損切りの逆指値の設定についてはこれまで議論してきたよりもさらに大きな効果を発揮する。過去の高値や安値の上や下に、あるいはその付近に損切りの逆指値を設定する方法を見てみよう。

あなたはこれまで、ある場合には相場がこれまでの高値を情け容赦なくブレイクするのに、別の場合にはその高値付近に達するだけで、必ずしもその高値まで到達しないのはなぜか、ということを考えてみたことがあるだろうか。次の例を見ていただこう。

B－Cの押しの幅が小さいために、このクローズ・イン・オブジェクティブス（COP）はポイントBを大幅に上回る水準となっている。このため、これまでの高値Bの付近には抵抗線ができていない。Bの付近に損切りの逆指値を置いてあるとして、相場がこれをブレイクした場合、相場の大きな上昇を食い止めるものはもう何もないことから、あなたは大きな損失を被る可能性がある。

チャート11.7

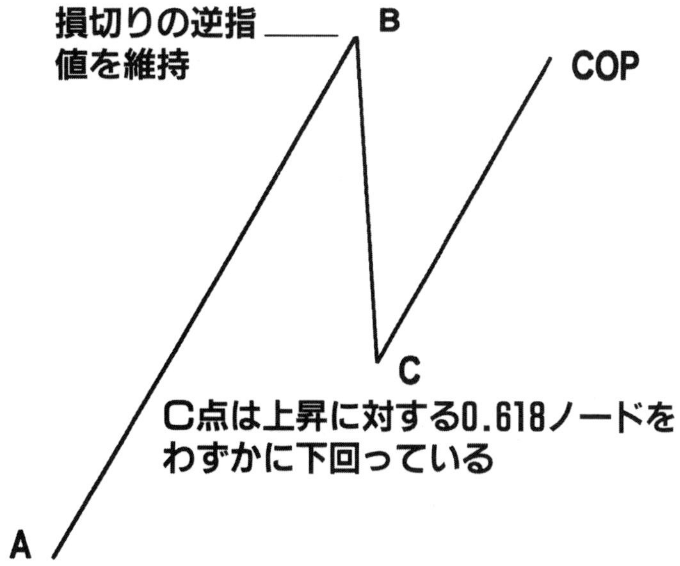

チャート11.7の場合、損切りの逆指値注文が執行される可能性は相対的に低くなる。そして、執行された場合でも、適度な価格水準で注文が執行される。あなたはこれまでの高値という強力な抵抗線を持つだけでなく、COPが適用される水準も抵抗線となるのだ。これによって、Bの高値がブレイクされずに維持される可能性が高くなる。

チャート11.8

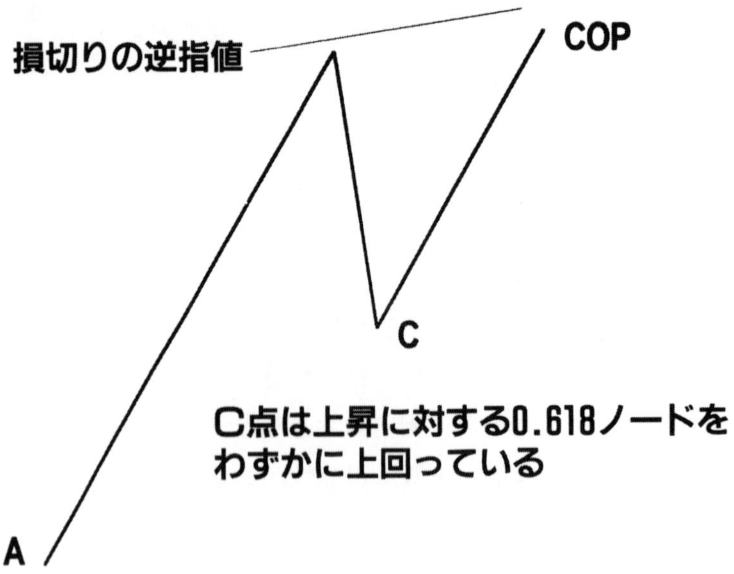
損切りの逆指値
COP
C
C点は上昇に対する0.618ノードをわずかに上回っている
A

チャート11.9

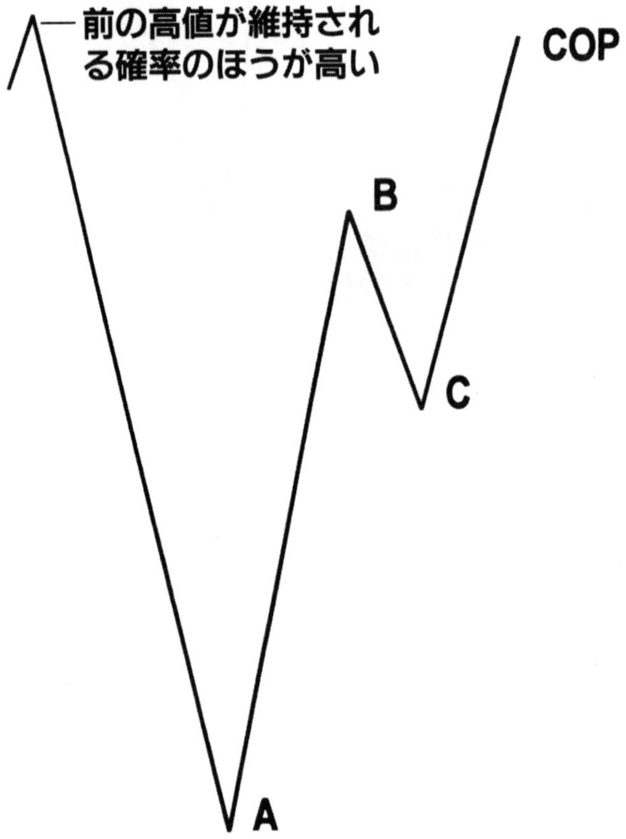
前の高値が維持される確率のほうが高い
COP
B
C
A

チャート11.10

チャート11.8の場合、ポイントCは、A－Bの上昇に対する0.618の押しの水準をやや上回っている。損切りの逆指値の設定ではCOPの位置を考慮するべきで、前回の高値のすぐ上の位置ではなく、拡張を上回る水準にする必要がある。

チャート11.9は、これまで見た複数のチャートと同様に損切りの逆指値設定基準のバリエーションを示している。このケースでは、COPを形成している上昇線がこれまでの高値寸前の水準まで上げている。これによって、これまでの高値は維持される可能性が高くなっている。

この状況は、**チャート11.10**のTボンドの週足チャートに示されており、ここではツインタワーのような形で史上最高値を示している。

あなたがディナポリレベル（D－レベル）を習得できれば、相場の動きは魅惑的な詩のように思えてくるはずだ。それはまるで、プリズムを白光にかざすと7色のスペクトラムが発色するのが見えるようなものである。

プレゼンテーション

このあたりで少し本論から脱線して、これ以降に扱う相場の事例の例示について述べておくのもいいだろう。本書は、私自身で資料を管理したかったために、個人の自費出版の形を取っている。本書が役に立ち、類書と十分競合できる内容のものと受け止められれば、筆者としては望外の喜びである。しかし、受け入れてもらえない場合でも、トレーディングについてまったく無知な編集者が有益な部分を切り捨ててしまったから、という理由でそうなることは免れるのだ。私が内容を管理しているということは、そこにリスクを伴うということにほかならない。

あなたが本書を熟読しているということは、おそらく、筆者のトレーディングテクニックか、本書で扱っている特定のトピックについて知識を深めたいからであろう。本書ではこれまで主に、コースト・インベストメント・ソフトウエア（CIS）が提供する製品について紹介してきた。これは、当然のことである。

これから提示する例題のケースを、安全に教えようとするならば、一般的な方法でプレゼンテーションするべきである。しかし、こうしたアプローチの問題点は、読者が学ぶ方法としても、筆者が教える方法としても、ベストではないということがあるのだ。筆者が自分で開発したツールを利用すれば、読者も私自身がしていることが分かるため、同じ教えるにしても最も効率的で理解しやすいのである。フィブノードプログラムは、そうしたツールのひとつである。また、前に説明した高精度レシオコンパスも、こうしたツールである。これらはいずれも、CISが提供している。読者としては、これらのツールを使用せずにすますこともできるが、本書内ではこうしたツールを利用したほうが私の説明も読者の理解も大いに容易になるはずである。

フィブノードプログラムを利用すれば、すでに説明したリトレイスメントと拡張ポイントを表形式のフォーマットで示すことができる。また、このプログラムは、作り出すノードに関連した符号の判別を可能にして、リネッジの形成を可能にする。2つの理由によって、この機能について再度強調したい。

第一の理由は、リネッジは私のプライベートレッスンの生徒らもよく無視する（そして、あとになって後悔する）傾向のある方法論であるということ。第二には、あなたがこのコンセプトを実践するためにスプレッドシート（表計算シート）の使用を選んだ場合、リネッジの特徴を組み込む必要があることである。フィブノードプログラムはこれ以外にも、つもり売買のときの高度なデータ管理能力を有しており、高品質なトレーディングツールとして設計されている。ここから先の数ページでは、フィブノードプログラムによるプリントアウトについて、私のフィボナッチ分析の開発と利用について、読者が最も簡単に理解するために必要な範囲に限って説明しよう。フィブノードプログラムの特徴のリストは、**付録F**に記載してある。

フィブノードのプリントアウト

本書のコンセプト理解のために、ここでのすべてのプリントアウトはフィブノードソフトウエア（DOSバージョン4.32）から印刷している。このプログラムは、最大30のリアクションナンバーを扱うことができる。一般的なプリントアウトには通常、3～4のリアクションナンバーが含まれている。実際には1ファイルで、12以上を使用するのはまれである。12個ならばモニター（パソコン画面）にピッタリ収まり、追跡するにも適度な数だからである。いずれかのリアクションポイントに入ったならば、リアクションナンバーの最後のケタのあとに印（例えば＊）を付ける。この印は、自分で選択した特定のリアクションポイントに伴うフィブノードへと受け継がれることとなる。

チャート11.11、**チャート11.12**、**チャート11.13**は、フィブノードプログラムのデータ表示の例である。

チャート11.11

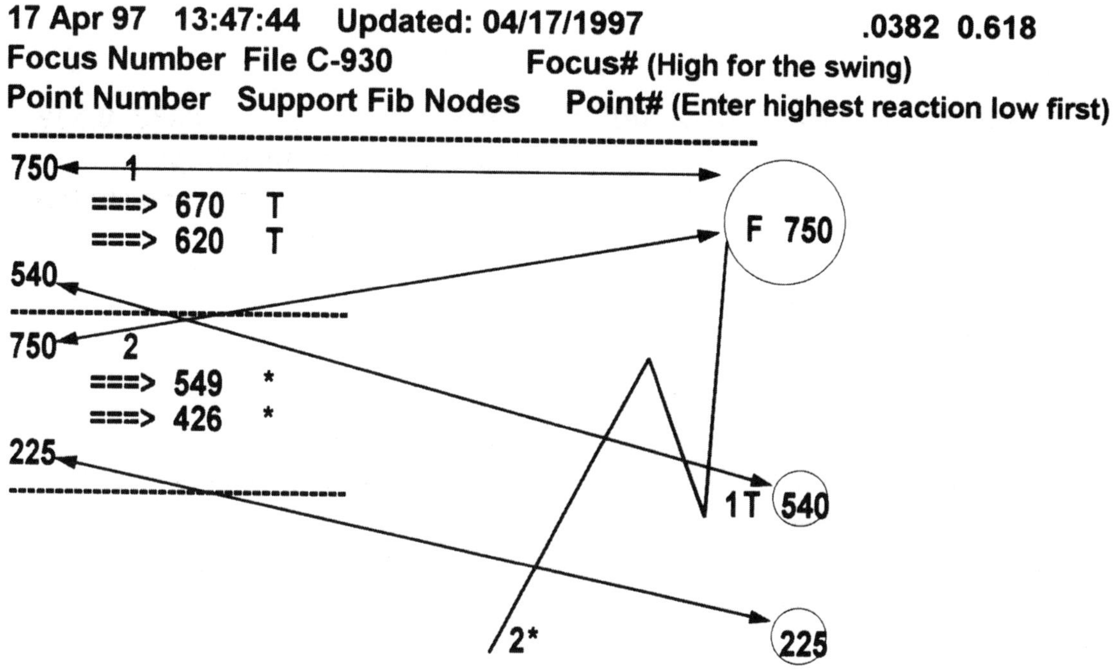
17 Apr 97 13:47:44 Updated: 04/17/1997 .0382 0.618
Focus Number File C-930 Focus# (High for the swing)
Point Number Support Fib Nodes Point# (Enter highest reaction low first)
750 1
===> 670 T
===> 620 T
540
750 2
===> 549 *
===> 426 *
225
F 750
1T 540
2*
225

チャート11.12

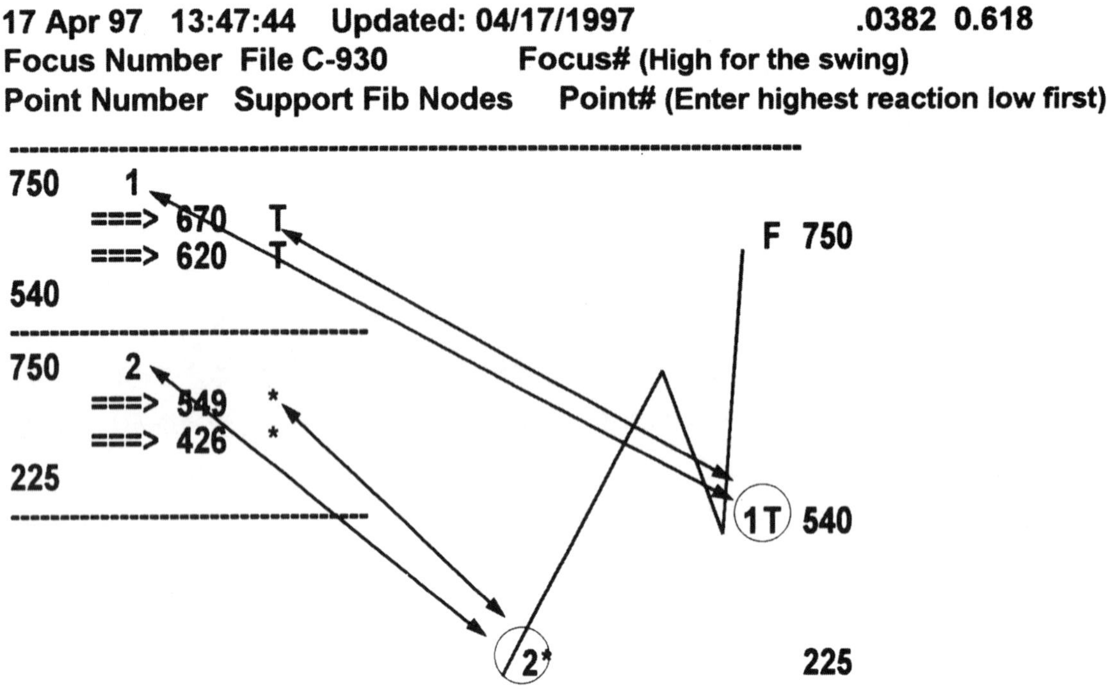

チャート11.13

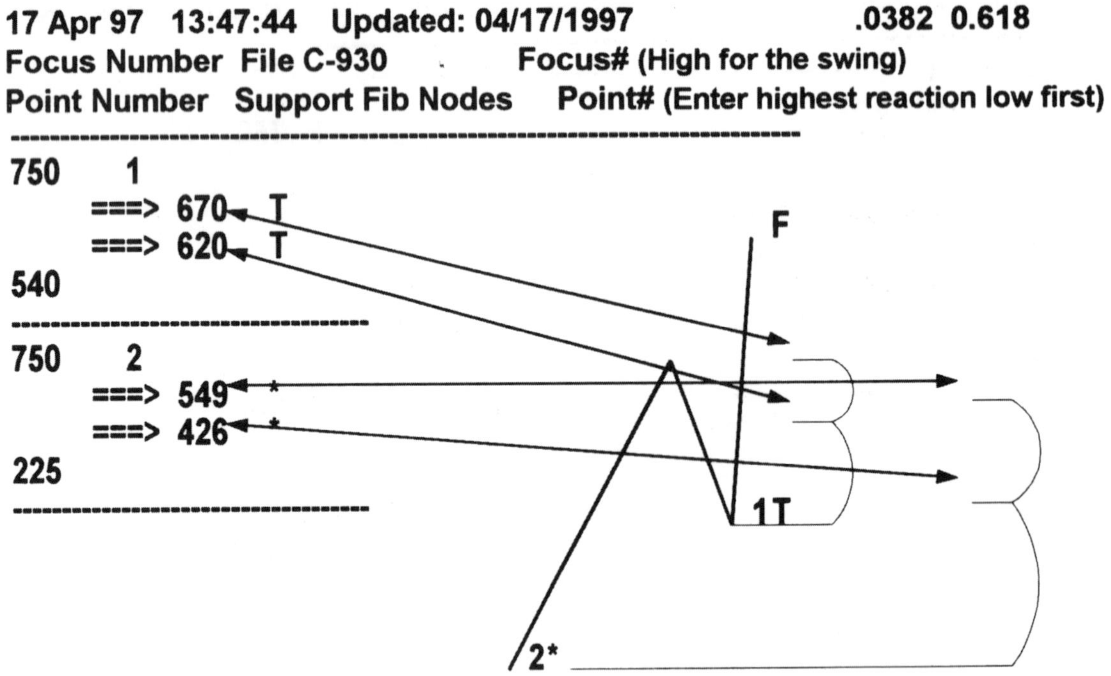

上記は、理想的なマーケットスイングの例である。225から始まり、高値を付けたあとで540まで反落し、その後750までのスラスト（急上昇）を示している。フィブノードプログラムで、ユーザーが入力するのは、750、540T、225＊である。これらは、

フィブノードのプリントアウトでは左側に表示されている。フォーカスナンバーの750は、自動的に各セグメント（図中の１と２）に入力される。一連の変動のフィブノードは常に、同一のフォーカスナンバーから各リアクションナンバーに対して作成されるからである。ボックス１には、フォーカスナンバーと第一のリアクションポイントの間の0.382と0.618のリトレイスメント（押し・戻り）がある。ボックス２には、フォーカスナンバーと第２のリアクションポイントの0.382と0.618のリトレイスメント（押し・戻り）がある、といった具合である。フィブノードのファイルが支持線であれ抵抗線であれ、0.382のノードは常にボックス内の上段に表示され、0.618のほうは下段に表示される。これには理由が２つある。まず、トレードしている最中は、現在のマーケットで支持線や抵抗線の最初の水準を知りたいからである。二番目の理由は、プレントアウトのフォームで常に、上段に0.382ノード、下段に0.618ノードが表示されていれば、上段と下段の数字を比較することで簡単に素早くコンフルエンスを計算できるからである。２つのリアクションナンバーが相互に近い場合には、数字的に近いノードを作り出すことになるが、この２つのノードは両方ともトップやボトムということになる。このため、これはコンフルエンスのエリアではないということになる。私は常に、自分のトレーディングについては、できるかぎりのミスをあらかじめ減らすようにしている。ストレスによって思考力が低下するのは、マルチタスク処理でコンピューターメモリが容量不足になるよりも早いからである。

また、あるリアクションポイントに対するリネッジに印を付ける場合、自分であらゆる種類の文字から選択することができる。日足のリアクションポイントの場合ならば「D」、主要なポイントならば「M」などが使える。ある数のリアクションがほかのリアクションポイントよりも重要度の高いことがあるために、リアクションポイントの後ろに識別のためにどれだけ文字が入力できるかということは分析にとって大きな価値を持つ。ここでの例の場合は、リアクション２のあとに＊を付け、これがプライマリーのリアクションナンバーであることを示し、リアクション１のあとにはＴを付け、スラスト（急騰・急落）であることを示している。これらの印はこれ以降も、関連するフィブノードに対してソフトウエアが自動的に付けてくことになる。

最後に、フィブノードファイルの命名はユーザー次第だが、例が示している内容を読者が理解できるように、私流のやり方を紹介しておこう。奇数のフィブノードファイル名は抵抗線ファイル、偶数は支持線ファイルを示している。これ以外の情報も得られる。次の例では、ダウ指数はDJYR02となっている。DJは銘柄、YRは時間枠、02は支持線を意味している。YRの代わりにDAが含まれていたら、日足ファイルを意味している。S&P500の９月限５分足フィブノードの抵抗線ならば、「SPU051」となる。

SP＝S&P500　　U＝９月限　　05＝５分足　　１＝抵抗線

ダウの例

ここにある1987年に2736ドル（この例で使われているダウの数値は実際に付けた数値であり、架空の高値と安値の理論値を平均したものではない）の高値まで上げたときのダウの例では、ソフトにデータを入力したあと、41ドル水準にアスタリスクを付けた。というのも、この41ドルはプライマリーリアクションの安値で、不況による安値だからである。もちろん、これは1929年の大恐慌以降の話である。1957年の安値は比較的マイナーにとどまり、小文字のmを付けて、これらのフィブノードの強さが判断できるようにしてある。1982年の安値777ドルは、大文字のMを記入するのがふさわしかった。ここが驚くべきブルマーケットの開始点のポイントだからである。1080ドルの安値から2736ドルまでは、相場が急ピッチで急騰しているのが分かるだろう。このため、1080ドルにはスラスト（急上昇）の印としてTを記しておこう。スラストのリアクションナンバーはいろいろな理由で非常に重要である。

下記のフィブノードのプリントアウトは、フィブノードの支持線について詳細に示しており、1712ドルにあるスラストのフィブノードと1707ドルのプライマリーF3フィブノードの間に、コンフルエンスのエリアを明確に示している。この場面で実際にトレードしていて、４日間で1000ドル近い暴落や１日で500ドルも急落したことを身を持って体験した人ならば、この体験がいかに胃の痛くなるようなものだったか分かるだろう。この時点で、S&Pの現物指数と先物のスプレッドは数千ドルもの逆ザヤとなっており、この状況がいつ終わるとも分からない状態だったが、事前に算定したフィブノードコンフルエンスの支持線によって、それが突然、これらすべてが1706.90ドルで下げ止まって動かなくなったのである！　これは偶然ではない！

チャート11.14

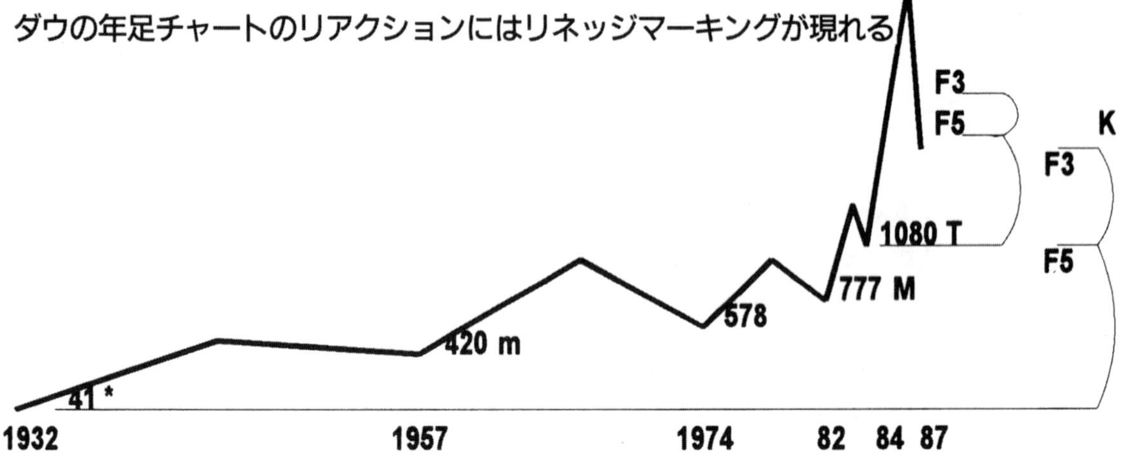

```
22 Apr 97    15:27:24    Updated: 04/22/1997              0.382  0.618
Focus Number   File DJYR02          Focus# (High for the swing)
Point Number   Support Fib Nodes     Point# (Enter highest reaction low first)
--------------------------------------------------------------------------
2736     1
       ===> 2103   T
       ===> 1713   T
1080
------------------------------------
2736     2
       ===> 1988   M
       ===> 1525   M
777
------------------------------------
2736     3
       ===> 1912                                      K
       ===> 1402
578
------------------------------------
2736     4
       ===> 1851   m
       ===> 1305   m
420
------------------------------------
2736     5
       ===> 1707   *
       ===> 1070   *
41
------------------------------------
Copyright (c) 1996 CIS, Inc.
```

チャート11.15

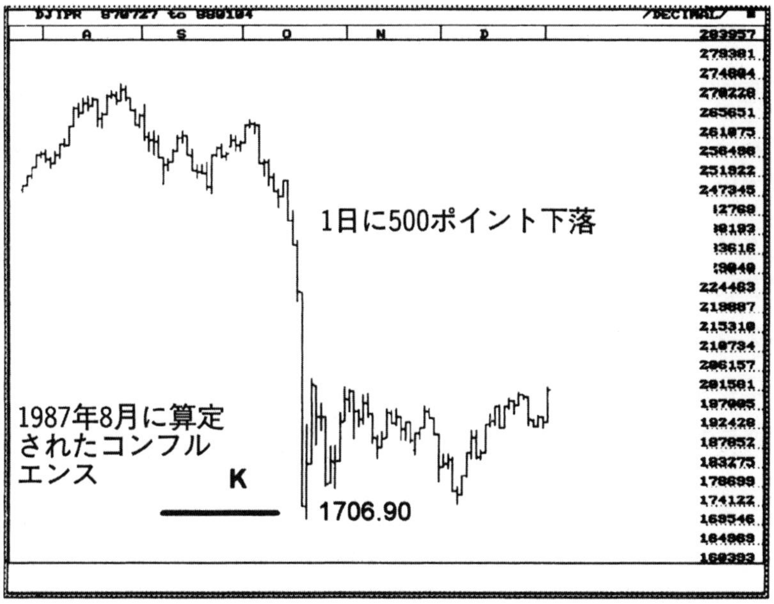

チャート11.16

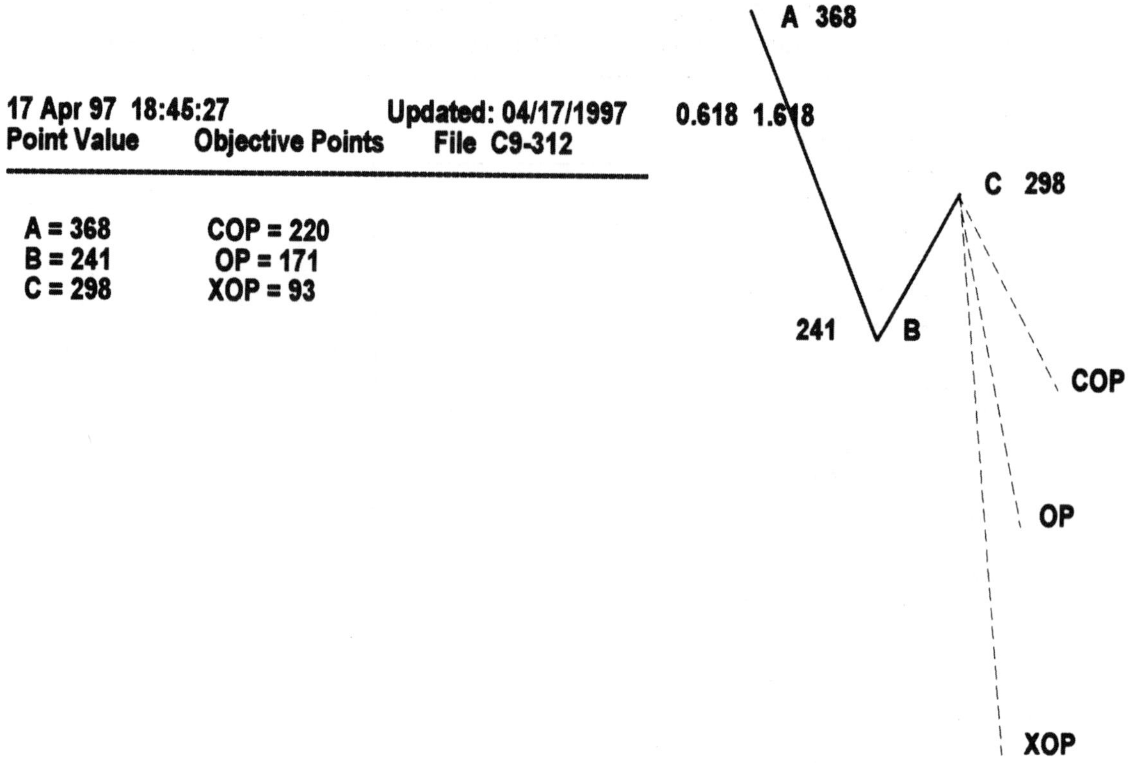
17 Apr 97 18:45:27
Updated: 04/17/1997
0.618 1.618
Point Value
Objective Points
File C9-312
A = 368
B = 241
C = 298
COP = 220
OP = 171
XOP = 93
A 368
C 298
241
B
COP
OP
XOP

フィブノードの目標のプリントアウト

フィブノードは、トレードを開始するリトレイスメントナンバー（ノード）を提示するほかに、理論的利益目標、つまりわれわれの言うところの目標ポイント（OP）を示してくれる。これまで問題にしてきたこの3つのターゲット、つまり目標のプリントアウトは以下のようになっている。

このプリントアウトの左側にある数字は、A、B、Cポイントの数値である。右側の数字は、算出された目標ポイントである。

フィブノードのファイル名の最後に拡張子（.FIB.OP）が付いていても、混乱する必要はない。この拡張子はプログラムを助けるもので、トレーダーがより迅速かつ簡単に過去に作成されたファイルを特定することができるようにするものである。

チャート11.17

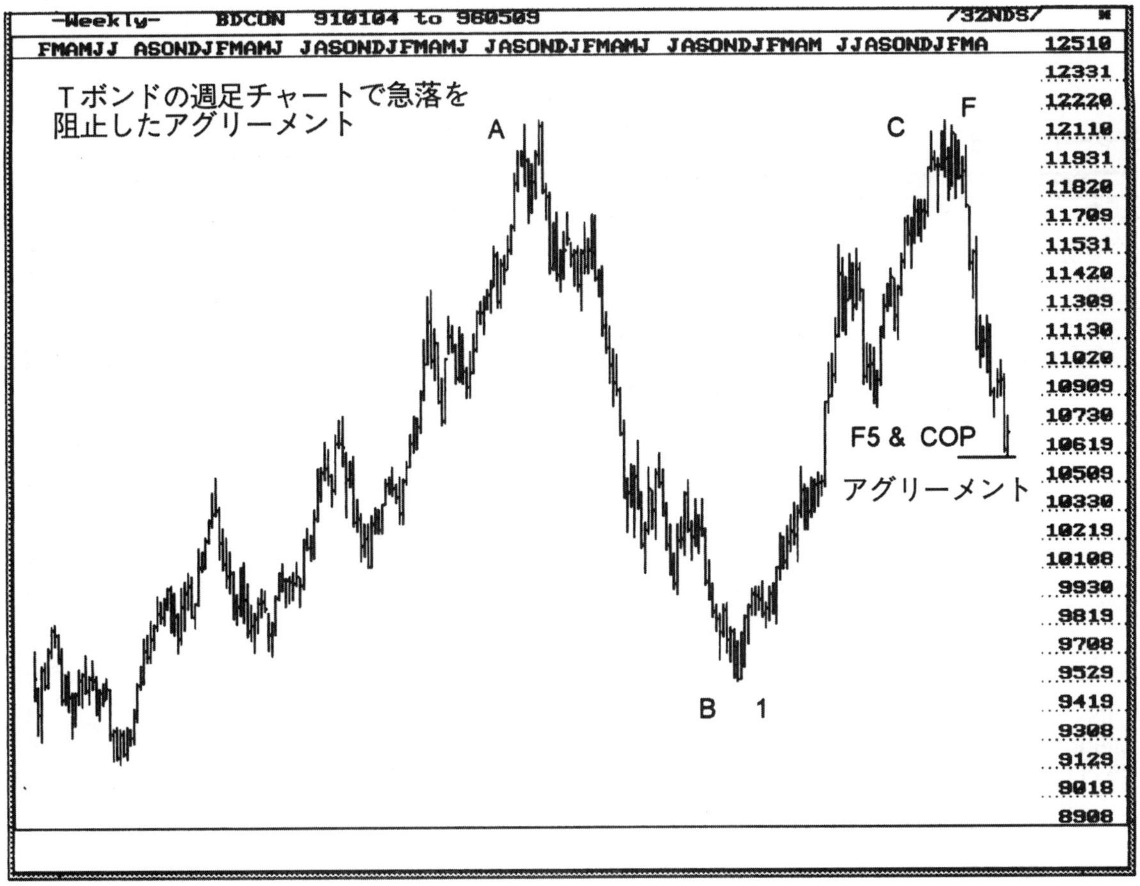

Tボンドつなぎ足チャートでのアグリーメント

ここまででフィブノードのプリントアウトにも慣れたと思うので、ここでは、Tボンド週足チャートでの主要な安値で止めたアグリーメントの例を見てみよう。ここで見るのは、すでに見たのと同じTボンドチャートだが、ここでは、122でダブルトップとなったあとで、支持線となる可能性の高い水準を決定するため、符号を付けている。

チャート11.17に示しているように、A、B、CのCOP（105-28）と、1からFまでの上昇場面の支持線ノード＊の間に見られるアグリーメントエリアは、ガッチリと維持されている。この結果、このエリア以降は債券相場が上昇に転じ、数カ月後には105-28から117-00の高値へと上昇している。これは、これまでの下げ相場に対して、ほぼ0.618のリトレイスメント（押し）に相当するのである！　**チャート11.18**を参照してほしい。

チャート11.17の支持エリアを説明するフィブノードのプリントアウトは、下記のとおり。

チャート11.18

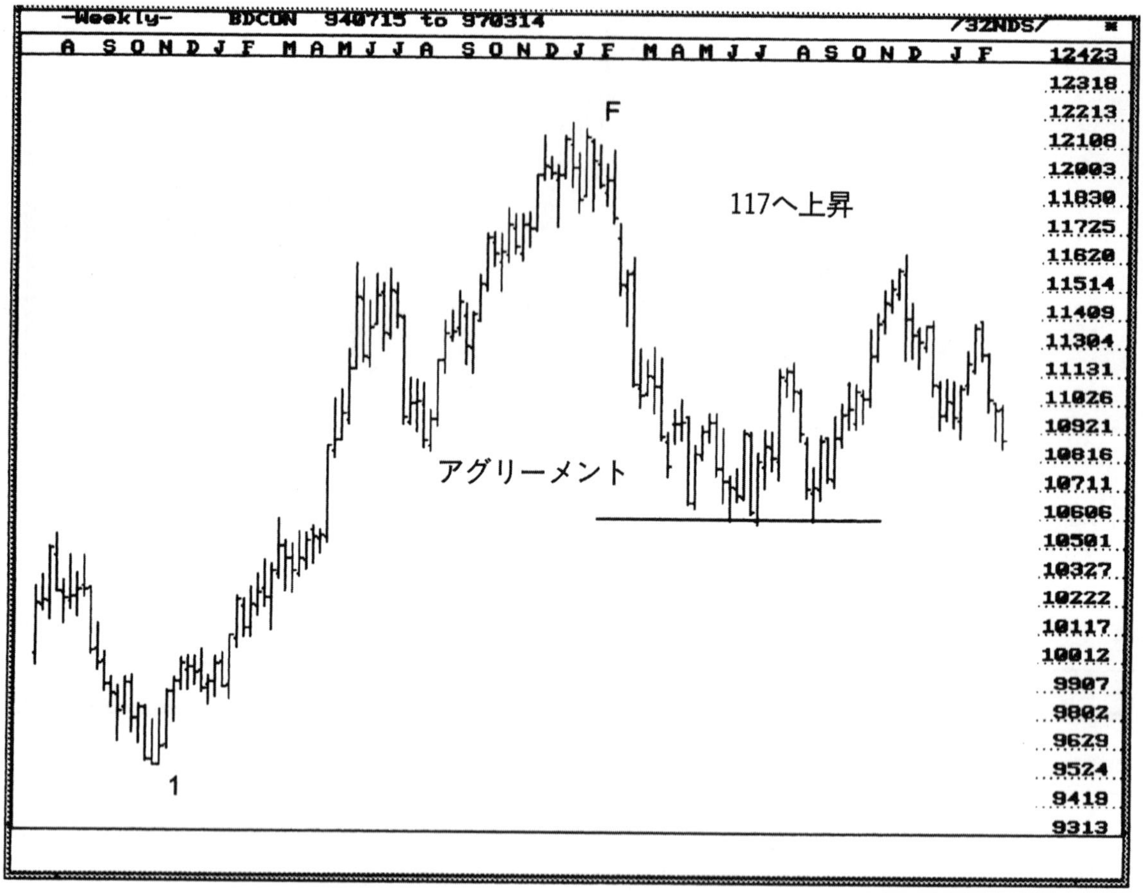

隠れたディナポリレベル

トレードでは、あることを全員が知っているとすれば、それはだれにとっても好材料にはならない。あなたが何かを知っていて、みんながそれにあとになって気づいたとしたら、それはあなたに大きな幸運をもたらす。もし市場の全員が株や大豆が今後上昇すると信じているならば、もうみんなが買っており、これはすでに相場に織り込まれているはずだ。あなたがある報告の結果を知っていたり、本当に重要なインサイダー情報を入手したならば、あらかじめ仕掛けて、その後遅れてくる人によって利益を得ることができる。隠れたディナポリレベルとは、まさにこうしたトレードである。

チャート11.19

チャート11.19を分析してみよう。次ページに進む前に、これまで学んだことからフォーカス、リアクションナンバー、フィブノードなどを記してみてほしい。

読者は、リネッジまで符号の記入ができただろうか。次ページに記したものが正しく符号を記入したチャートで、分かりやすくするためにフィブノードは示していない。

チャート11.19A

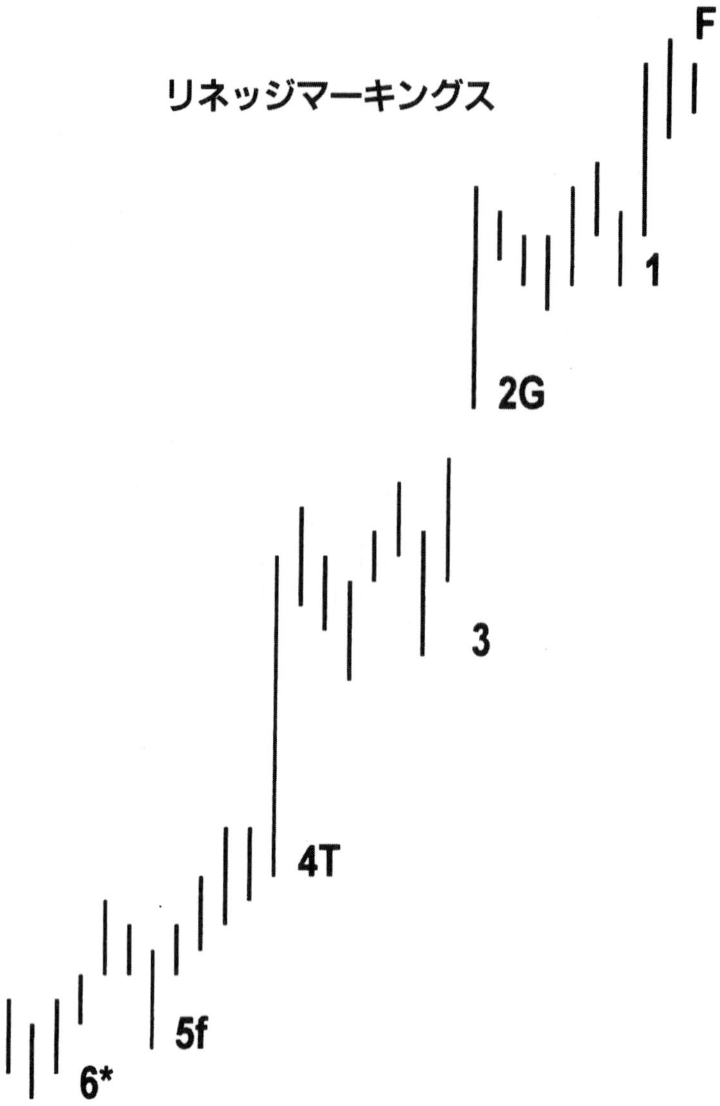

それでは、このマーケットスイングについて付けた符号をひとつずつ見ていこう。フォーカスナンバーはこの上昇相場の高値にある。リアクション１は、フォーカスナンバーに先行する最初の安値だ。リアクション１の左側にある３本の線はリアクション１をわずかに下回る安値となっているが、これは２ｍ（マイナーの意）としてここに含むことも可能だったろう。ただ、今回は単純化のために省くことにした。というのも、２ｍから導き出されるノードの重要性はリアクション１から導かれるものと比べて、数値的にほとんど同程度だからである。

二番目のリアクションポイントはギャップのトップ、つまりギャップを空けて上昇したあとのバーの安値である。これが隠れたリアクションナンバーであり、ほかのトレーダーたちの気づかないフィブノードを導き出すところである。ここでは、透明なフィブノードコンフルエンスのエリアを作成することが可能で、これは高度なフィボナッチ分析技術を身につけたトレーダーでさえ、気づくことはないだろう。

リアクション3には、特にリネッジの指定はない。単純化のために、リアクション3だけを取り上げ、この左にある複数のリアクション3のバーは含めていない。リアクション4はスラストのバーであり、特に重要である。2Gと同様に、隠れたフィブノードを導き出している。4Tは2Gよりもさらにパワフルである。というのは、スラストのリアクションはギャップのリアクションよりも影響が大きいからである。リアクション5には、最初を意味する小文字のfが付されている。このリアクションは、ここから変動が始まるという意味で非常に重要である。このことはこのあとの「より高度なコメント」で詳しく説明する。リアクション6は、＊が付けられ、プライマリーリアクションナンバーである。では、次ページに進む前に、ディナポリレベルのより高度な知識を応用して、**チャート11.20**のチャートに符号を記入してみてほしい。

チャート11.20

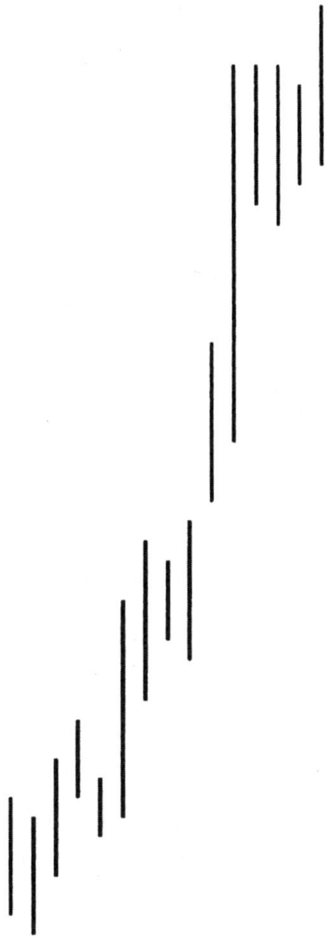

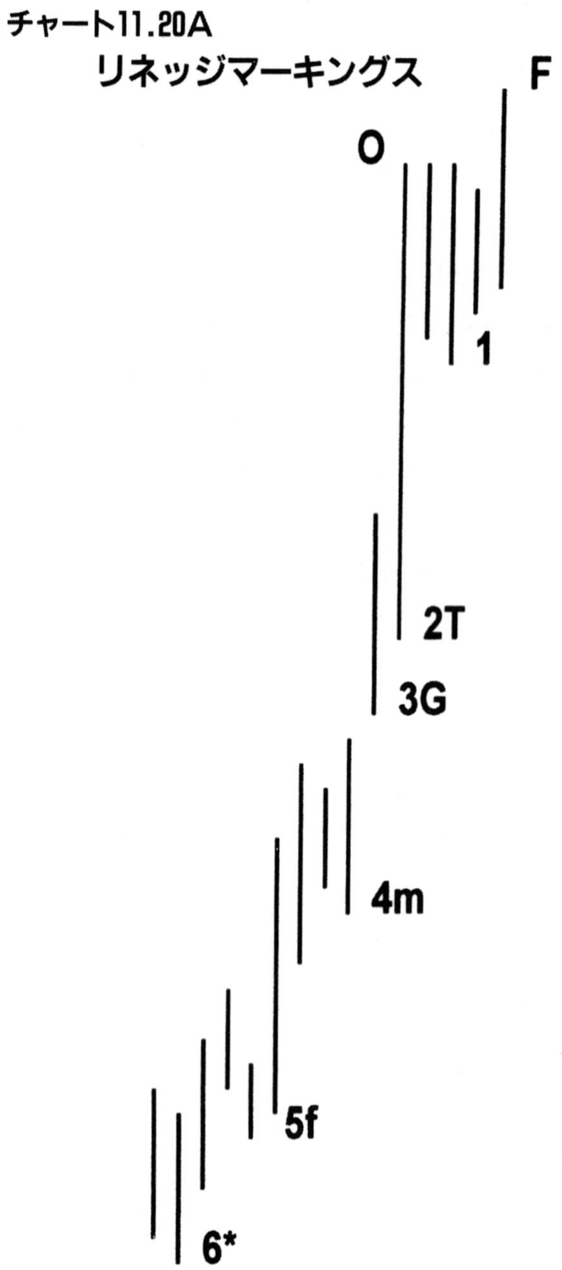

これが、隠されたリアクションナンバーを考慮して適切に付けた符号である。

より高度なコメント

もし私が今S&Pのような活発な市場でトレードしているとしたら、たとえ互いに接近していたとしても、リアクションの複数の安値を記入して、（上昇相場の場合は）より水準が低いほうにマイナーを意味するmの印を付けるだろう。このトレードの過程では、私は出現するより高いフィブノードの上で、相場のコースのコンテクストに従って仕掛け、注文の執行を確実にしていく。相場の強さを判断するためには、mのフィブノードに注目する。これは、私の注文が執行されたあとでもmノードがブレイクされていないとすると、相場がmノードに到達するか、これをややブレイクした場合よりも、相場がより強いということを示しているからである。適切なソフトウエアがない場合、あるいは高精密レシオコンパスだけしか使っていない場合には、こうしたマイナーなノードを計算に入れることは避けたほうがいいだろう。特にデイトレードの場合はそうだが、計算に擁する時間と手間暇を考えれば、むしろ非生産的になってしまうだろう。グラフィックソフトを使って、スクリーン中にいくつも線を描くのも、やはり非生産的である。

あなたが正しいポイントで買い建て、売り建てしたときに問題に直面するということを前のページに書いたのだが、覚えているだろうか。あなたが押し目の底やその付近で買うときには、そのひとつの注文執行に対して大きな需要があるのである（ディナポリ著『ザ・エックスド・トレード［The X'd Trade］)。**チャート11.19A**の１や３のようなやや高いリアクションナンバーから導き出されたノードは、極めて貴重なものとなる。利益を出すためには、とにかく注目の執行が必要だからである。これらのリアクションナンバーによるフィブノードを利用することで、あなたはほかのトレーダーに先立って注文を執行することができる。もしこの意味が心からよく分からなければ、高精密レシオコンパスでチャート上のフィブノードに印を付けてみるといい。**チャート11.19**のより詳細な符号について、**チャート11.21**で見てみよう。

注文を入れるにときは、私が８＊ではなく７ｆのノードを使うのも、やはり同じ理由からである。一般大衆は、８＊の0.382で買いを入れようと努力するだろう。７ｆの0.382での買いについて理解していたり、買いを検討したりする者などどこにもいないだろう。もしあなたが極めて保守的で、７ｆの0.382のすぐ上ではなく、８＊の0.382ちょうどでの買いにこだわるならば、その注文が執行されるのは、そのノードがブレイクされるころになる可能性があるのだ！

最後にもうひとつ。スラストのバーから離れたエリアにコンフルエンスを見つけ、これは確認可能なリアクションの安値ではない場合、私は興奮を胸にトレードすることになる。私は、世界が知らないことをつかんだのである。このチャンスに、大きく儲けさせてもらわないといけない！

フィボナッチ分析を使った相場動向の定義

第２章で先行指標と遅行指標について述べたとき、私はこのテクニックについて少しだけ触れておいた。私はコメントのなかで、先行指標と遅行指標を最大限に利用す

チャート11.21

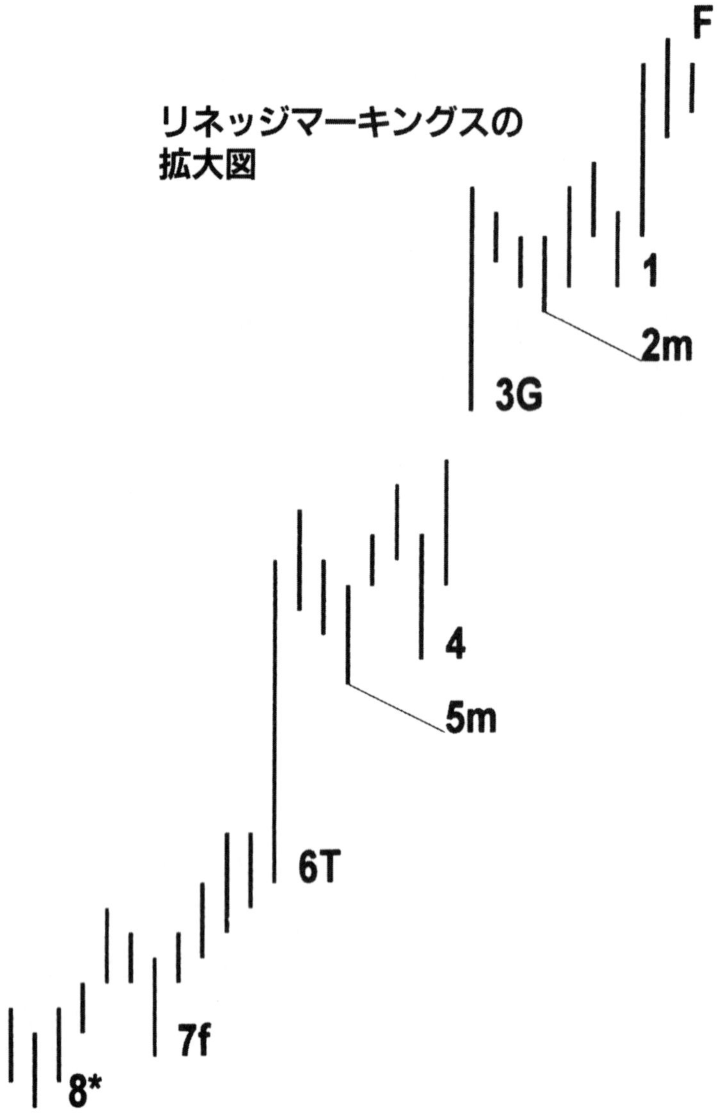

ることについて述べた。フィボナッチ級数を相場の値動きを定義する指標として利用することは、やや的外れかもしれない。それは、あなたの市場全般での経験、そして特にフィボナッチのコンセプトに対する経験次第だからである。それにもかかわらず、このテクニックの背後にある基本的な考え方は、リトレイスメント（押し・戻り）のレベルを確認し、そこから今後予想される相場の値動きを判断するというものである。

大きなリトレイスメント（押し・戻り）があった場合には、例えば上昇から下降へと値動きが転換する。逆に小さいリトレイスメントしかない場合、既存の値動きがそ

チャート11.22

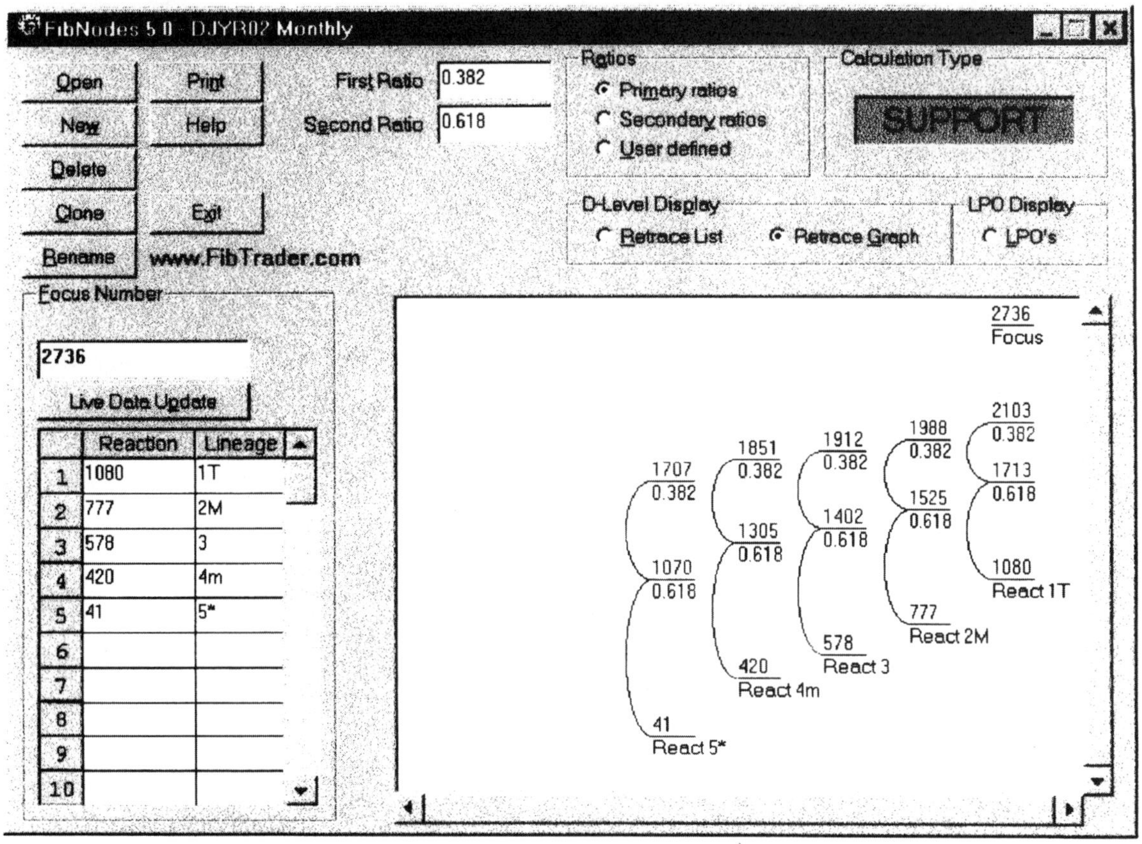

の後も継続するとすると推定される。

私は、この手法を80年代半ばから利用し、教えてきたが、この方法は最も主要な方向性シグナルやトレンド指標として使用するのではなく、あくまでも確認の指標として利用するべきである。というのは、特にこのテクニックを正確に使いこなすには、より長い時間枠のディナポリレベルの適用について、十分な講習を受ける必要があるからである。

チャート11.22は、215ページの表型フィボノードプリントアウトのチャートである。このチャートは、本書の出版時には店頭に並ぶ予定のコースト・トレーディング・パッケージの最新バージョンによって作成したものである。スクリーンでは、フィブノードがカラー表示されているため、0.382と0.618のノードの水平方向の整列が簡単に確認できる。

第12章

総合練習——基本例

CHAPTER12 TYING IT TOGETHER——A BASIC EXAMPLE

さて、あなたはすでにコンテクストについて学び、買いか売りかの判断もできるようになっているはずである。ディナポリレベル（D―レベル）についてもすでに学習しているので、どのポイントでどうやって仕掛けるべきかも分かっており、理論的利益目標（LPO）の扱い方もよく理解しているだろう。それでは、いよいよトレードを開始することにしよう。

今日は6月27日である。Tボンドの日足チャートでは大きなスラスト（急上昇）が形成されており、ダブルレポが見られる。ダブルレポの後の2営業日には、3×3がトレンドを包含していた（相場の変動を覆っていた）。

チャート12.1

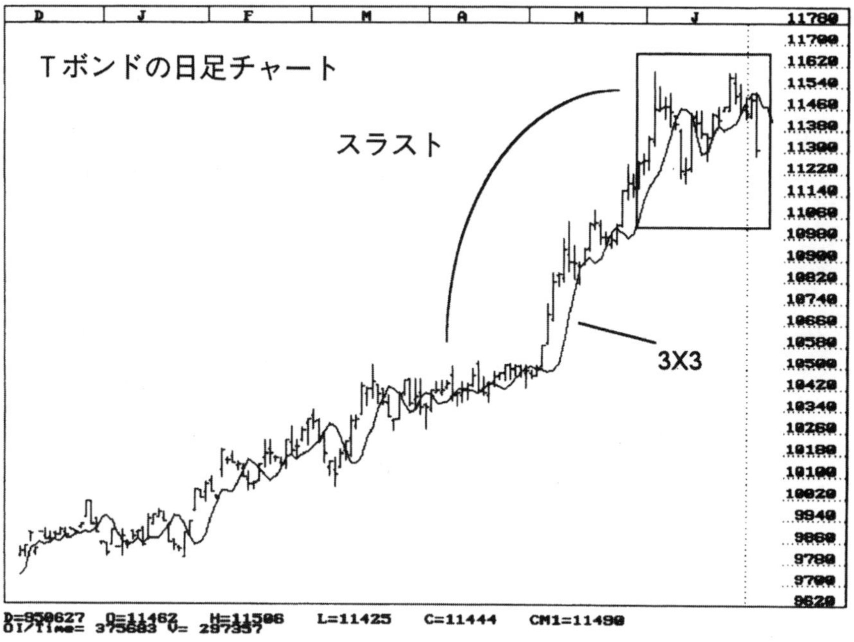

チャート12.2

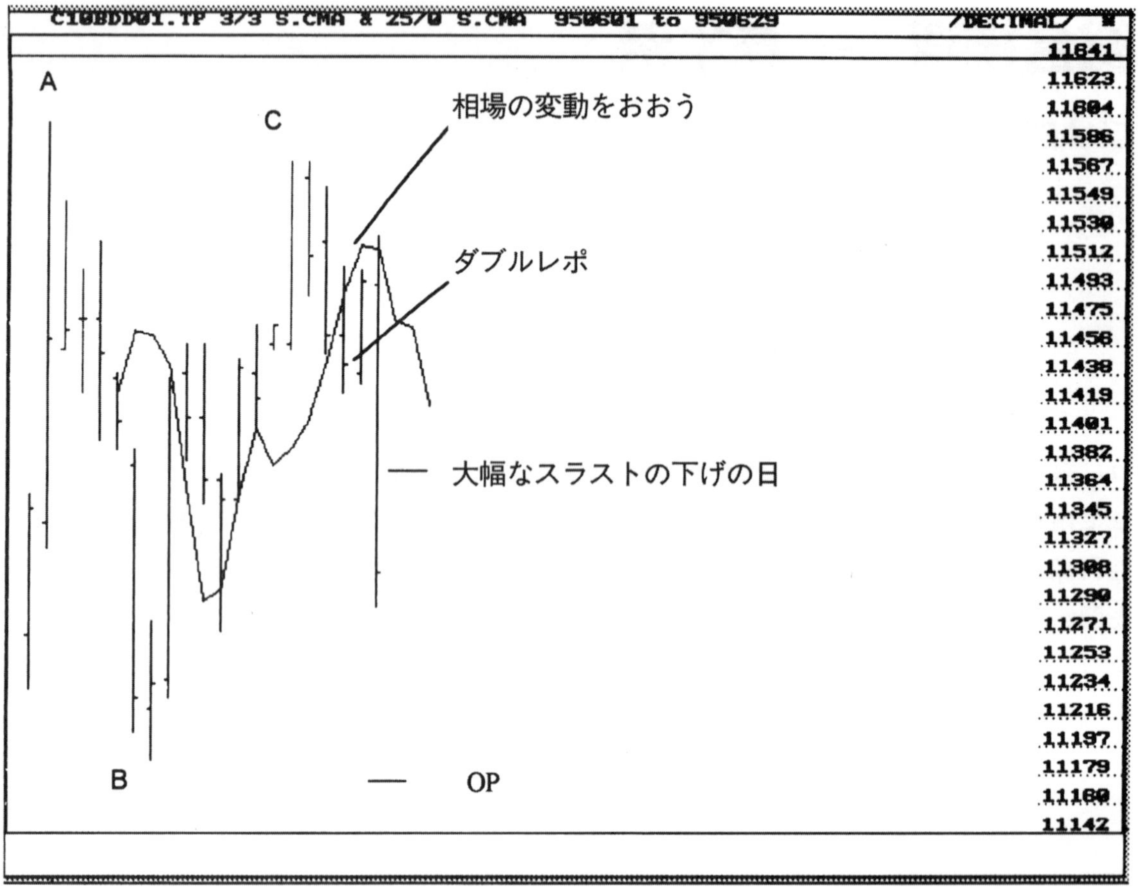

デイリーベースのトレーダーならば、ダブルレポを形成した日の引けで売りの成り行き注文を出しているだろう。これ以外のトレーディング戦術としては、この翌営業日に3×3の方向へ相場が戻ったところで、売りを出してみるのもいいだろう。イントラデイチャートが使えるソフトがあるならば、より短い時間枠のチャートでの戻りの局面で売りを出すほうが望ましい。例えば、60分足や30分足のチャートでのストキャスティックスによる買いシグナルを利用して、あらかじめ算出したD－レベルに達したところで逆張りの売りを仕掛けることが可能だ。日足ベースでの損切りの逆指値注文は、引けでの＊0.618フィブノードより上にあるべきである。この水準は、売りシグナルが無効となる水準だからだ。この戻りのレベルを算出するためには、あなたのフォーカスナンバーはダブルレポを形成した日の安値の水準とするべきである。あなたの最初の（そして唯一の）リアクションは、ポイントCの高値となる。こうした逆指値の設定が難しすぎるようならば、日足や60分足のディナポリレベルのあとの位置に、より低い逆指値を設定しても構わない。ただ、注意するべきは、損切りの逆指値が日中に執行され、相場が＊0.618を引けまでにを上抜いていないならば、そのダ

ブルレポはまだ有効なのである。最も近い次の機会に、再度売りを仕掛けるべきである。

いったん売りを仕掛けたならば、そのトレードをしている時間枠に一致した理論的利益目標を探すことになる。こうした計算は、日足チャート上では**チャート12.2**のようにA、B、Cを使って行うことが可能である。ここで注意すべきは、この日足チャートでのABCの拡張は、Bの安値のすぐ下に目標ポイント（OP）による支持線を描くことである。大半のトレーダーはこの計算についてなにも知らず、Bよりも下に売りの逆指値注文を設定してしまうが、しかし、これはまったく見当違いの場所なのである。また、これだと、クローズ・イン・オブジェクティブス（図には示されていない）が、この時点で達成されてしまっていることにも注目されたい。トレードに興奮して仕掛けに執着しないうちに、日足ベースの目標ポイントに対して、この時点で相場がどの程度売られ過ぎになっているか、デトレンデッドオシレーターでチェックしておくべきである。

こうした日足によるトレードは興味深いものの、より短期のトレードはさらにいろいろな情報が得られることから、今度はこれに注目してみよう。しかし、詳細に踏み込む前にまず、たいていのトレーダーが抱くポジションを失うという懸念についてきちんと認識しておこう。こうした懸念を抱くのは、何も初心者だけに限ったわけではない。相場のプロもしばしば、一度失ったポジション、つまり本書の用語で言えば、いったん論理的利益を取ったポジションは、いかに取り戻すことが難しいかということをよく話題にしている。すでに動き出した相場では仕掛け方が分からない、というのが彼らの主旨である。私の意見としては、仮に「20回に1回しかない」あるいは「30回に1回しかない」ような大相場のチャンスを失ったとしても、トレイリングストップ（利益を確保するために値動きに合わせて水準を変化させて、価格に沿って置く位置を変更する逆指値）が執行されて手仕舞いさせられることによって、理論的利益目標を得て撤退したほうがいい、というものである。方法を知り、宿題をこなせば、あなたも動いている相場に戻ること、つまり動いている相場に「安全に」新規に仕掛けることが可能ということが分かるだろう。これを明確に説明するために、一般的に手遅れとか、仕掛けるには相場が動きすぎていると判断される状況で、勤勉なダンの対処方法を見てみよう。また、ハイテンションのハンクが自制心を失い、せっかくの豊かな知識を使いこなせなくなってしまう様子も合わせて見てみよう。

シナリオ1

ダンは5週間もの目の回るような短期トレードの結果、多額の利益を上げていた。少し息抜きが必要だと思い、彼はすべてのポジションを手仕舞って（メキシコの）カ

チャート12.3

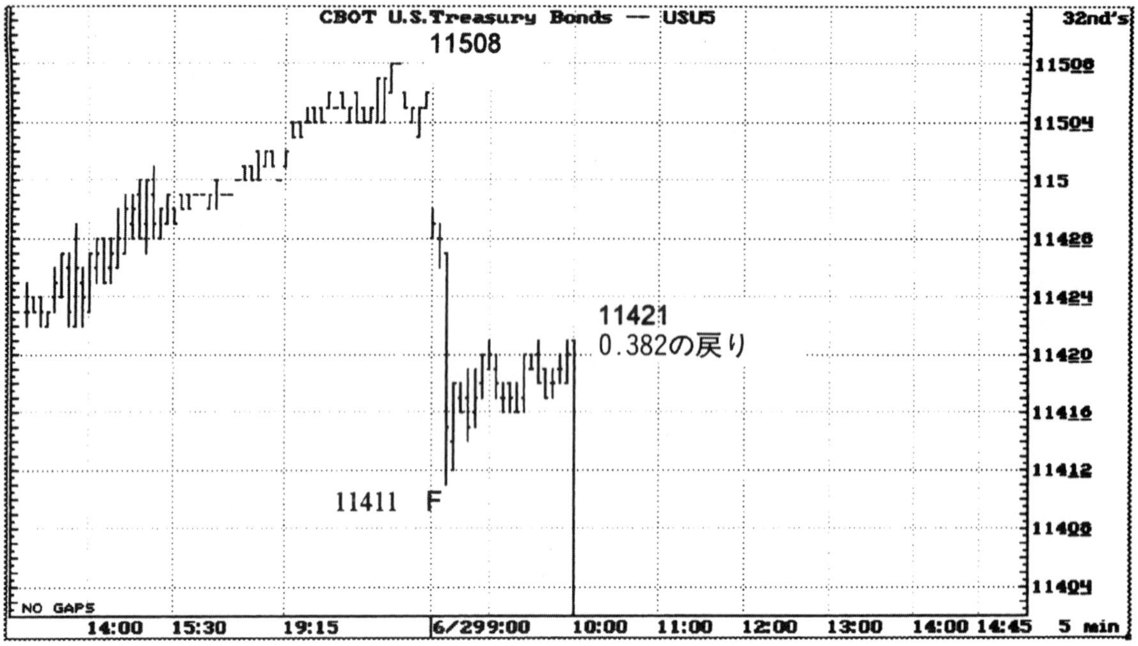

ンクンへと小旅行に出かけた。帰宅した翌日にはスラスト（急落）が待ち受けている日だった。帰宅した夜に、彼はハイテンションのハンクから、過去２日間にあったダブルレポの説明や、１分足チャートで65回のトレードを行ったことについての40枚ものファクスを受け取った。このファクスでは、ハンクは90％の確率で勝者となったことを書いていたものの、それぞれのトレードの利益がわずか２ティックずつにすぎなかったことは書かなかった。この失敗を正して、ブローカーに売買手数料を支払うころには、ハンクはトントンどころか赤字になっていたのだった。

ダンは、ダブルレポを確認し、３×３によってトレンドが包含されているのを見て、翌日の寄り付きで仕掛けようと考えた。彼はハンクへのファクス送信を３回試みたが、回線はずっと話し中だった。

上のチャートは、前回日足チャートの**チャート12.2**として示したもので、急落相場（６月29日）の日の最初の部分を５分足チャートで示したものである。

寄り付きでは、夜間取引の引けからギャップを付けて急落している。どの水準で注文を執行するべきかよく分からなかったために、ダンは相場の戻りを待って注文を出すことにした。現在は下降トレンドの相場なので、フォーカスナンバーはここの安値である114-11となる。最初のリアクションポイントは、115-08の高値となる。この日

（6月29日）の高値水準は、G（ギャップ）のリアクションナンバーを設定することが可能だが、この例では詳細は省いた。より高度な分析は、後ほど行う。下記のフィブノードプログラムのプリントアウトは、フィボナッチの押し・戻りを示している。

```
Focus Number   File BDU051          Focus# (Low for the swing)  /in 32nds/0.382 ..618
Point Number   Resistance Fib Nodes   Point# (Enter lowest high first)
--------------------------------------------------------------------------------
11411     1
        ===> 11422
        ===> 11429
11508
------------------------------------
Copyright (c) 1996 CIS, Inc.
```

ダンは、売り注文を114-22の下に入れ、損切りの逆指値を0.618ノードの上の114-30の上に設定した。ダンの注文は執行された。114-21の水準でほぼ完璧な0.382の戻りがあったからである。ダンはこの後、大幅な下落場面を予想した。ダブルレポが形成されていたし、この日はギャップを空けて寄り付いていたからである。このため、保ち合いの期間にどこまで下げるかをすぐ見積り、ポジションの手仕舞いにはOPやCOPではなく、XOPを選択することにした。

```
7 Aug 96   18:41:45                Updated: 07/24/1996      0.618  1.618
Point Value      Objective Points      File  BDU052            /in 32nds/
--------------------------------------------------------------------------------
  A = 11508          COP = 11403
  B = 11411            OP = 11324
  C = 11421          XOP = 11306
----------------------------------------
Copyright (c) 1996 CIS, Inc.
```

彼は、XOPの水準の数ティック上に手仕舞いの買い注文を置いた。相場は結局損切りの逆指値には一度も接近せず、急落することになった。下落場面のとき、相場がXOPに達することはなかった。**チャート12.4**を参照してもらいたい。この下落場面では、手仕舞いの買い注文が執行されようが、あるいはもう少し先まで執行が伸びようがあまり大差はない。実際の相場は、113-26まで再度上げたあとでXOPの水準を付けたからである。単純化のために、ここで注文が執行されたと仮定しよう。

ダンは、ハンクの個人用回線を通じてハンクに電話をかけたが、それでも通じなかった。ハンクは、成立した成り行き注文の執行価格を巡り、ブローカーと激しい口論の真っ最中だったのだ。ハンクは、大相場に乗り遅れることをとても心配していたために、戻りを待つことができなかったのである。執行価格はまったくひどい価格だったために、彼は怒り心頭だったのだ。彼は、戻り局面で成り行きによって手仕舞ったが、これはダンが売り建てた反発局面だった。結局、ハンクの損は4ティック分だったが、彼は大いに不満だった。この大きな急落場面で、何も仕掛けることができなかったのだった。

保守的なカールの場合はどうだろう？

カールはダブルレポを見てはいたが、トレードを開始する前にそれが本当に機能するかどうか確かめたかった。その後、実際にギャップを空けて急落場面となったために、カールは驚嘆してしまった。彼はその前日に、青い未成熟のバナナの房を買っていた。彼は、これ以上のリスク（未成熟のバナナを買う以上のリスク）を犯したくなかったので、じっと様子見をすることにしたのだ。

シナリオ2

ダンとハンクの両氏には、113-10まで相場が急落し、ほとんどのトレーダーが相場は「下げ過ぎた」と感じたあとも、売りから入るもうひとつの「安全な」仕掛けの機会があった。

113-10の安値を付けたあとで、形成されたフィブノードついて見てみよう。ここで再び事例をシンプルにするために、最初のリアクションだけに焦点を当てよう。

相場が最初のノードを付けた場合、その113-26の水準、またはそれ以下で売りを出すことになる。また損切りの逆指値は114-05の上に置く。

前の仕掛けでは注文執行を想定して話をしたが、ここでは、その前提をなしにして、フロア（立会場）の機能について分析してみよう。

113-26の水準、つまり0.382の戻りの水準には、フラットトップ（バーの高値が同じ水準で並ぶ）が見られる。これは、この上値に大口の売りや大量の売り注文が控えていることを示唆している。

この場合、ダンのような経験豊富で実力のあるトレーダーで、113-26で売り注文を設定している人物ならば、フロアに直接電話をかけ、「1ティック下げろ」と指示するはずである。フロアに直接電話で指示できない人ならば、「注文をキャンセルして、変更し」、113-26よりも1～2ティック引き下げたり、単に「成り行き注文に変更」することになるだろう。いずれにせよ、(114-05を）数ティック上回る水準に損切りの逆指値を置いておけば、113-26の水準は売りを仕掛けるのに「安全」な領域だといえる。

チャート12.4

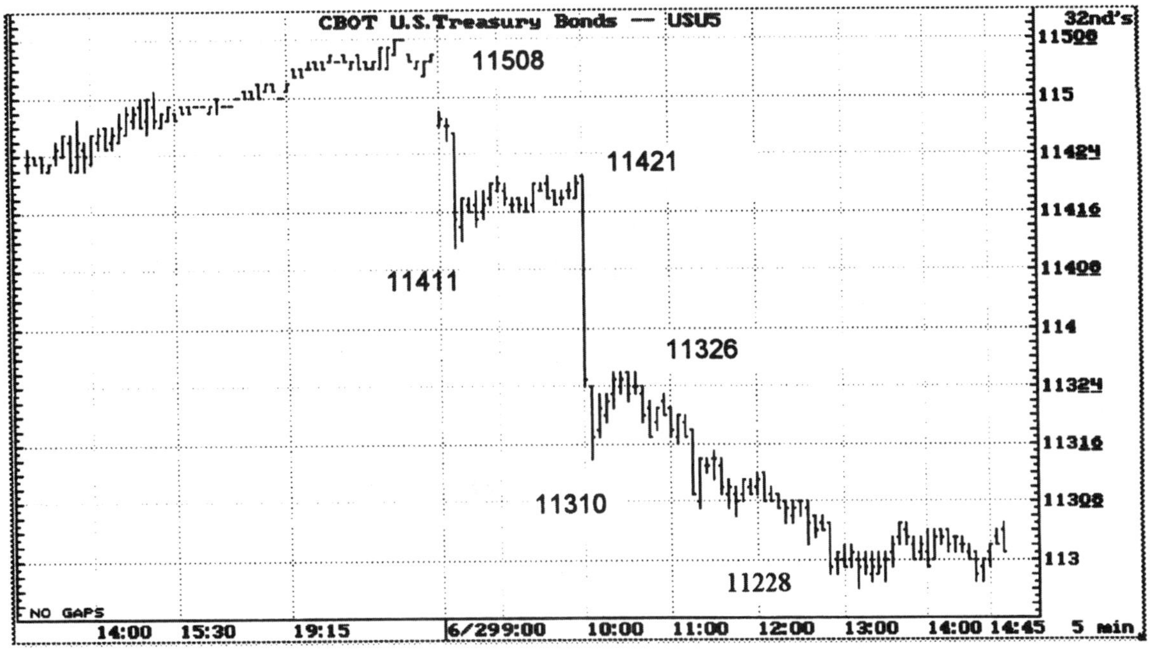

Focus Number　File BDU053　Focus# (Low for the swing)　/in 32nds/　0.382　0.618
Point Number　Resistance Fib Nodes　Point# (Enter lowest reaction high first)

11310　1
　　===> 11326
　　===> 11405
11421

より高度なコメント

二番目の仕掛けであるシナリオ２について、もう少し詳しく高度な説明をしよう。

最初の利益目標のXOPである113-10が達成された時点の下げは、ラインチャートで示すと**チャート12.5**のようになる。

高精密レシオコンパスで作成したディナポリレベルの抵抗線を示している一連の戻りは、**チャート12.6**のようになる。

コンピューターによるプリントアウトでは、さらに正確なフィボナッチ数列とこれに伴うディナポリレベルが表の形で表示され、235ページのようになる。

チャート12.5

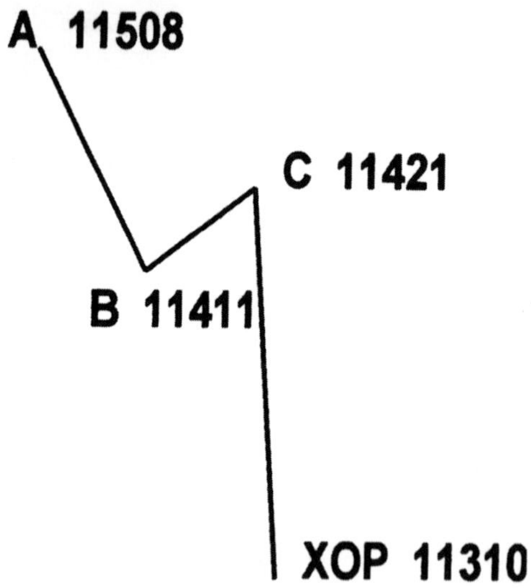

チャート12.6

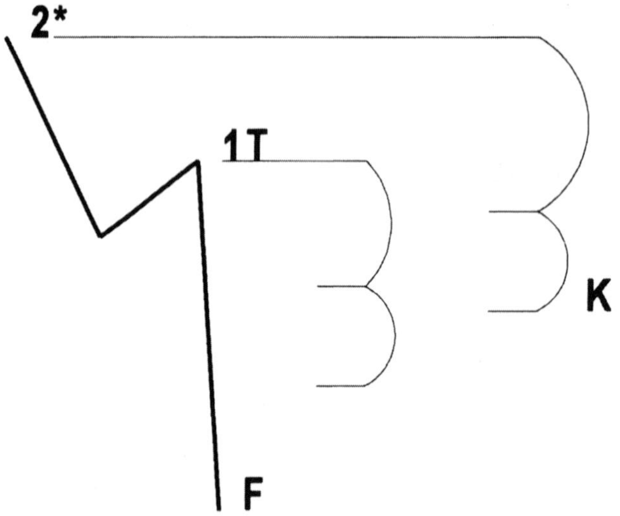

```
Focus Number   File BDU053          Focus# (Low for the swing)  /in 32nds/
Point Number   Resistance Fib Nodes   Point# (Enter lowest reaction high first)
----------------------------------------------------------------------------
11310     1
       ===>  11326  T
       ===>  11405  T
11421
------------------------------------
11310     2
       ===>  11402  *
       ===>  11416  *
11508
------------------------------------
Copyright (c) 1996 CIS, Inc.
```

最初の売りの水準は113-26だが、ダブルレポのあとでかなりのスラストを示している大相場に注文を入れようとしているのだから、積極的なトレーディング姿勢を取って、最初に算出されたディナポリレベルで執行（売り）しようとするのは極めて自然である。前述のように、113-26で売ろうとしており、それがフラットトップであるならば、フロアに電話で「１ティック下げろ」と言うのが賢明だろう。いずれにしても、ノードの１～２ティック手前で売りを出すことは理にかなっている。そうしなければ、予想が外れたとき、つまり、相場があなたの予想と逆行するようになったときに、注文が執行されるということになってしまうだろう。

相場で勝つには、正しい分析だけでは不十分な場合もある。このケースでは、市場メカニズムの知識が必須だ。113-26でのMIT注文（相場がその水準に達すれば、成り行き注文になる注文）で売りを出すのはどうだろうか？　MIT注文は通常、Ｔボンドを上場しているCBOT（シカゴ商品取引所）では受け付けられていない。あなたが十分な数量のトレードを行っているならば、ほかの手段を確保することが可能だが、あなたが「２枚」しかトレードしない個人で、フロアへのアクセスを持たず、しかも１～２ティックの値引きもしないのならば、注文変更が間に合うように注文を通すことは不可能かもしれない。

このトレードでは、Ｋのコンフルエンスエリア、つまり114-02～114-05の上に損切りの逆指値を設定するのがいいだろう。このコンフルエンスエリアは、Ｔ（スラスト＝急落）に対する0.618のリアクションと＊（プライマリー）リアクションの0.382ノードから構成されている。これよりも良いものはないだろう。ただ、私としては、これと同じ強さを持つコンフルエンスとして、自分の最初の損切りの逆指値を主要な＊の0.618（114-16）の上に置きたい。理由は、相場がＫを一時的に（数秒間でも）

ブレイクした場合、Kに設定した逆指値は執行されるが、＊の上の逆指値は執行されないからである。コンフルエンスを一時的にブレイクしたからといって、それでそのエリアがブレイクされたということにはならないので、そのままトレードを続けるほうがいいのである。ただし、相場がKの上の水準でそのままとどまった場合には、私としてはこの仕掛けが間違いだったと判断し、相場がコンフルエンスエリアへと反落した時点で最初の手仕舞いを行うことになるだろう。そしてその後、最初に置いた損切りの逆指値をキャンセルすることになる。

その後には、拡張の上昇について検証し（これらが達成されているかを確認し）、イントラデイチャートで現在のトレンドを検証して自分の取ったポジションを振り返り、トレードに対してまったく新たな視点を取ってみる。これはつまり、トレードのコンテクストが、今後の行動を支持するかどうかという点である。

それでは、**チャート12.7**の左側の図にあるように、相場が私の思惑と逆行する可能性についてより詳しく考察してみよう。この相場は、コンフルエンスで支持されたあと、そこを割り込んで下げ、その後フィブノードで支持されたあと、OPに向かっての反発し、筆者の思惑と逆行する展開となった。このケースでは、私にはいくつかの選択肢がある。コンフルエンスエリアを再度上げて試すようだとダブルトップを形成し、その後、反落して新たな安値まで下げる可能性もある。しかし、損切りの逆指値買いの水準は1からKへ設定して、当初の位置からは引き下げるべきである。現時点の逆指値は、この直近の高値を上回る水準に存在している。このため、コンフルエンスエリアは、最初の接近のときよりも、2回目の上昇局面によって、ブレイクされる可能性が高いといえる。もし私が、大口のトレードをしていたり、閑散な市場にいて、逆指値が執行されたときの執行価格に懸念を持っている場合には、フルの上昇の動きに対する押しを待って、支持線となっているフィブノードに対する「オアベター（OB＝その水準か、より良い価格）」の注文で手仕舞うだろう。この可能性については、**チャート12.7**の右側に示してある。

もしあなたが、このレベルの「より高度なコメント」の解説を読んで、アドビル（頭痛薬）が必要になるようならば、この部分は無視してもかまわない。もしあなたがわずか数ティックのことでこれほど騒ぐ理由が分からないのならば、ここに3種類の答えがある。まず、Tボンドを100枚トレードしていれば、この数ティックの変動は巨額になる。二番目には、ここでの「より高度なコメント」は、この例の場合だけでなく、どのような時間枠にも適用が可能だ。このため、知的な訓練として検証する価値が高い。三番目としては、大口のトレードを行う場合には、逆指値による手仕舞いよりも、「オアベター（OB＝その水準か、より良い価格）」の注文で手仕舞いするほうがはるかに有利という場合が多い。

チャート12.7

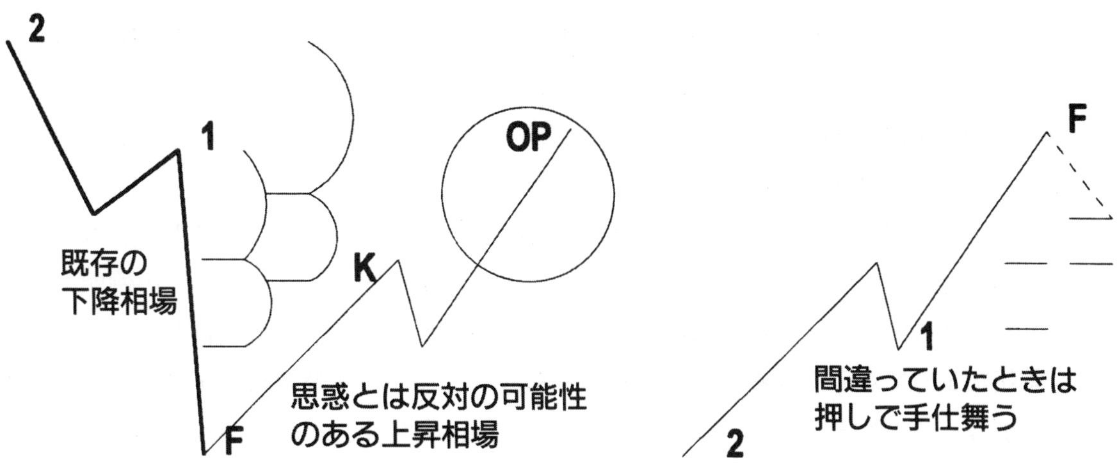

現実に戻ろう

ここではダンが、フロアに直接電話をかけ、「1ティック下げろ」と指示したあとで、113-25で売り注文を執行できたとしよう。以下の彼のコメントを読めば、このとき彼が持っていた売りポジションのすべて、または一部からCOPで手仕舞う理由が分かるだろう。一連の拡張は、このとき以下のようになっていた。

```
24 Jul 96      12:22:12            Updated: 07/24/1996    0.618   1.1618
Point Value    Objective Points      File   BDU054        /in 32nds/
-----------------------------------------------------------------------
  A =  11421     COP =  11231
  B =  11310      OP =  11215
  C =  11326     XOP =  11120
----------------------------------------------
 Copyright (c) 1996 CIS, Inc.
```

ここで「すべてまたは一部」と書いた理由は、他方ではダブルレポを形成しているために、時間の経過とともに下落する可能性が高いことがある。下落の時期は、COPの水準でどこまで売られ過ぎとなっているかによる。本章の最初で示したように、このことを事前に判断するには、デトレンドオシレーターによる確認、またはオシレータープレディクターの活用が必要である。またもうひとつの理由は、理論的利益を確定するのがいつもの私のやり方であり、この日は大相場だったことが挙げられる。さらに、もしわれわれが厳格なデイトレーダーだとすると、引けの時間が近づいており、引け前にOPを求めて多くのことをする羽目になるだろう。結果としては、相場はCOP拡張の112-31に達して、それをややブレイクした。このため、手仕舞いでの注文執行にはなんらの支障もなかった。

ここでは、熟練したトレーダーと感情的なトレーダーを対比させることで、個人の性格がパフォーマンスに与える影響がいかに大きいかを描いてみた。ここの例題に示された課題に関しては、本書のなかですでに説明したような複数の代替トレーディング戦略によって対応できることは明らかである。これらの代替の戦略が活用できるかどうかは、各トレーダーの経験やアクセスの有無、時間枠、そして個人の目標などに左右されるだろう。

よくある質問

ハイテンションのハンクは、まともなトレードオフを得ただろうか？

無理だった。彼は、113-26での売り注文を最後まで執行することができなかった。彼はブローカー変更の手続きをして、あとはその日の最後までバーで飲んだくれて、フラストレーションを発散し、話を聞いてくれる人と話をしまくって終えることとなった。最後までチャンスはなかったのだ。彼は、1日が始まる前にすでに疲労困憊しており、最も集中すべきときに何もできなかったのである。というわけで、彼は、新しいブローカーがきちんとそろった書類を郵送してくれて、彼の資金が引き継がれるのを待つ間、数週間もトレードができないことになるのである。

ジョー、あなたはすでに動いている相場への再び仕掛けることは可能だと言っていますが、急落場面では注文が通ることはまずないことがはっきりしています。こうした場合、どうやって再び仕掛けるというのですか？

問題は、言葉の意味論である。すでに動いている相場でも、ディナポリレベルによるリトレイスメント（押しや戻り）に対して、適切な損切りの逆指値を置きながら、仕掛けるのである。しかし、1987年10月のS&Pのような大災害の状況となった場合には、仕掛けるべきではない（ホームトレーディングコース参照［アンドレ・ザ・ジャイアントとチャック・ノリスの逸話］）。リスクに耐える力はトレードには大切だが、無謀なトレードは自殺行為である。私はパニックに陥った市場には興味がないし、この後に紹介するS&Pの例が示すように、私ならば手仕舞いの方法を探すだろう。

この例についてはよく理解できたのですが、第6章のダブルレポの基準によると、最初と二番目のペネトレーションの長さが少し長いと思います。これは、ルックアライク（そっくりさん）でしょうか、それとも本物のダブルレポでしょうか？

厳密に言えば、これはルックアライクである。ただ、これに先立つスラストの規模からすると、これを本物として扱っても問題はないものと考える。

第13章

フィボナッチ戦術

CHAPTER13 FIBONACCI TACTICS

概観

本書では、さまざまなフィボナッチ関連のトレーディング戦略を解説している。なかには記憶しやすいようにイキな名前を持ったものもあれば、そうでないものもある。

ここでは、トレーディング戦術としての必要条件とか、トレードをするうえでのヒントとみなされるものは何かといった議論に深入りするつもりはない。こうした戦術の名称は何でも構わないのだが、いずれにしても、このトピックに特に１章を割いて、相場の実例と別にこの種のアプローチを定義しておくのは、読者にとって非常に有益であろう。筆者が以前発表した書籍などをすでに読まれている読者は、本章で扱う戦術が以前より少ないことに気が付かれるかもしれない。理由は簡単である。確かに、これまでに紹介した「すべての戦術」は有効であり、今でも機能しているのだが、そのすべてが同等に検討に値するものとは思われないからである。

それでは、個別のテクニックについて述べる前に、まず各戦術が解決すべき問題を理解していこう。

次ページのフィブノードプログラムのプリントアウトで表示されているフィボナッチの一連の支持線について検討してみよう。

この一連の支持線から、コンフルエンスエリアが17214と17204の間に存在することが明確に読み取れる。今、このコンフルエンスについて、適切な買い建てのポイントであることを示唆するコンテクストが整っていると仮定しよう。仕掛けの価格水準として17220を選び、これをポイントＸと呼ぶことにする。ここで仮定したコンテクストとは、本書ですでに説明したものか、あるいは適切な指標として読者が選択したものとしよう。例えば、プット・コール・レシオ、ボリンジャーバンドの（反落時における）最高値か最安値、信頼できる売買推奨、建玉明細報告などである。より低い水準のディナポリレベル、例えば17080を割り込んだ水準を、損切りの逆指値を置く領域Ｚとする。

```
Focus Number   File SMNDA4          Focus# (High for the swing)
Point Number   Support Fib Nodes    Point# (Enter highest reaction low first)
------------------------------------------------------------------------
17760     1
       ===> 17416  M
       ===> 17204  M  ------
16860                      |
---------------------------   K
17760     2                |
       ===> 17214  f  ------
       ===> 16876  f
16330
---------------------------
17760     3
       ===> 17080  *
       ===> 16660  *
15980
---------------------------
Copyright (c) 1996 CIS, Inc.
```

問題点　支持線が出現するとわれわれが「仮定」しているXの水準で、どうすれば仕掛けることが可能か。

解答　民族が変われば、リズムも変わる。フィボナッチによる仕掛けの戦術は一通りではない。

注　これ以降を読み進む前に、今後の議論に関して筆者の設定した枠組みについて、くれぐれもしっかりと理解していただきたい。ここから先に例示する重要なケースの例は、いずれもすでに説明した章の内容を基礎としている。

ボンサイ――仕掛けと損切りの逆指値を置くテクニック

私自身はこの戦術をほとんど使っていないが、これが自分に合うと考える読者もいると思い、収録しておいた。こうした読者には、本書のほかのテクニックの場合と比べて利益となるトレードの確率が低くても構わないという読者が含まれる。私がこれまで教えたフロアトレーダーにも、このテクニックを愛用している者は多くいる。ハイテンションのハンクならば、このボンサイの信奉者になるに違いない。ボンサイを使用する人々は、自分たちの利益率の最終水準はこのポジション戦術のおかげで引き上げられていると考えているようだが、事実、そのとおりのようだ。これによって彼らはより多くトレードを行い、毎回の損失額を非常に低く抑えているのが普通だからである。それでは、この極めてシンプルな戦略について説明しよう。

チャート13.1

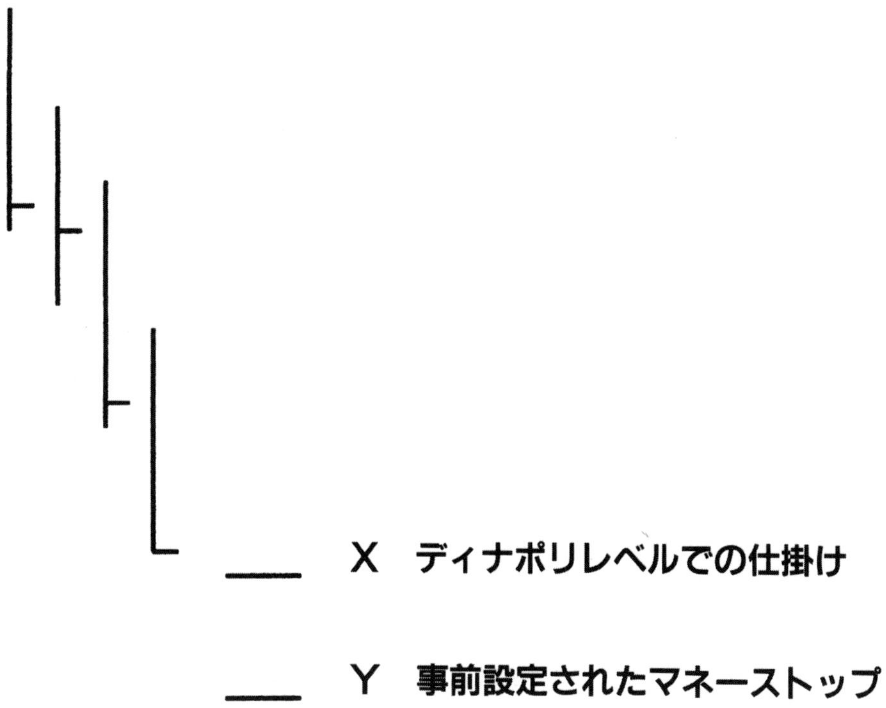

前述のとおり、あらかじめ算出したディナポリレベルによる仕掛けのポイントであるXがあるとする。ボンサイを使用し、Yの水準に事前に定めたマネーストップか、所定の水準に損切りの逆指値（ポイントストップ）を、ほかの複数のディナポリレベルとは無関係に置く。

仕掛けの注文と損切りの逆指値注文を同時に入れ、逆指値が執行されないように期待するとする。仮に逆指値が執行されて、相場がすかさず上昇してXを上抜いた場合、成り行きで再び仕掛け、そしてもう一度Yの水準に逆指値を置く。

最初にYに設定した逆指値が執行されたあと、相場がXを下回っていれば、このトレードの裏付けとなったコンテクストがその時点でも有効かどうかを見定めよう。有効ならば、より低い水準のディナポリレベルを選択し、これを基準として仕掛け、この下に再度、マネーストップを設定するのである。

ボンサイでトレードする者は、それぞれが選択する時間枠ごとに、それぞれ異なるYを設定することになる。設定数は通常、各人のその市場での経験次第である。５分足のＴボンド市場ならば3/32～5/32が一般的数値だが、５分足のS&P500ならば55～85ポイントが通常の水準だろう。ボンサイを使用する利点は、単純なことである。使用法が簡単なので、トレーダーはより煩雑な損切りに煩わされず、このため、よりリラックスしてトレードを行うことができる。このおかげで、同じ市場であれ別の市場であれ、次回も適切なトレードが行えることになるのだ。

ただ、デメリットも多い。ボンサイを利用する者は一般に、あらかじめマネーストップ（またはポイントストップ）を事前設定するときに、日々のボラティリティを考慮しない傾向がある。もしブローカーのサービスがあまりよくないのに多くのトレードを繰り返せば、スリッページや売買手数料などで、コストが割高になってしまう。また、短期トレードの場合、再注文を入れるためフロアへアクセスが迅速にできなければならない。手仕舞いの基準はシンプルだが、トレード中はずっと相場を見守っていなければならない。なぜなら、一般的なブローカーの場合、緊急に注文を入れる場合の基準は非常に複雑でかつ主観的であり、その結果の責任をブローカーに問うのは難しいからである。

ブッシュ――仕掛けと損切りの逆指値を置くテクニック

ブッシュ（茂み）は、あとにある「より高度なコメント」にある例外を除き、本書の収録例に対して一般的に使用されるテクニックである。ひとつのディナポリレベルを上回る水準で買いを開始し、もうひとつのディナポリレベルの下には逆指値を隠しておくのだ。この名称は、数年前に個人で開催したセミナーに出席したあるマーケットのプロが取った行動にちなんでいる。彼は、私が事務所の一角に設置していた大きな樹木の影に身を潜めておいて、その後、別のセミナー参加者に対し、指で撃つまねをしたのである。この様子から、彼の好きな利食いの方法はブッシュに身を潜め、その後、いきなり飛び出して獲物を撃ち、またブッシュに隠れるというやり方だと思ったのだ。第11章の「理想的なトレードの例」で紹介した仕掛けと損切りの逆指値を置く方法は、ブッシュのいい例である。立ち上がって獲物を撃つというのは、１つめのディナポリレベルの手前で仕掛けることであり、ブッシュに身を潜めるというのは、２つめのディナポリレベルの背後に損切りの逆指値を設定することである。第11章で紹介した各種のポジション戦略は、どこで撃ち、どこのブッシュに隠れるかという点が異なるにすぎない。

ボンサイとブッシュとの重要な相違点は、損切りの逆指値でカバー（保護）されているかどうかである。この微妙だが重要な相違点を理解するには、フロアトレーディングの仕組みを知っておく必要があるが、ここでは、以下のような説明で十分だろう。あなたが置いた損切りの逆指値の位置が支持線のディナポリレベルのすぐ下にあり、トレードを委託しているブローカーがいい業者であれば、損切りの逆指値が執行された場合、スリッページは最小限となるはずである。しかし、例えブローカーがいい業者でも、支持線がない場合には（ボンサイの場合にはその可能性が高い）、損切りの

チャート13.2

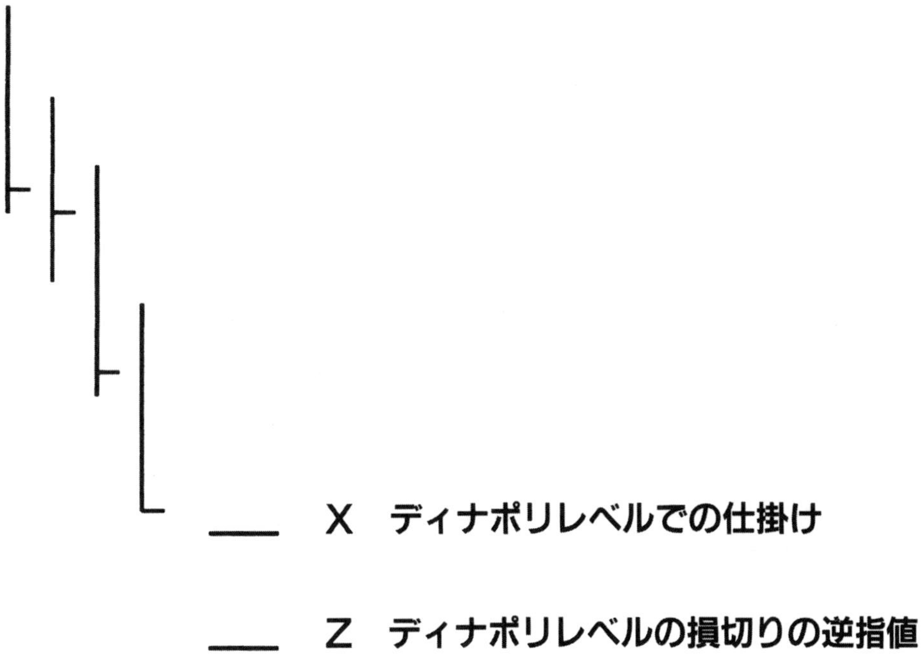

逆指値の執行水準はだれにも予想不能である。より良い水準で損切りの逆指値を執行できる確率は、常にボンサイよりもブッシュを使用した場合のほうが高い。これは、ディナポリレベル自体によって示される支持線――たとえそれが維持されなくても――が存在するからである。

チャート13.3

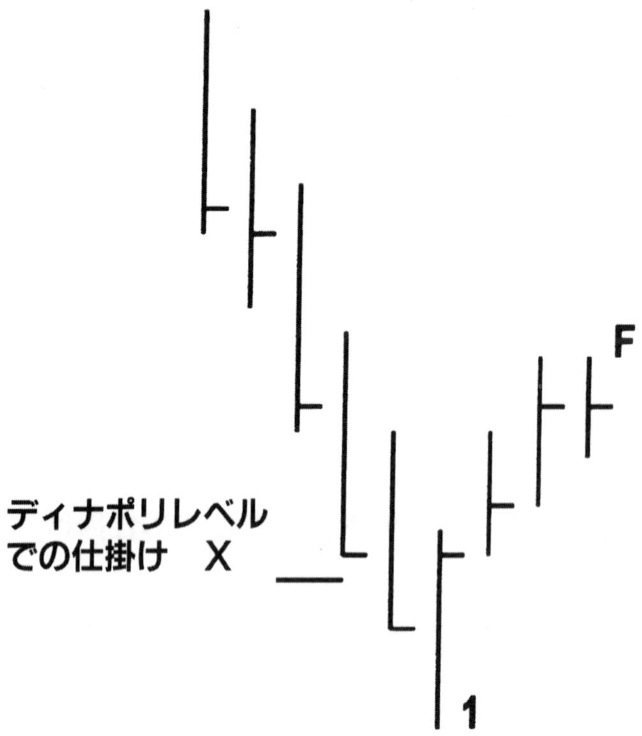

マインスイーパーA――仕掛けと損切りの逆指値を置くテクニック

このテクニックを使う場合、ボンサイやブッシュよりも注意力が必要である。これの仕組みは、上のとおりである。ディナポリレベルXの水準で仕掛けたいとしよう。

Xを支持線と見るなかで、まずはポイント1の支持線が出現し、そこからFに向かって上昇するのを待つ。ポイント1とポイントF（今回のフォーカスナンバー）は、複数のマーケットフォースによって決定されたものである。われわれとしては、これをあらかじめ計算して予測することはしない。相場がこのように動いたあとで、上昇場面のフィブノードを算出するのだ。ラインチャートで見ると、**チャート13.4**のような動きになる。

チャート13.4

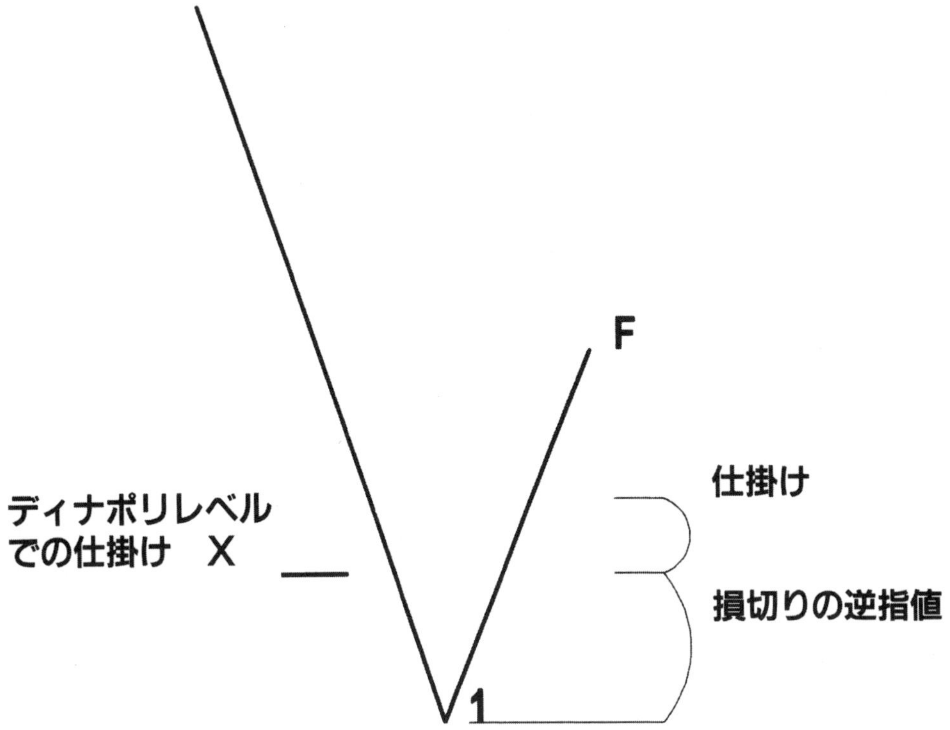

実際に仕掛ける水準は、0.382のノードを上回った水準となる。損切りの逆指値は0.618のノードを下回る水準か、これまでの安値1に対して設定することになる。われわれは保険を買ったことになるが、このコストは、ディナポリレベルの仕掛けの水準X付近で、相場がどう展開するかによって左右される。後知恵のメリットを生かして、さまざまな可能性について見てみよう。

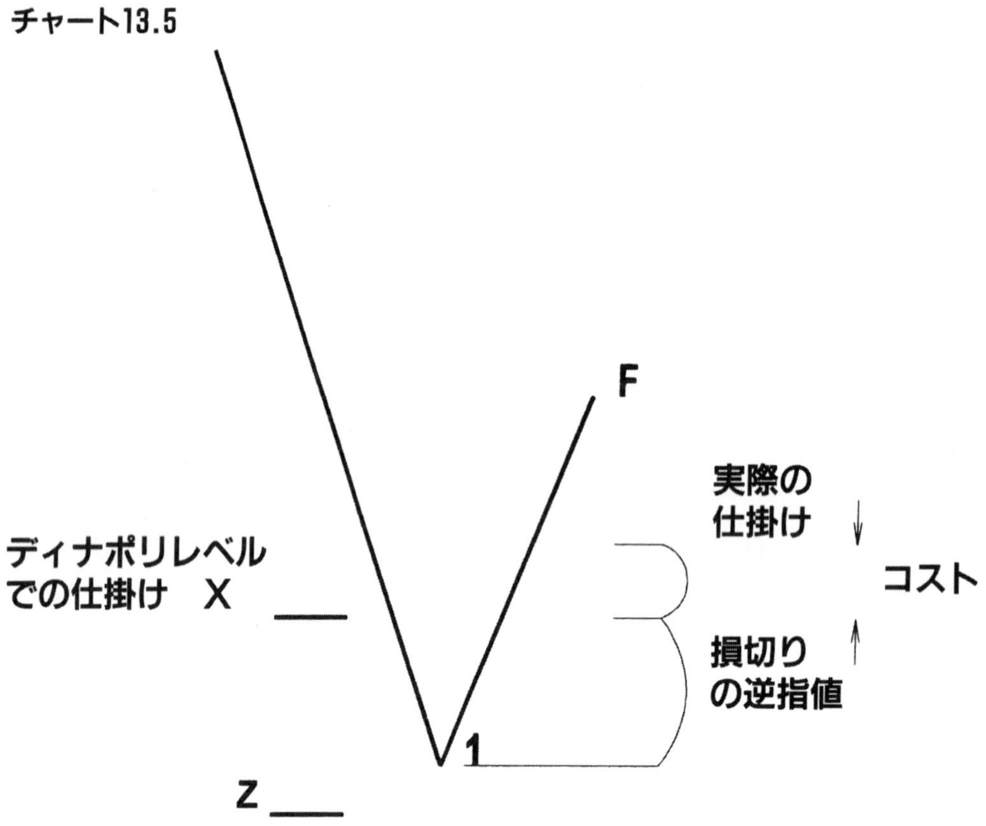

可能性1

支持線がXのすぐ近くにあり、われわれがZに設定した損切りの逆指値が執行されておらず、また、実際の仕掛けがXよりも高い水準だった場合を考えてみる。この場合のわれわれの保険は、**チャート13.5**の矢印と矢印の距離で示されているように、「高くつく」と思われる。ここで、誤解しないでいただきたい。このコストは、最初に仕掛けようとして選択したディナポリレベルXと実際の仕掛けの水準との間の差であり、実際の仕掛けと損切りの逆指値の間の距離ではない。もちろん、想定どおりに実際の仕掛けの水準まで押して注文が執行されるとは限らないが、その可能性は高いだろう。

チャート13.6

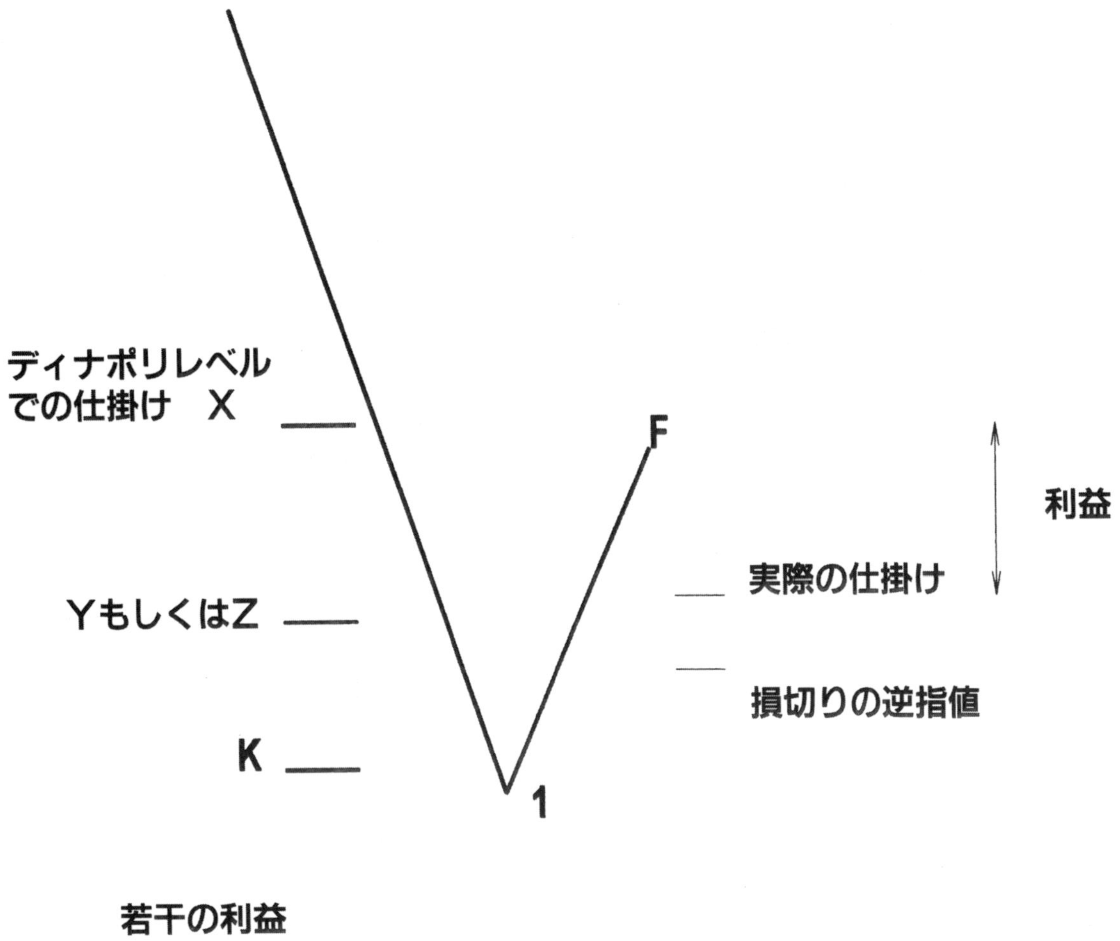

可能性2

相場がXに想定していた支持線を大きく割ってZを下回り、さらに下のノードやコンフルエンスのエリアのKまで下げた場合を仮定してみよう。**チャート13.6**のYは、ボンサイによるマネーストップを表している。この損切りの逆指値もブッシュの損切りの逆指値同様、この水準に含まれるため、読者の方のなかにボンサイを使っている人がいれば、この可能性2の効果が理解できるだろう。このシナリオでボンサイやブッシュの戦術を使っていた場合、損切りの逆指値が執行されて手仕舞いとなっていたはずだが、マインスイーパーによる仕掛けまで待ったおかげで、損切りの逆指値による手仕舞いとならずにすんだ。さらに、当初想定したディナポリレベルのXの位置よりも低い水準で仕掛けができたことも、有利な点である。つまり、こうした条件下でこの戦術を使ったことから、ある程度の大きな利益を出すことができたのである。

チャート13.7

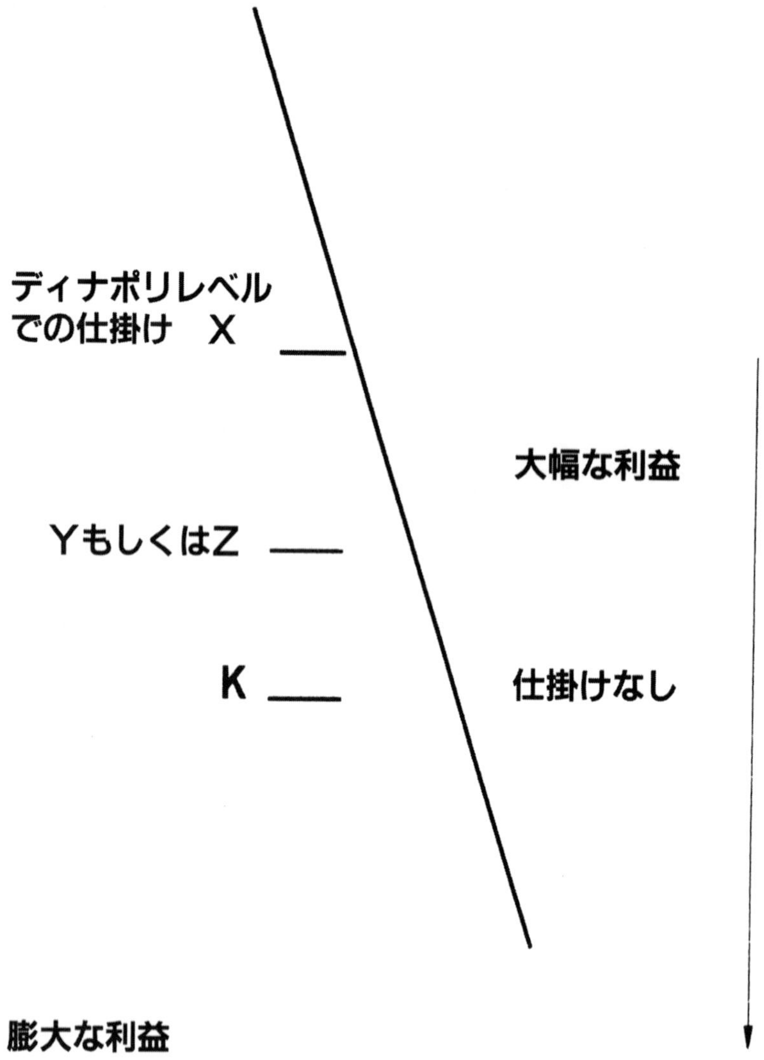

可能性３

流動性の低い市場など、基本的に支持線がない場合、マインスイーパーによる仕掛けの手法を採用することで、大きな損失を防ぐことができる。

チャート13.8

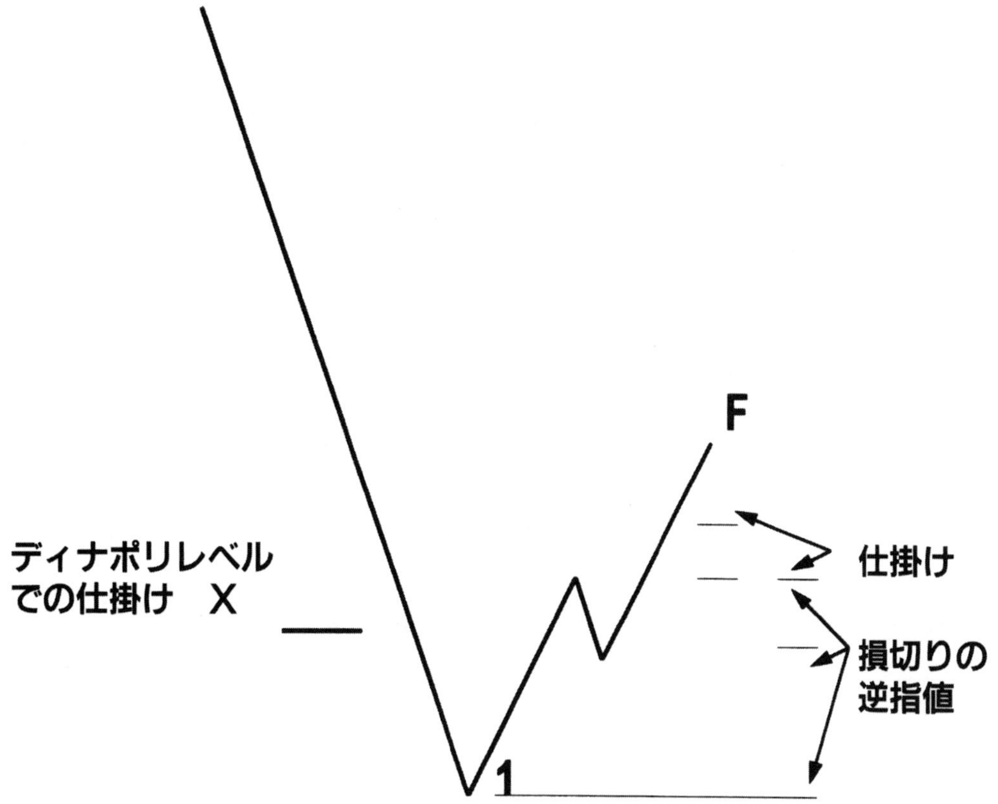

マインスイーパーB――仕掛けと損切りの逆指値を置くテクニック

このテクニックでは、単にノードの上でなく、コンフルエンスエリアを上回る水準で実際の仕掛けを行ってより大きな保険を確保しようとするものである。損切りの逆指値はコンフルエンスの領域よりも下に位置するため、より高い確率で保護されることになる。あなたは、ブッシュのほうがより大きく、幅も厚いと思うかもしれない。上に記したのが、マインスイーパーBのラインチャートである。仕掛けの選択肢は複数ある。まず、最初の0.382のノードの上、コンフルエンスの上、0.618のプライマリーノード（図では示されていない）の上さえも選択肢となる。また損切りの逆指値もいくつか選択できる。コンフルエンスの下、0.618ノードの下、ポイント1の安値などである。

マインスイーパーAとBは、いずれも通常の時間枠を短くして活用している。これは、支持線が出現したあとに、ディナポリレベルを算出するためにより多くのリアクションの安値を得るためである。これはデイリーベースのトレーダーであっても、60分足のチャートを利用することが有効であることの好例である。この60分足チャートは、ディレイのデータのものでかまわない。第1章を参照。

チャート13.9

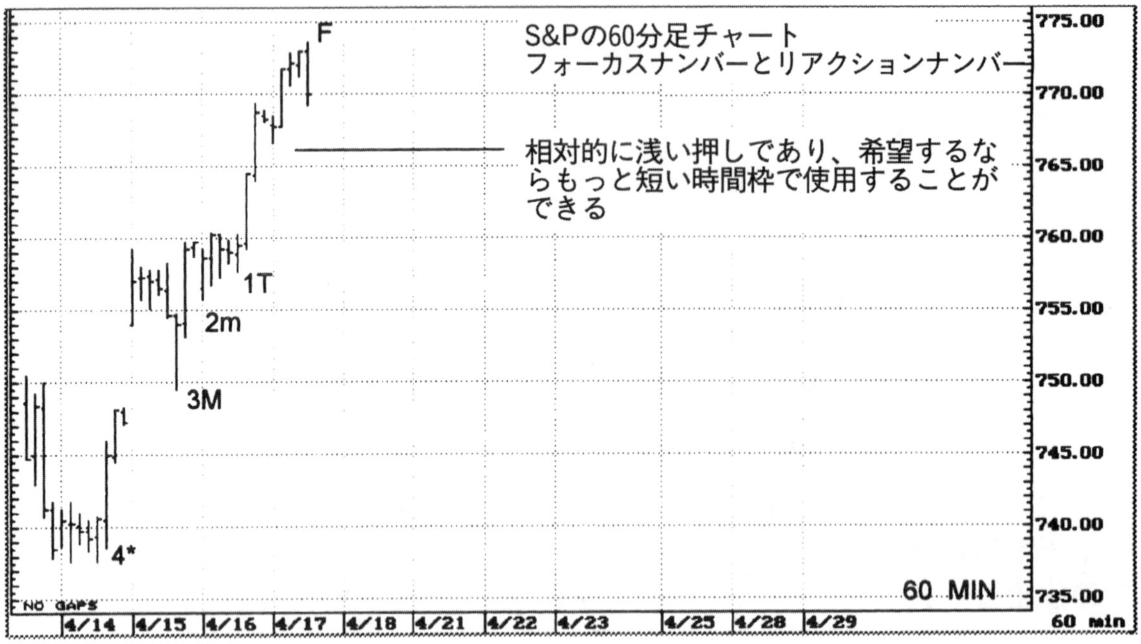

60分足のS&Pによるポジション戦術

上の例は、いくつかの戦術を60分足チャートのS&Pに適用してみたものである。

チャート13.9は、60分足のS&Pチャートでの急伸場面である。日足でも60分足でも、上昇トレンドが形成されており、われわれはこの相場を買いで参加しようとしているとしよう。また、市場は70%というかなりの買われ過ぎになっているために、慌てて買いたいとは思っていないし、また仕掛けたあとはこのトレードと「結婚する」つもりはない（早めの手仕舞いを考えている）。また、より長い時間枠のフィブノード抵抗線の位置が、われわれの今回のトレードに影響することはないと仮定しよう。つまり、こうした抵抗線はこのチャートに示された価格帯の範囲内やこれをやや逸脱した水準にはないものと仮定することする。

次ページに記したフィブノードのプリントアウトは、**チャート13.9**でのフォーカスナンバーとリアクションナンバーを示している。コンフルエンスエリアは示していない。読者はすでに、トップとボトムのノードの比較から自分でコンフルエンスを特定できるようになっているはずである。

```
Focus Number   File SPM602            Focus# (High for the swing)
Point Number   Support Fib Nodes       Point# (Enter highest reaction low first)
---------------------------------------------------------------------------
77360     1
        ===> 76812  T
        ===> 76473  T
75925
-----------------------------------
77360     2
        ===> 76678  m
        ===> 76257  m
75575
-----------------------------------
77360     3
        ===> 76439  M
        ===> 75871  M
74950
-----------------------------------
77360     4
        ===> 75985  *
        ===> 75135  *
73760
-----------------------------------
Copyright (c) 1996 CIS, Inc.
```

オーケー、ハンク。君ならばどこで買いを入れる？

ハイテンションのハンク　答える前にひとつ教えてほしいのだが、フォーカスナンバーの左側の４本目のバーに最初のリアクションがないのはなぜだい？　このリアクションは、有効なはずでは？

確かにリアクションナンバーは有効だが、今回のトレーディング基準では、市場が買われ過ぎになっているとしている。われわれは仕掛けが可能な水準として最も高いところを探しているわけではない（第７章参照）。もしわれわれが比較的高い水準での仕掛けを求めていて、その手段があるのならば、時間枠を30分足や５分足まで下げるだろう。ここで問題にしているリアクションポイントや、60分足チャートには現れないその他のリアクションポイントについては、より短い時間枠に含まれることになる。

ハイテンションのハンク　了解、よく分かった。それでは、私ならば768.12より上で仕掛け、コンフルエンスの下になる764.73に損切りの逆指値を置こう。ただし、逆指値は好きじゃない。

なぜ好きじゃない？

ハイテンションのハンク　300ポイント以上の損切り幅だからだ。これでは、たった１枚しかトレードできない！

じゃあ本当はどうしたいのだい？

ハイテンションのハンク　最初のリアクションに対するフィブノードがどこになるのかを特定し、そのなかのひとつを下回る水準に損切りの逆指値を置きたい。

ダン、君の意見は？

勤勉なダン　私ならば、764.80のコンフルエンスの上で仕掛ける。そして、764.25のコンフルエンスの下限を下回る水準に、ブッシュ戦術による損切りの逆指値を置く。

理由は？

勤勉なダン　相場が有利に動くならば、コンフルエンスの水準は維持され、その次のブッシュによる損切りの逆指値は762.57を下回る水準になるだろう。これは、マイナーなフィブノードのため、私は使う気になれない。

カールはどうする？

保守的なカール　市場はかなりの買われ過ぎとなっているので、私が仕掛けるのはコンフルエンスエリアの下方にある758.71と759.85の間の水準まで待つことにしよう。758.75で買い、751.35のプライマリーノードを下回る水準にブッシュによる損切りの逆指値を置く。大きな損切り幅ではあるが、実は、S&P市場でのトレードを１人でやることに二の足を踏んでいる友人が、私のトレードのうち半分を引き受ける約束をしてくれているのだ。１枚の半分でトレードするならば、この損切りも悪くない。

その友人が、君の口座に払い込んでくれたことを確認したかい？

保守的なカール　まだだけど、でも損が出た場合でも彼はきちんと払ってくれるに決まってるさ。

チャート13.10

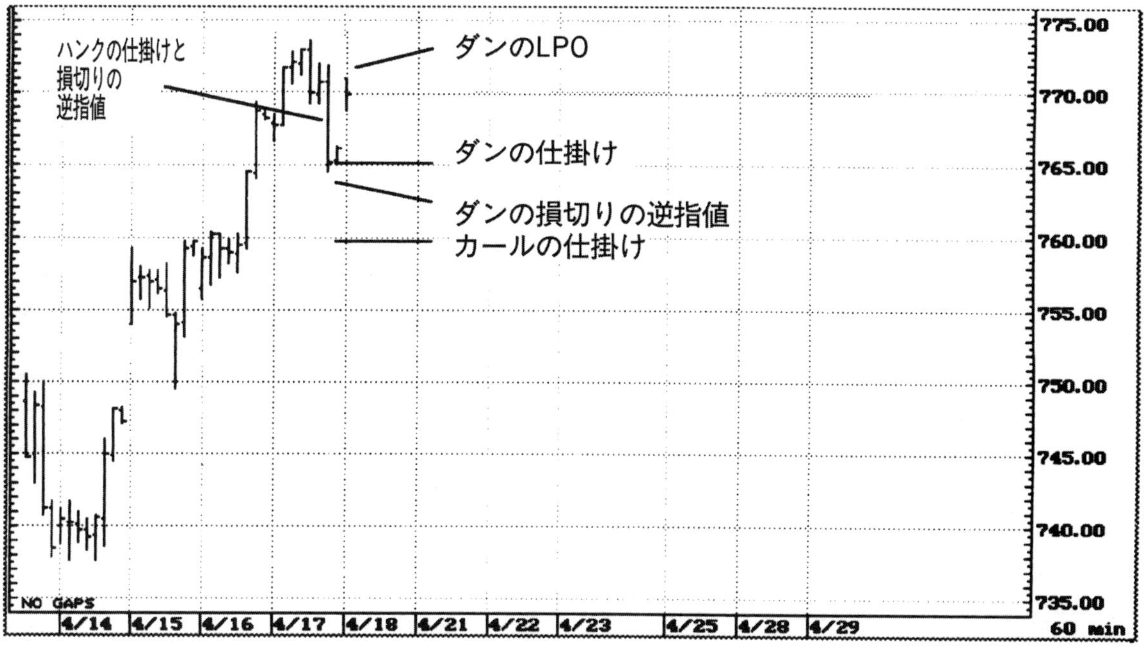

うーむ……。

それでは、**チャート13.10**で実際のトレードがどうなったかを見てみよう。

ハンクは、自分の注文がギリギリの水準で成立しなかったために、だれにも告げずその日のうちに仕掛けの注文をキャンセルし、成り行き注文で10枚買った（われわれに黙って入れた注文なので、ここでは表示していない）。彼はボンサイによる55ポイントの損切りの逆指値を仕掛けの水準の下に置いた。彼の両方の注文は同時に執行されてしまった。フロアはハンクが好きなようだ（ハンクを食い物にしている）。歯医者も彼が好きなようで、ハンクは再び歯列矯正器具をつけることになった。

ダンの注文は執行され、損切りの逆指値は最後までヒットしなかった。市場が買われ過ぎだったことから、彼は理論的利益目標として、0.618のプライマリーノードの抵抗線を選択した。そのうえ手仕舞い注文は翌営業日の寄り付きよりも前に執行されたために、予想していたよりも良い結果が得られた。

カールは、ダンの注文が執行されることとなったスラスト（急落）のあと、気が気ではなくなり、相場を見ていられなくなってしまった。しかし、庭の様子を見て戻ってきたら自分の注文がまったく執行されていなかったために、とても安心した。

チャート13.11

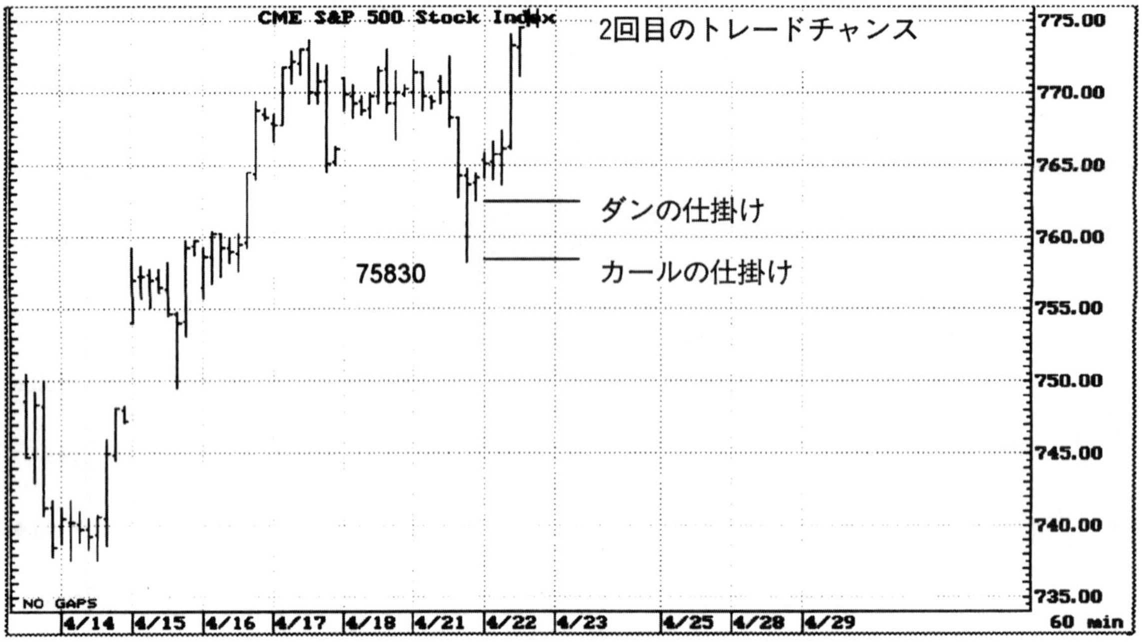

トレードの続き（チャート13.11）

ダンは二番目の下落場面で、758.30での安値が形成されたあとにマインスイーパーでの仕掛けを待っていた。この戦術には理由が２つあった。まず彼は、このスラストの下げ場面を60分足のチャートで見ていたことから、これがスラストの上昇に対する２回目の急落場面となり、ナーバスになっていたのである。彼は60分足チャートで３×３を使用してはいなかったものの、このチャートの形はややダブルレポの売りに似ていた。また彼は、適切な損切りの逆指値の水準を見つけることができなかったのだった。

カールは、自分の出した注文をそのままにしておいた。当初のトレーディング基準に影響を与えるような重要な変化が何も見られなかった、というのを言い訳にしていた。デイリーのトレンドは依然として、彼にとって有利な状態だったのだ。

ハンクはこのトレードを仕掛けなかった。彼はスクリーンを注視しつつ、親戚や友人に電話をしまくり、資金調達に努めていたのだ。

それでは、トレードの結果を見てみよう。

チャート13.12

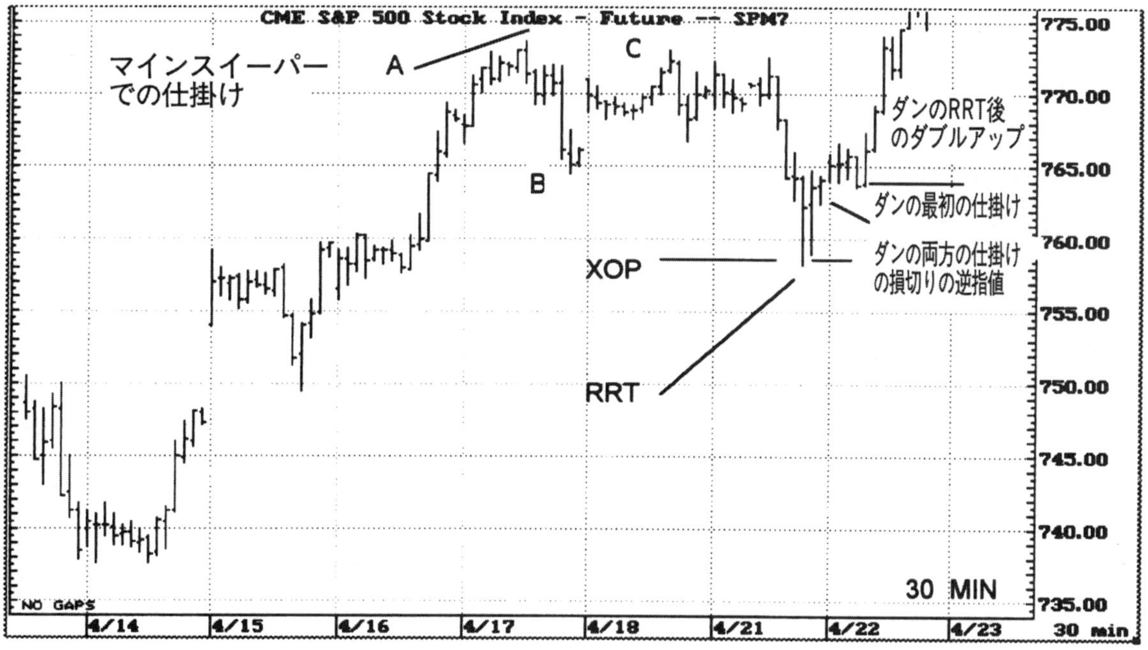

チャート13.13

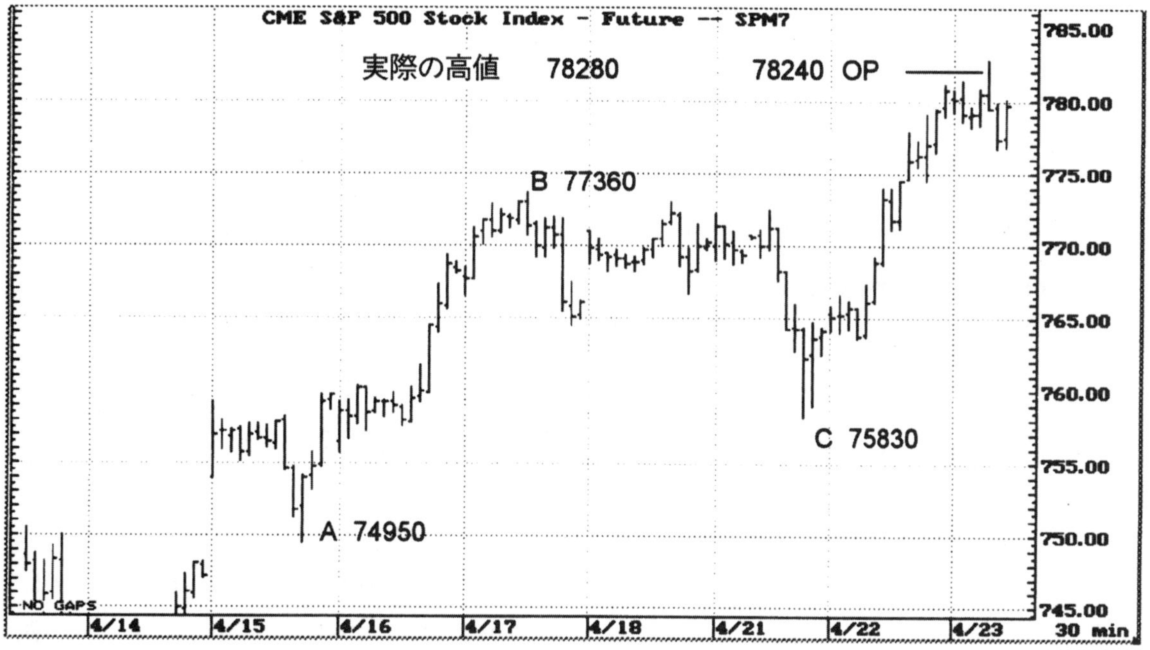

カールの注文は執行され、損切りの逆指値は一度もヒットしなかった。彼と彼のパートナーは、このトレードでほぼ完璧に目標ポイントを達成したのだった（**チャート13.13**参照）。

ダンのマインスイーパー戦術による仕掛けの注文も執行され、直近の安値に置かれた損切りの逆指値はヒットしなかった。彼は、最初の仕掛けから1時間後には線路に気づき、フィブノードを計算し直してポジションの数を倍に増やし、そして、0.382のノードでさらに買った。彼は、**チャート13.13**にあるカールが手仕舞ったのと同じ目標ポイントで、すべてのポジションを手仕舞った。**チャート13.12**は、彼の仕掛けと損切りの逆指値のポイントを示したものである。ダンは、自分のトレーディング基準を再検討し、**チャート13.12**に示されるように、「自分とカールが買いを入れたコンフルエンスエリア」と「この下落場面のXOP」との間にあるアグリーメントを逃したことに気が付いた。

ただ、このことを気にしてはいなかった。2営業日で1枚当たり1万2000ドルの値洗い益を確保していたからである。ダンは休養が必要だったのでまたバケーションを取り、今度はバンコクへと旅立った。いつものように、今回のトレードに関して記録を取り、彼は飛行機に乗り込んだ。

チャート13.13の目標ポイント。

```
30 Apr 97  13:44:35          Updated: 00/00/0000     0.618  1.618
Point Value      Objective Points      File  SPM301
-----------------------------------------------------------------------------

  A = 74950          COP = 77319
  B = 77360            OP = 78240
  C = 75830          XOP = 79729

Copyright (c) 1996 CIS, Inc.
```

ウオッシュ・アンド・リンス――自信を構築するもの

このパターンは、戦術というよりもむしろある種のヒントとか手掛かりといったほうが近い。仮に今、ディナポリレベルの上で保ち合いが続いているが、相場に動きは見られず、上昇の見込みがないとしよう。その後、突然すべての損切りの逆指値が執行されたものの、より短い時間枠のチャートでスラストが見られたとする。この場合、相場がディナポリレベルを一時割り込まれたことは心配する必要はない。

本書のなかでも、ウオッシュ・アンド・リンス（洗いとすすぎ）について各種の例が掲載されている。その一部は第15章でも扱う。ウオッシュ・アンド・リンスは、必ずしもディナポリレベルの水準で起きる必要はなく、起こった場合には、対処がより簡単である。

これがトレードに役立つ理由は何だろうか？　まず、ここで何が起きたかというと、市場の損切りの逆指値が一掃されたために、フロアではこれ以上相場を下げようとする理由がなくなっているということが考えられる。さらにもうひとつは、市場参加者が相場を下げようとした結果、大量の買いが入った可能性もある。三番目としては、よりシニカルな解釈だが、どのような機関投資家やトレーダーであれ、重要なポジションを買い集めたいと望んでいた向きが（保ち合いでの買いと損切りの一掃で）目的を達したというふうにも読める。この機関投資家や個人は、ポジションに関して満足しているので、相場を再び抑えて無理に保ち合いを継続する理由はない。いずれにせよ、損切りの逆指値で手仕舞われてしまい、再び仕掛けを望む向きはより高い水準で再び仕掛ける必要があるのだ。イントラデイ内のすべてのトレンド指標は、いずれも上昇を示し、仕掛ける機会である。あなたが手仕舞い（ジョー・ディナポリの『スリー・ピリオド・ルール［Three Period Rule］』ホームトレード講座の「フィボナッチ・マネーマネジメント・アンド・トレンド・アナリシス」より）をしたか、あるいは損切りによって手仕舞われたならば、これまでの仕掛けのテクニックを駆使して、再び仕掛けていいときである。

よくある質問

どのテクニックが最も優れていますか？　どれを使えばいいのでしょうか？

各トレーダーの心理次第である。これひとつだけ、という答えはない。相場の動きや、それがもたらす結果をしっかりと観察して各戦術を完全に自分のものにできれば、自然にどの戦術を選ぶか決まってくるだろう。実際の市場を経験することも、適切な戦術選びを左右することになるだろう。

私が行うトレードの多くは、ブッシュのバリエーションである。しかし、より適切と思われる場合、ほかの戦術を利用することもある。

マインスイーパーBは複雑に思えます。トレードを開始する前に、多くの売買チャンスを失うことがあります。どうしてこんなやり方をやる必要があるのでしょうか？

確かに複雑さはより高いが、市場のコンテクスト、すなわちセットアップがより長い時間枠の場合、例えば60分足かそれ以上の場合には、適用するのが比較的簡単である。この手法でコストが多くかかるかどうかは、選択した仕掛けのノードかその付近で、どれだけの支持線が現れるかということに左右される。この点についてよく分からない読者は、本章のマインスイーパーの部分を参照されたい。

マインスイーパーのテクニックは、当初仕掛けたいと考えていた水準に支持線が見えたならば、ブッシュの応用例にすぎなくなるのではありませんか？

そのとおり！　わざわざ別の名称を与え、別個に扱うことで、この戦術の応用性を示したのである。

これまでの例は、いずれも買い方について示してきたが、売り方の場合も同様に機能する。

チャート13.14

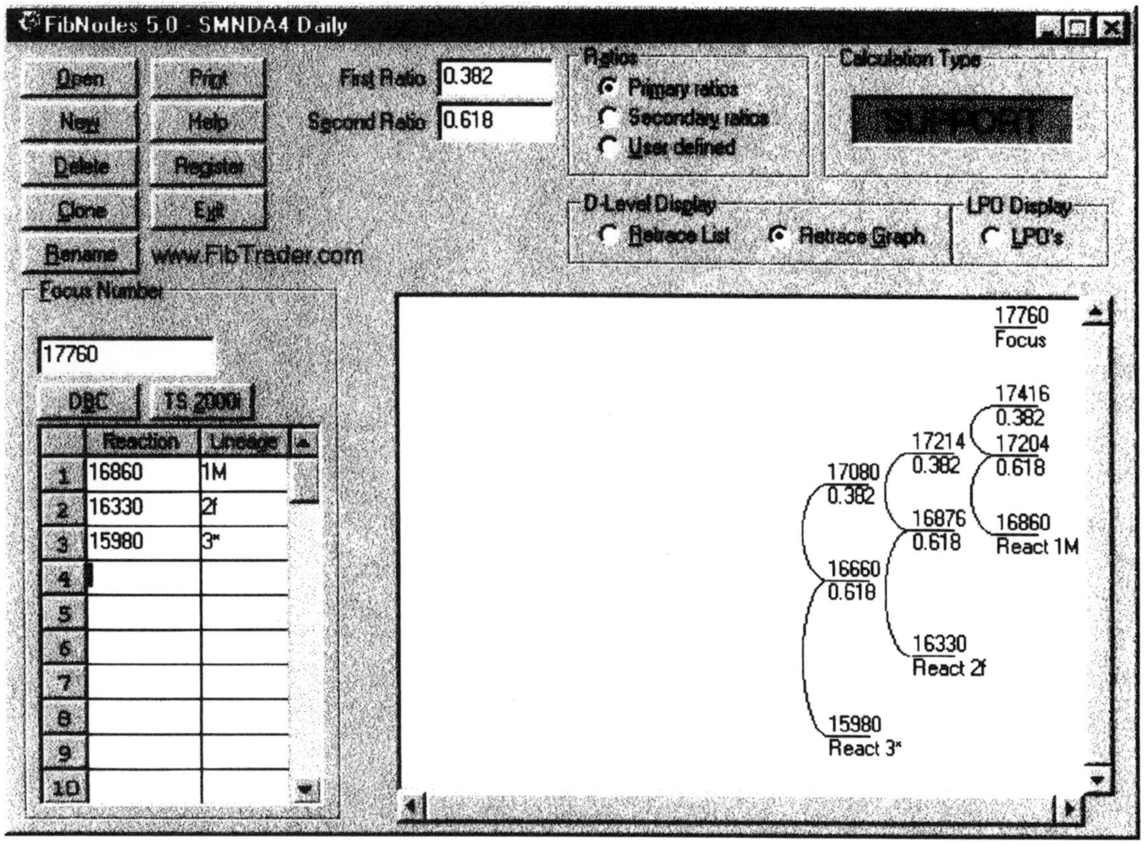

上記は、242ページに表の形式で示したフィブノードプリントアウトをグラフィックで表示したものである。17214の0.382ノードと17204の0.618ノードの間にコンフルエンスが存在することに注意されたい。コンピューターのスクリーンでは、フィブノードがカラー表示され、0.382ノードと0.618ノードが水平方向に列をなしている様子が簡単に見ることができる。

第14章

よくあるミスを防ぐために

CHAPTER14 AVOIDING A TYPICAL MISTAKE

概観

トレーディングでは、継続的かつ集中的な警戒が肝心である。相場のプロが新人と違うのは、ミスを犯す回数が相対的に少ないということだ。ただ、それでもミスを完全に防ぐというのは望めない。次の例を研究することで、類似の状況での解釈の間違いを避け、不要な損失を回避できるかどうか確かめていただきたい。

この例は月足データによるものだが、それが適用する同じ思考プロセスは60分足チャートや５分足チャートにも応用可能である。

Ｔボンドの例

次に掲げたＴボンドの月足のつなぎ足チャートとこれに付随したフィブノードのプリントアウトについて考察してみよう。ここには、３つのリアクションの安値と122-10のフォーカスナンバーが記されている。

将来の値動きを予想するために、0.382のプライマリーノード付近の値動きに注目してみる。ただ、あなたが現在よりも高値からトレードを開始し、より短い時間枠チャートを使用していた場合には、ここに表示されているすべての支持ノードは、主要なディナポリレベルの支持線であると仮定するほうが合理的である。なぜなら、これらのノードはすべて、重要な月足チャートのリアクションポイントから形成されたものであり、30分足チャートのそれではないからである。もしもあなたが日足や週足のチャートを見れば、少なくともこれらのすべての価格レベル付近では、注目すべき相場の上昇場面が見られるはずである。これが、たとえ５分足チャート上であっても、いかに有益なことかをよく考えてみるべきだ。

もしあなたが長期の強気相場が継続しているかどうかを分析したいのならば、週足チャートと月足チャートのトレンド指標を見ることになる。また相場が＊の0.382プライマリーノードを割り込んだか、あるいは主要なコンフルエンスのエリアを割り込

チャート14.1

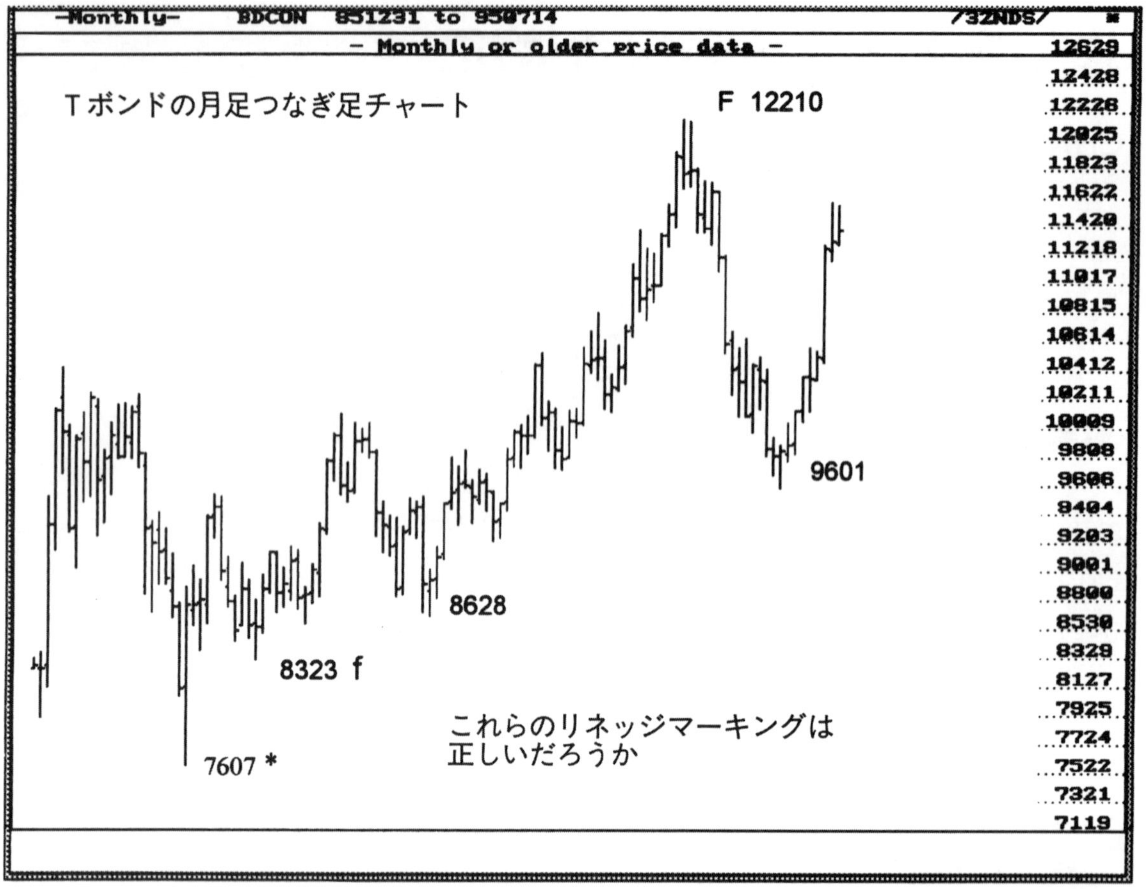


```
28 Apr 97    11:34:11    Updated: 04/28/1997              0.382  0.618
Focus Number   File BDMOPA2        Focus# (High for the swing)  /in 32nds/
Point Number   Support Fibnodes     Point# (Enter highest reaction low first)
--------------------------------------------------------------------------
12210     1
       ===>  10825
       ===>  10013
8628
----------------------------------
12210     2
       ===>  10718  f
       ===>  9815   f
8323
----------------------------------
12210     3
       ===>  10423  *
       ===>  9326   *
7607
----------------------------------
Copyright (c) 1996 CIS, Inc.
```

んだかどうかも見ることができる。もし主要な支持線を割り込んでいれば、これを維持しているときよりも明らかに弱気に傾いていることを示している。このような支持線割れは、市場での値動きが大きく変化したことを示している。ファイルBDMOPA2で示された月足のディナポリレベルを見ると、104-23の水準は、0.382のプライマリーノードであるように見える。あとでまた見るが、実はこれはプライマリーリアクションの安値ではなく、主要なリアクションポイントから発生したフィブノードである。104-23を割り込んだことで弱気に傾くとの見通しは見事に当たったが、プライマリーリアクションの安値から出たノードを割り込んだ場合と比較すれば、それほど大きく弱気になったわけではない。

104-23を割り込んだ時点で、私は100-13付近まで下げると予想していた。これが次のフィブノードの支持線だからである（ボックス1の0.618リトレイスメントを参照）。100-13の付近で買うのが合理的な場面だろう（もしコンテクストと適切なポジション戦術によって支持されるならば）。損切りの逆指値の設定は、ボックス2の98-15にある0.618フィブノードのちょうど下あたりが適切であるように見える。また、終値が98-15を割り込む期間が長いようであればさらに下落相場が続き、ボックス3にある最後のフィブノード支持線の93-26まで一気に下落してしまう可能性があるとみることが妥当なようだ。

こうした一連の分析はみな正しいように見えるのだが、ここにはひとつの間違いがある。スクリーン上、つまり**チャート14.1**に表示されているのは、われわれの適切な分析に必要なものではないのである。

チャート14.2は、同一のTボンドのつなぎ足チャートである。このチャートでは、1981年に付けたリアクションの安値までさかのぼって収録している。

このリアクションの安値を含む一連のディナポリレベルのプリントアウトを見ると、状況がかなり違って見えてくることが分かる。現在、＊の0.382ノードは104-23ではなく、96-21となっている。また、月足のコンフルエンスは98-09～98-15の領域にある。このより完全な見通しと付随する一連のフィブノードによって、分析内容は大幅に変化した。例えば、損切りの逆指値を置きたい水準としてはコンフルエンスのレンジの98-09～98-15かこの上となる。われわれとしては、これを下回る水準での損切りの逆指値を希望しているものの、プライマリーノードの96-21が大きく控えていることから、93-26の水準については期待していない。

さて、**チャート14.1**では、コンフルエンスエリア付近と、96-21にある0.382プライマリーノード付近の両方での相場動向に注目してもらいたい。98-15水準の付近まで下げたあと、相場はいったん支えられ、そしてその後、96-01まで一時的に下げるために、コンフルエンスエリアと＊の0.382ノードの両方を割り込むことになる。このチャートは月足のために、一時といっても5分足チャートでの一時とは訳が違う。コ

チャート14.2

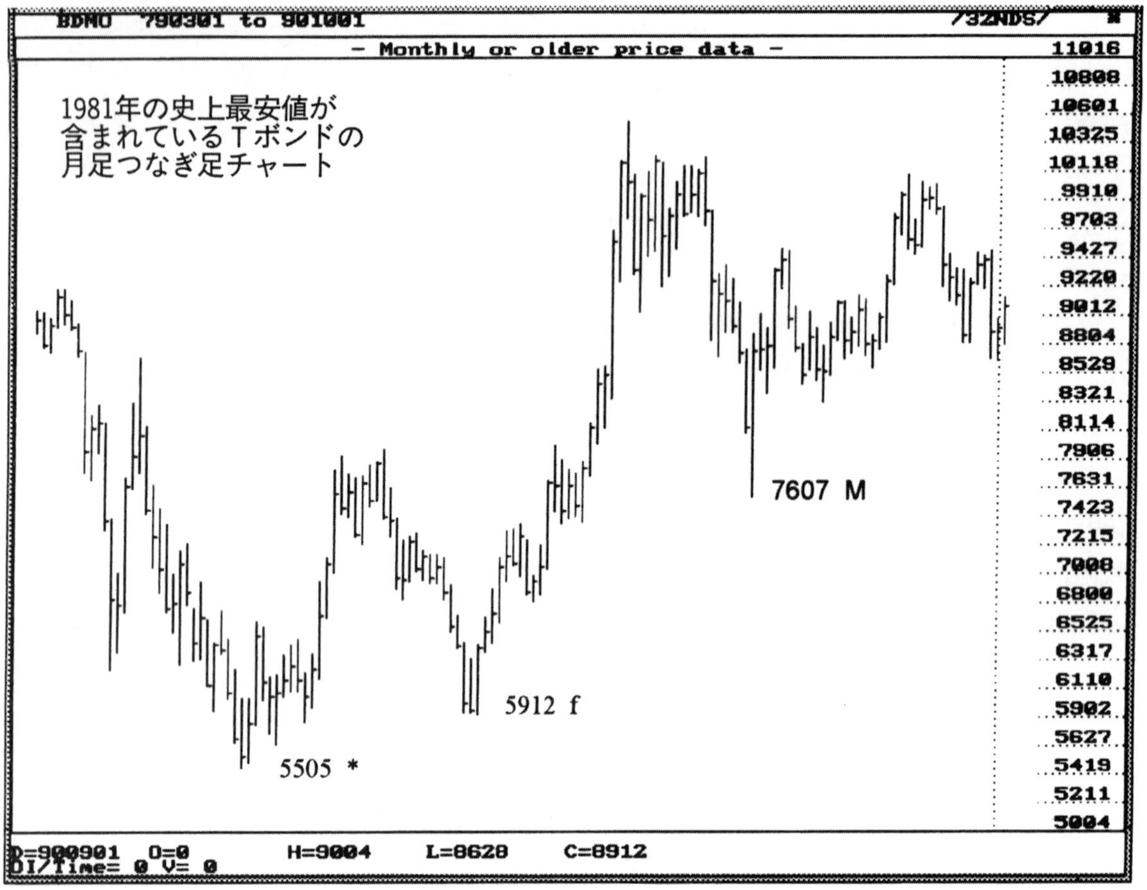

ンフルエンスエリアは一時的に割り込まれたもので、月足のつなぎ足チャートでは、98-15のフィブノードを下回って引けたことは一度もないのだ。このTボンド相場は、米国の債券相場として記録された史上最安値から形成されたフィブノードである＊の0.382ノードまで下落したにすぎなかったのである。適切な分析に基づいたわれわれの結論としては、市場では強気が依然続いていると確信することが可能であり、相場は見てのとおり、わずか数カ月後に122-00の高値まで上昇したのだった。

確かに、＊の0.382ノードまで「ただ戻しただけだ」と口で言うのは簡単だろう。だが、債券市場で50枚の買いポジションを持っているとしたら、「ただ単に戻しただけ」などとは思えないに違いない。ただ、ここで読者に理解しておいてほしいのは、こうした一連の分析がすべて、分析対象の時間枠といつでも関連して行われなければならないということである。月足のつなぎ足チャートでこうした動きが見られた場合、短い時間枠によるトレードにとっては、優れた好機となる場合があるのである。

私としては5分足のチャート上で、相場の主要な押しであるプライマリーノードま

```
28 Apr 97    11:48:55    Updated: 00/00/0000            0.382  0.618
Focus Number   File BDM04          Focus# (High for the swing)  /in 32nds/
Point Number   Support Fibnodes     Point# (Enter highest reaction low first)
----------------------------------------------------------------------------
12210    1
       ===>  10825
       ===>  10013
8628
------------------------------------
12210    2
       ===>  10718
       ===>  9815     ------------------+
8323                                    |
------------------------------------    |
12210    3                              |
       ===>  10423  M                   K
       ===>  9326   M                   |
7607                                    |
------------------------------------    |
12210    4                              |
       ===>  9809   f  -----------------+
       ===>  8313   f
5912
------------------------------------
12210    5
       ===>  9621   *
       ===>  8026   *
5505
------------------------------------
Copyright (c) 1996 CIS, Inc.
```

で下落するのが見たいところである。この場合、市場の損切りが一掃されて相場は着実な反発を示し、さらに高値を追うことになるだろう。これは長い時間枠でも、同じことが言える。ただ、その場合、私がプライマリーノードと見ているものが、現在自分が分析しているマーケットスイングのプライマリーノードであるということが実際に確認される必要がある。

対象を広げてみよう

このタイプの分析は、われわれが毎日トレードするような典型的な金融市場だけに限定されるわけではない。1990年前後のカリフォルニア州オレンジ郡で見られた不動産相場暴落のときには、だれもがタオルを投げようとしていた（ボクシングでの負けのサイン）。オレンジ郡も、数年後には破綻した。億病な弱虫が悲鳴を上げていたのだ。

ここで、確かに科学性には乏しいのだが、興味深い結果を示すディナポリレベルによる分析を見てみよう。基本原則として、不動産のタイプとか住宅のグレード、一般的な近隣環境などは一定と仮定する。また、十分な市場流動性がある特定の住宅のグレードを分析するものとしよう。われわれは木材先物取引について分析しているわけではない。Tボンドの不動産版で、広さが1200〜1500平方フィート、ベッドルームが2〜3部屋あり、中流階級の愛の巣というような規模である。

1970年代初期の住宅の資産価値は建築コストとほぼ同値であり、このコストはほとんど一定の水準で推移し、当時のインフレ率は抑制されていた。しかしその後の物価は、ほとんど垂直といってもいいほどの、休みのない急上昇となったが、80年代初期にはカーター政権の「金融引き締め政策」が発動された。われわれがここで想定した愛の巣の価格は、20%のプライムレートとTボンド先物価格が55-00となる直前の時点で、約11万5000ドルまで上昇していた。その後この住宅価格は、この高値から約9万ドルへと反落する。しかし金利水準が適度な水準に落ち着くと、住宅価格は上昇を再開し、約21万5000ドルの高値まで上げた。これは、目標ポイント（OP）のエクステンションをやや上回るものだった。

チャート14.3は、この期間の南カリフォルニア不動産相場を年足のディナポリレベルで極めてシンプルに描いたものである。より詳細なデータがあれば、さらに多くのリアクションの安値を記入することもできる。ただ、これは年足チャートであり、ここで検証している対象は主要なフィブノードに限られるのである。

90年代初頭から中ごろにかけて相場は17万ドルへ反落し、0.382の主要なノードと顔合わせした。その後価格は14万2420ドルにある0.382ノードを大きく上回って推移している。どこが問題なのだろうか？　90年代の初め、私は友人や関係者、取引先などの人々に対して、オレンジ郡の不動産の買いを勧めた。しかし、実際に買った人はほとんどいなかった。フィボナッチの押し・戻り分析を学んだ者ならはっきりと読み取ることができる支持線が、彼らには見えなかったのである。このときの下落相場は、通常の修正安にすぎなかったのだ。これが予想できた人は、しっかりと利益を上げることができただろう。

ここで興味深いのは、このときの安値が主要なリアクションから形成されたノードだけでなく、家賃収入、つまり一般的な抵当（住宅ローン）に対する支払いのために、当該住宅が稼ぐことのできる資金によっても支えられていたことである。農地の価格がインフレ時の高値から暴落したときも、経済的に順当な価格、つまりその農地が生産する農産物によって合理的と判断できる価格まで値を戻すことになったのだ。これについて私は分析していないが、このときに相場が下げたのも、プライマリーノードの付近までの水準だったに違いない。

それでは、ここからはどうなるのだろうか。17万ドルまでの下落を受け、相場は拡

チャート14.3

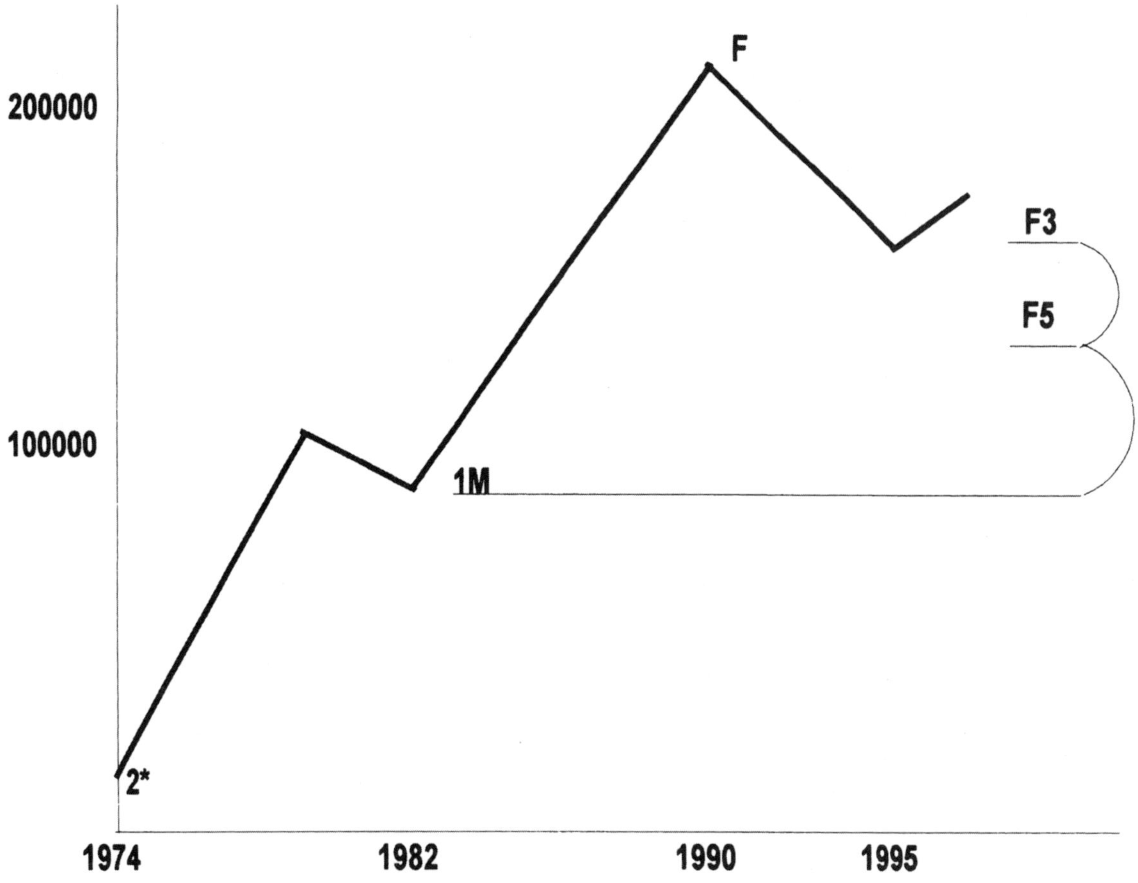

28 Apr 97　14:16:59　Updated: 04/28/1997　0.382 0.618
Focus Number　File CAREYR02　Focus# (High for the swing)
Point Number　Support Fibnodes　Point# (Enter highest reaction low first) [omit edit again, sorry]

```
--------------------------------------------------------------------------------
215000    1
       ===>  167250  M
       ===>  137750  M
90000
-------------------------------------
215000    2
       ===>  142420  *
       ===>   97580  *
25000
-------------------------------------
```

張を計算し直すべき新たなポイントにたどり着いている。目標ポイント（OP）の算出は読者にお任せするが、その水準は最近の下落場面によって形成された抵抗線のノード（ここでは表示されていない）をブレイクできた場合に到達できる水準だと思われる。

これまで、上昇トレンド継続のコンテクストのなかで、長期チャートとメジャーリアクションについて見てきたが、ここで、1日のなかで500ポイント下げ、数週間では1000ポイントを超える下げとなった時期のダウ工業株30種平均のチャートを見てみよう。次のページに掲載したフィブノードのプリントアウトに示された一連のディナポリレベルと、前回第11章に示したのと同じ**チャート14.1**を見ていただきたい。

相場は、＊の0.382ノードへと下落した場面だが、この水準はコンフルエンスエリアでもあった。相場は、通常の修正安のコンテクストにとどまっていたのだ。

質問

ジョー、あなたは常に過去にさかのぼって、より低い水準のリアクションの安値を指摘することができるが、プライマリーリアクションとそうでないものを、どう見分けたらいいのですか？

この質問に対する答えは、ひとつには記録付けと組織化ということになる。もう一方では、トレードにおける意思決定に対して時間枠が与える影響を理解することだといえる。

過去にさかのぼれば、より低いリアクションポイントが必ず見つかるとは限らないが（Tボンドの場合、1981年までさかのぼる必要がある）、より長い時間枠を見るか、より圧縮したデータを参照すれば、それまで見ていた（デフォルト）スクリーンで表示されているよりも、より深いリトレイスメント（押し・戻り）が特定できる可能性があるのは事実である。この質問のような状況を扱うには、以下のようにすればいい。現在、トレードに使用している時間枠と同様、これより長い時間枠のすべてについて、一連のフィブノードをあらかじめ算出する。例えば、今、60分足チャートを使っているならば、日足、週足、月足についても計算を行うのである。これは、コピーをプリントしてクリップボードに挟み、ラベルを張っておいていつでも使えるようにしておくようなものだ。チャートは、高精密レシオコンパスを使って適切に印を記入しておく必要がある。また、こうしたデータは、自分の使用しているパソコンのソフト内にファイルしておかなければならない（こうしたソフトには、ファイルを適切にまとめられる「ページング」機能があるものを選んだほうがいい）。各ファイルとプリントした各チャートは、より長い時間枠によるファイルとは別個に、それぞれのリネッジ

チャート14.4

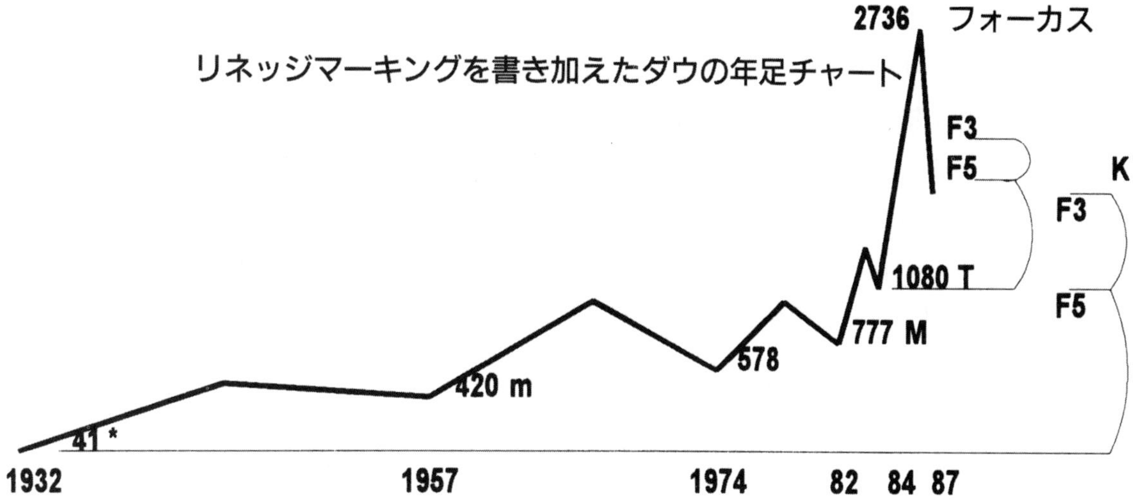


```
22 Apr 97     15:27:24     Updated: 04/22/1997                0.382  0.618
Focus Number   File DJYR02              Focus# (High for the swing)
Point Number   Support Fibnodes        Point# (Enter highest reaction low first)forget the edit]
--------------------------------------------------------------------------------
2736      1
        ===>  2103    T
        ===>  1713    T
1080
-------------------------------------
2736      2
        ===>  1988    M
        ===>  1525    M
777
-------------------------------------
2736      3
        ===>  1912
        ===>  1402
578
-------------------------------------
2736      4
        ===>  1851    m
        ===>  1305    m
420
-------------------------------------
2736      5
        ===>  1707    *
        ===>  1070    *
41
-------------------------------------
Copyright (c) 1996 CIS, Inc.
```

マーキングを持つことができる。このTボンドの例の場合であれば、私としては、当初のフィブノードのプリントアウトであるBDMOPA2をそのまま残し、そして独自のプライマリーリアクションやファーストリアクションリネッジマーキングを付けた四半期足か年足のファイルを作成することになる。より短い時間枠によるトレードのほうが手間がかかる理由は、そのときトレードしている時間枠よりも長い時間枠から得られる情報をつかんでおくことが必要だからである。追いかけるべき情報が大量にあるのだ！　もし5分足チャートによってトレードしているならば、週足の＊0.382ノードに到達する可能性は極めて低いものの、60分足や日足チャートでの＊0.382ノードが、あなたのトレードの決定に影響する可能性がないわけではない。自分自身のリスクはよく注視するべきである。アスファルトのへこみに気を取られ、すこし先の橋が押し流されてしまっていることに気が付かないのでは仕方がないのだ。

上記のことを説明するには、大量の例と大きなスペースが必要となる。こうした内容を習得するには、セミナー教室での講義か、個人個人による実践的な適用の繰り返しが最も適していると思われる。

第15章

追加の市場サンプル

CHAPTER15 MORE MARKET EXAMPLES

大豆ミールの長期トレード

では、大豆ミールでの長期トレードを分析してみよう。ここで説明するアプローチを使えば、15分間では無理ではあるものの、今後数カ月の期間で大きな利益の出るトレードを発見することが可能である。

概説

私は週末の習慣として、約20の先物商品のつなぎ足の週足チャートと月足チャートに目を通している。市場は閉じているため、私は客観的で混乱のない視点で見ることができる。私は主に、方向性指標、主要なディナポリレベル、そしてトレンド指標に目を通している。トレンドの判断とは別に、私は使用しているDMA（ずらした移動平均線）で特に25×5かほかのいずれかを通じて、価格のスラスト、またはアクセレレーションがあるかどうか判断している。もしこれがあれば、私は注目する。閑散な時期のあとに、長期のつなぎ足で25×5を通して見られる強いスラストは、大きな動きがやってくるという予測ができるからだ。

コンテクスト

私が長期のつなぎ足をめくっていたとき、私は**チャート15.1**を見つけて興奮した。私が注目したのは下記の点でである。

チャート15.1の拡張A、B、Cと、その下のフィブノードのプリントアウトを検討してみよう。目標ポイント（OP）の下げは達成されており、潜在的な支持線を示している。これは、私が最初にこのチャートを見たときの水準のままである。一方、潜在的な支持線は重要なことに、週足のMACDが買いを支持したにもかかわらず、私が仕掛けるほどには強くはなかった（**チャート15.3**）。トレードのための適切なコン

チャート15.1

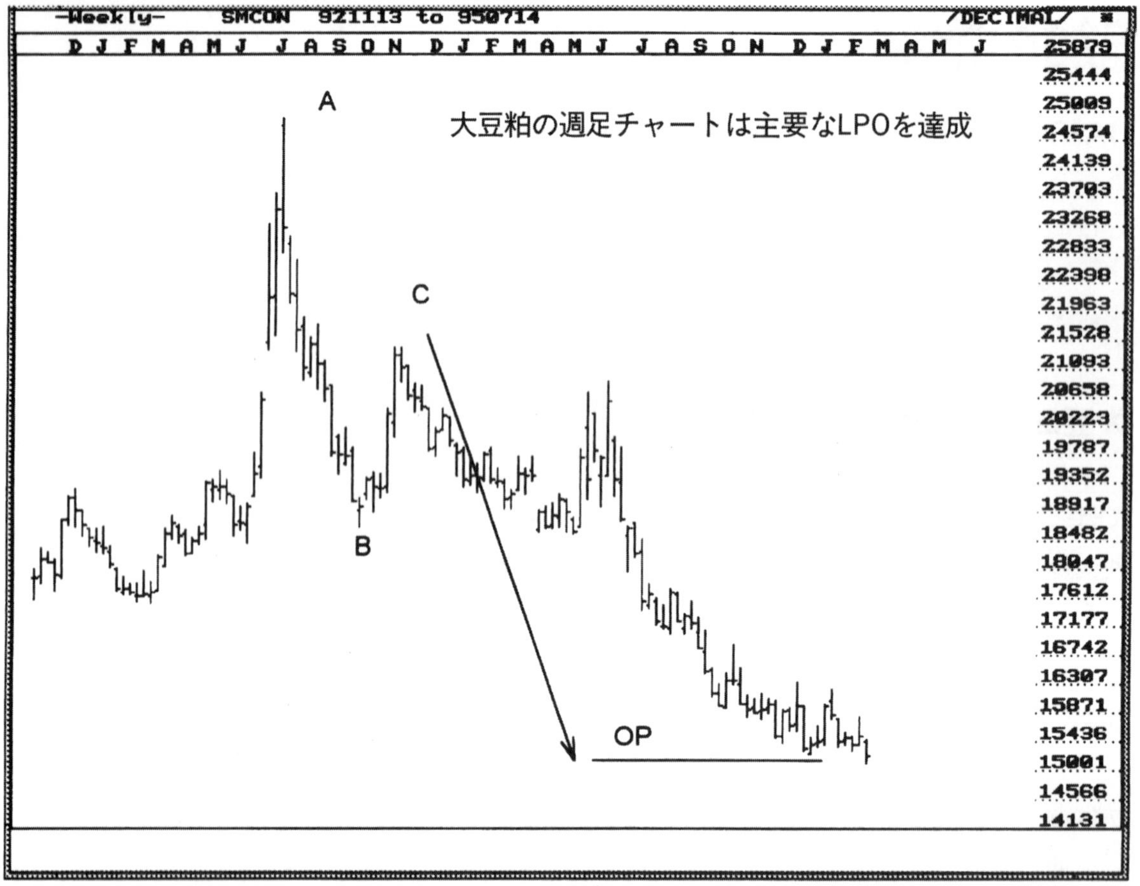

26 Apr 97 08:13:35　　Updated: 00/00/0000　　0.618 1.618
Point Value　　Objective Points　　File SMNWK2

A = 24900　　COP = 17598
B = 18700　　OP = 15230
C = 21430　　XOP = 11398

テクストが依然として不足としていた。上昇や上向きのスラストの兆候は見られなかった。

私は80年代初頭以降、大豆ミールのトレードはしていなかった。大豆ミールが上場していることすら忘れていた。ただ、このチャートをしばらく見ていると、大豆ミールがほぼこの時期（3月）に、季節的な底を付けるとの記憶がよみがえってきた。季節性も考慮に入れることによって、私はこの市場で買うという考えを持つためのコンテクストを得たのであった。

トレードの開始

長期トレードという性質から、仕掛けは簡単だった。市場価格よりも数セント下でというような心配は無用のため、「成り行き」で注文を出した。損切りの逆指値の設定が問題だった。支持線の兆候はなく、XOPも相当離れていたため、私は別の分析方法を試みた。私は、オプション戦略はあまり利用しないものの、ここではそれを利用するべき状況だった。以下のことをやったのである。私は、先物を「成り行き」で買い、最大損失の限定のために、そのポジションに対するプットオプションを買ったのだった。私は、これらのトレードを7月限で行ったことから、今後の展開のために、十分な時間を持つことができた。オプション戦略に詳しくない人のために説明を追加する。権利行使価格が現在の市場価格に近くなっているプットオプションでは、私の被る最大損失はそのコスト（買うときに支払ったプレミアム額）に限定される。これはそのプットによって、私が買った先物に近い価格で、私が先物を売る権利を得るためのものである。もし先物相場が上昇すれば、私は先物で利益を得て、プットは手仕舞いする。もし先物相場が下落すれば、私はプットで利益を得て、それで先物の買いポジションの損失の穴埋めを行う。こうした戦略を「ビーチトレード」と呼ぶ。このポジションを建てておいて、ビーチへと遊びに行くからである。

このポジションを建ててからしばらくすると、ウオッシュ・アンド・リンスがあり、25×5を通過しての価格の上昇があった。**チャート15.2**参照。**チャート15.3**のMACD・ストキャスティックスの組み合わせでは買いシグナルを示しており、すべてで相場が上昇に転じていることを示していた。

チャート15.2

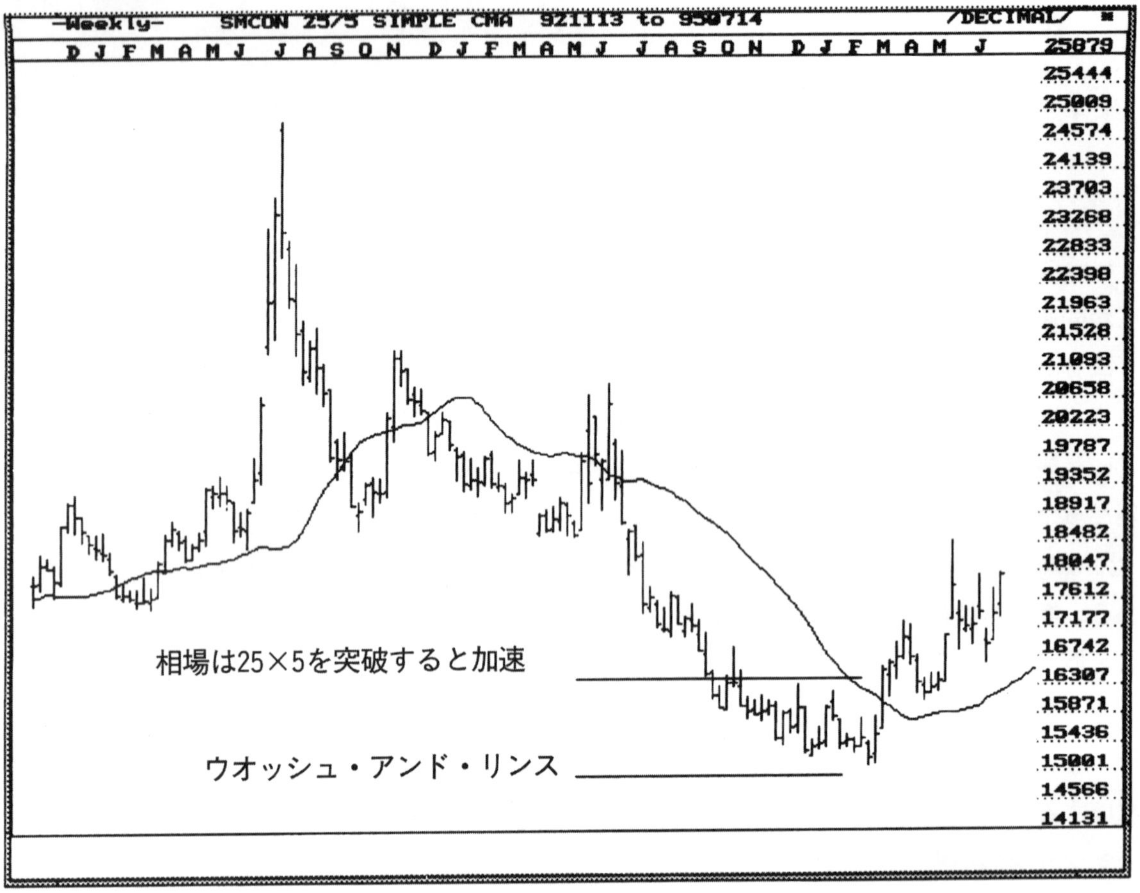
-Weekly- SMCON 25/5 SIMPLE CMA 921113 to 950714 /DECIMAL/
D J F M A M J J A S O N D J F M A M J J A S O N D J F M A M J
25879
25444
25009
24574
24139
23703
23268
22833
22398
21963
21528
21093
20658
20223
19787
19352
18917
18482
18047
17612
17177
16742
16307
15871
15436
15001
14566
14131
相場は25×5を突破すると加速
ウオッシュ・アンド・リンス

チャート15.3

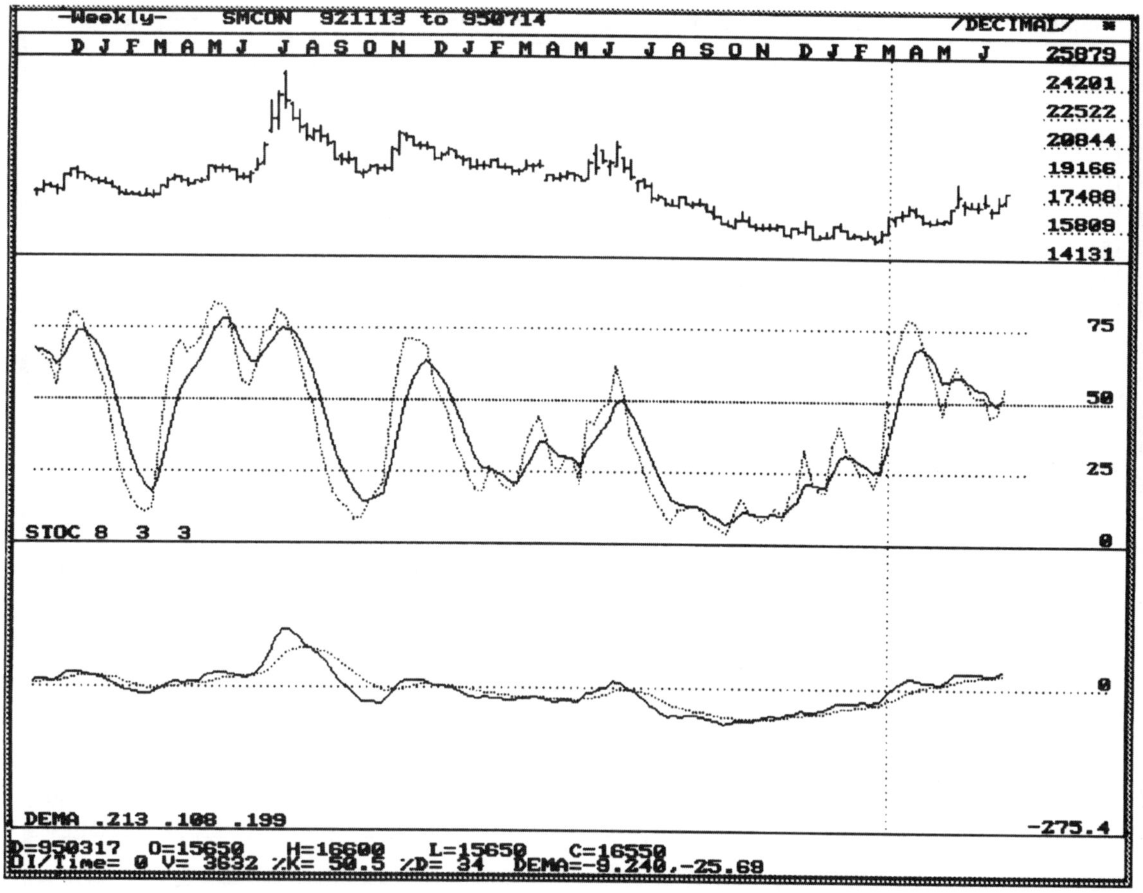

あなたが、先に述べたより高度なオプション戦略を使わなくても、また季節性について何も知らなくても、買う準備はできていたはずである。なぜかというと、あなたは週間の目標ポイント（OP）の達成というトレンド指標に注目して行動しているはずだからである。そして、このトレンドシグナル、上昇スラスト、ウオッシュ・アンド・リンスのあとに、最初の仕掛けの機会を得たはずである。

大豆ミール7月限の日足チャートである**チャート15.4**を見てみよう。これは、上記の週足チャートと同じ期間である。変更したのは、より詳細を見るために時間枠を日足チャートに変更しただけである。

25×5をブレイクしての加速のあと、3×3が上昇スラストを包含している。明確にするために、25×5の一部のみを表示した。思考を区別するためには、同一のチャート内で、トレンド指標とフィボナッチ分析を重ねて表示しないことを強く勧める。**チャート15.4**では、私がこの規則を破っているが、これはディナポリレベルの動きがシンプルだったので（フォーカスとリアクションナンバーのみ）、スペースを節約したかったためである。

チャート15.4

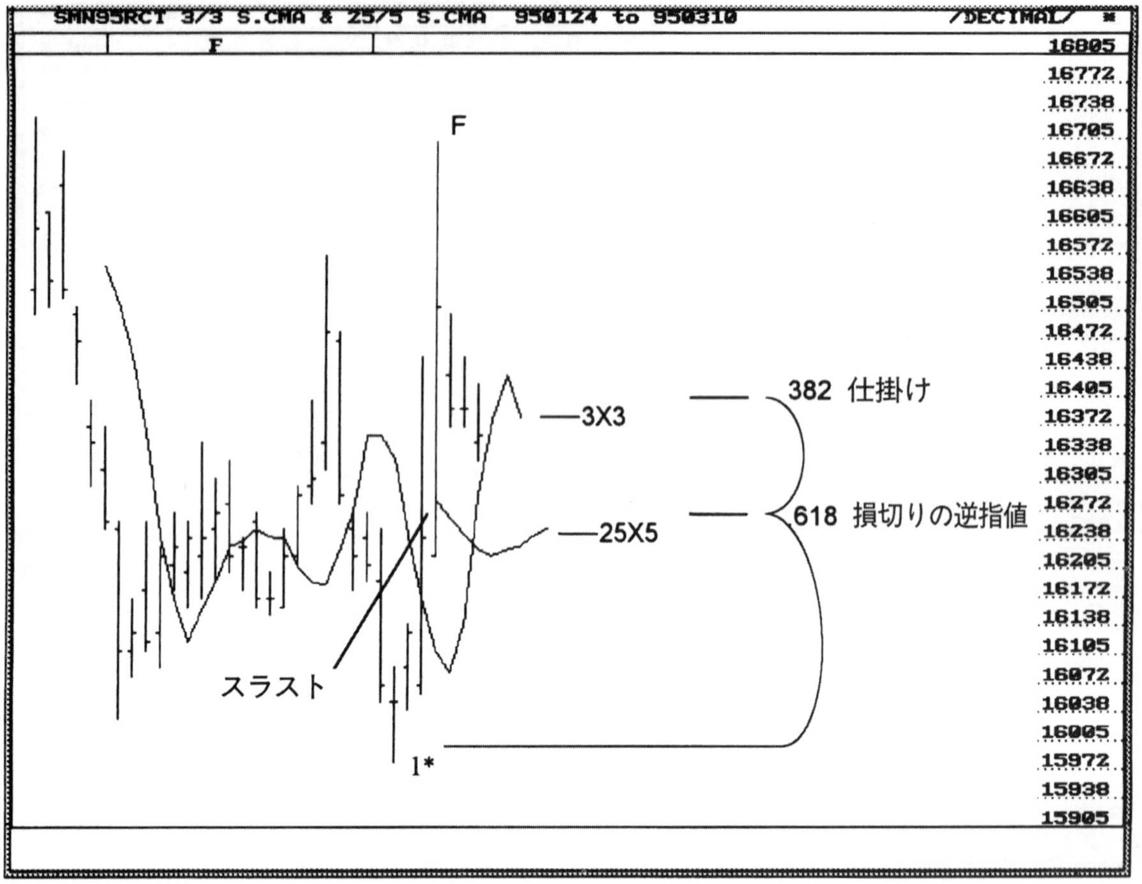

最初の仕掛けのポイントはどこだろうか？ 25×5を過ぎてからのスラストやアクセレレーションのあとのディナポリレベルを見てみよう。

あなたの仕掛けは0.382ノードのすぐ上となる。また損切りの逆指値は0.618ノードの下となる。これが、マインスイーパーAの仕掛けのテクニックとなり、つまり週足の上でOPサポートと上昇のスラストの勢いが示されたあとで、最初の押し目を待って、買うのである。私が使用したテクニックは高度なボンサイによる仕掛けで、上に述べたコンテクストと季節性の支持を利用している。私のマネーストップは、プットオプションのコストとなっている。

さて、買ったものの、ではどこで手仕舞えばいいだろうか。この答えは、あなたの時間枠次第となる。これは私が最初に指摘したように、週間ベースのトレードとなる。この場合、あなたは週足を見ながら、値動きに応じてOPを設定することになる。もしあなたがデイリーベースのトレーダーならば、日足を見ながらデイリーベースのOPを設定することになる。後者のほうの可能性は、**チャート15.5**のA、B、Cの波

チャート15.5

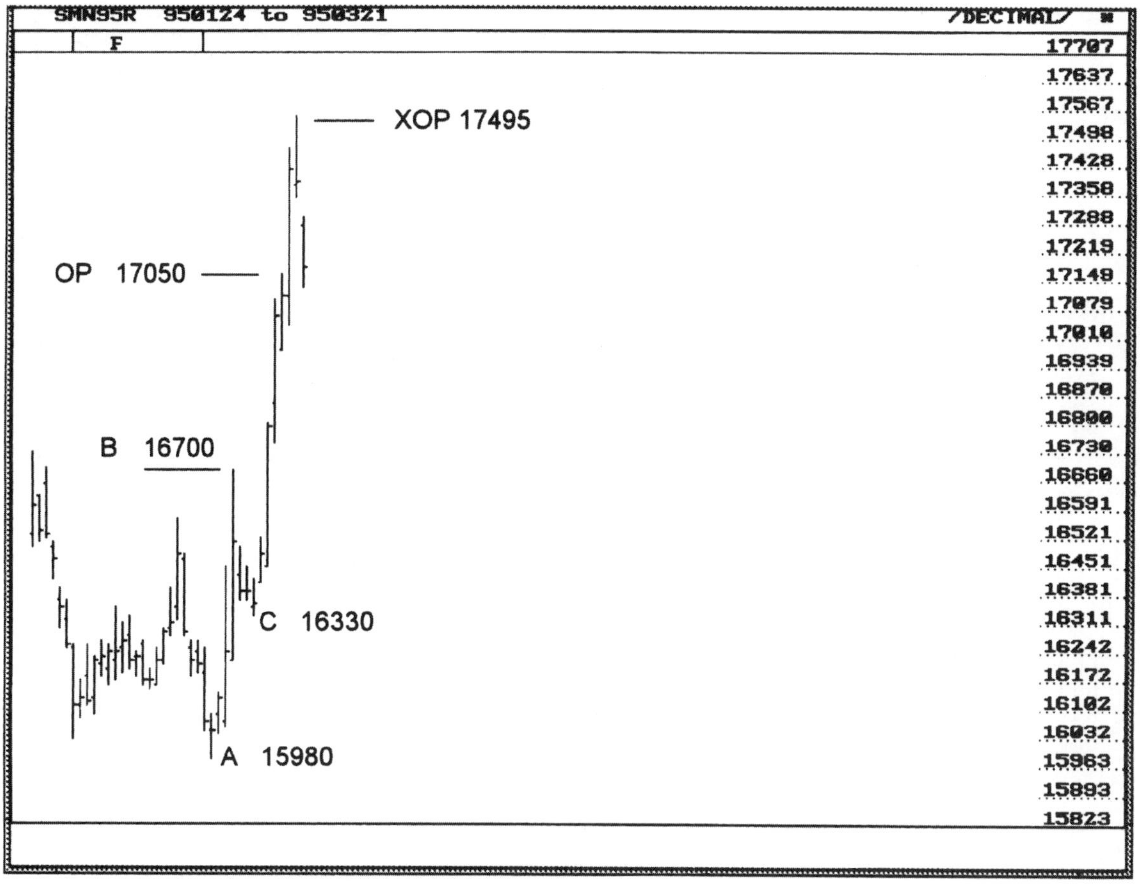

26 Apr 97 10:51:34　　Updated: 00/00/0000　　0.618 1.618
Point Value　　Objective Points　　File SMNDA1

A = 15980　　COP = 16775
B = 16700　　OP = 17050
C = 16330　　XOP = 17495

動に示されており、同チャートの下に、フィブノードの表で数値的に示されている。

結果として、XOPは素早く達成されたものの、OPでもなんら引け目のない利益が得られた。この後、私が手仕舞いポイントとしてXOPではなくて、OPを好む理由について説明する。もちろん、いつも天井をつかむことはないのである。

チャート15.6

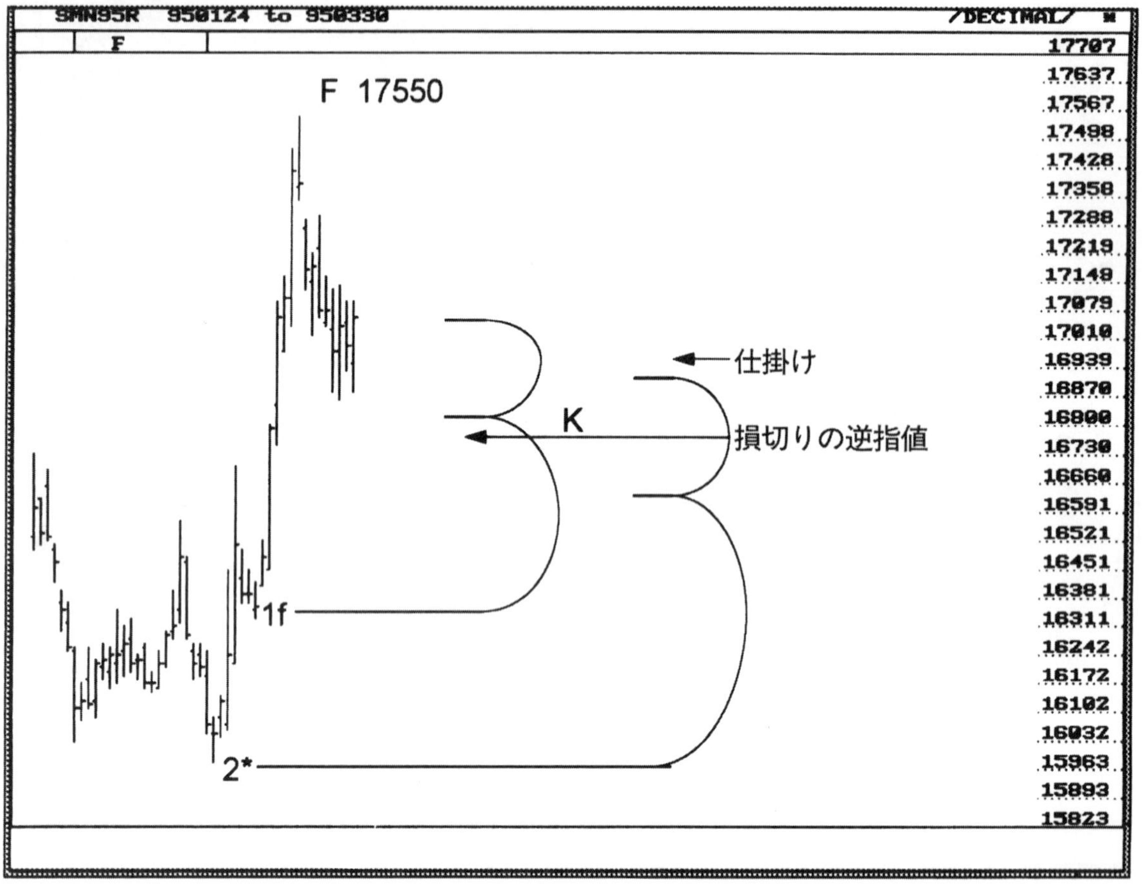


```
26 Apr 97      11:43:39     Updated: 00/00/0000               0.382  0.618
Focus Number   File SMNDA2          Focus# (High for the swing)
Point Number   Support Fib Nodes    Point# (Enter highest reaction low first)
--------------------------------------------------------------------------
17550     1
        ===>  17084
        ===>  16796
16330
----------------------------------
17550     2
        ===>  16950  *
        ===>  16580  *
15980
----------------------------------
Copyright (c) 1996 CIS, Inc.
```

トレードの継続

では、OPで手仕舞ったと仮定しよう。この時点での一連のディナポリレベルは、**チャート15.6**に表示されており、16796と16950との間でコンフルエンスのエリアを示している。下記のフィブノードのプリントアウトは、この時点で存在する損切りのディナポリレベルを示したものである。

この動きで再び仕掛けるには、コンフルエンスへの押しを待つのが慎重な姿勢である。ただ、ハイテンションのハンクならば、17084の最初の押しで注文を入れただろう。

われわれの仕掛けがコンフルエンスの上限を上回り、損切りの逆指値がコンフルエンスの下限にあると仮定すると、われわれの注文は執行される一方で、損切りの逆指値にはまったく引っかからなかった。この代わりに、最初の損切りの逆指値を主要な*0.618ノードの下の16580に置き、コンフルエンスを割り込むことがあるならば、第12章のTボンドのダブルレポのトレードのなかの「高度なコメント」で説明した方法によって処理をする。これで、次の上昇に対する体勢は整った。

下は2つのフィブノードの一連の拡張である。このフィブノードの拡張は15980の安値から始まり、別の一連の拡張は16330の安値から開始している。両方とも有効である。**チャート15.7A**を参照してほしい。

この6つの利益目標によって、われわれはどうするのか？

議論を単純化するために、最初のものよりも低い利益目標となっている第2の拡張を検討しよう。

```
26 Apr 97  15:42:32          Updated: 00/00/0000     0.618  1.618
Point Value      Objective Points      File  SMNDA03
--------------------------------------------------------------------

  A = 15980          COP = 17830
  B = 17550           OP = 18430
  C = 16860          XOP = 19400

Copyright (c) 1996 CIS, Inc.
```

26 Apr 97　15:43:12　　Updated: 00/00/0000　　0.618　1.618
Point Value　　Objective Points　　File　SMNDA5

A = 16330　　COP = 17614
B = 17550　　OP = 18080
C = 16860　　XOP = 18834

チャート15.7A

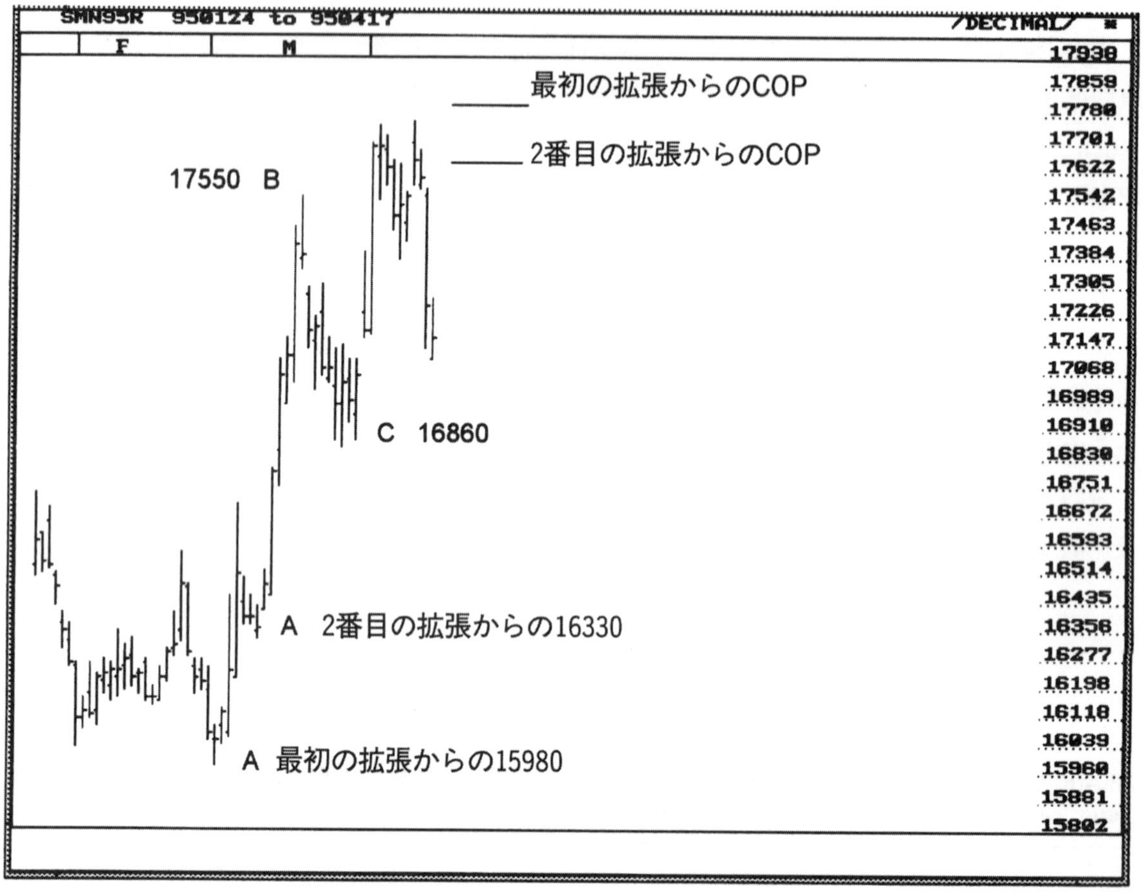

われわれには、選択可能な３つの利益目標がある。後知恵であるもののCOPが正しい選択であることは明確である。結果が出る以前に、私もそれを選択していた。理由はこうである。15980の水準からの最初の上昇で、私はOPで利食いするつもりだった。同じ理由によって、私は慎重な姿勢をとって、この値動きからCOPを設定した。大豆ミール相場であったように、相場が数週間、そして数カ月も下落すると、高値での現物市場の供給が影響し、穴から脱出するのが難しくなるものである。

チャート15.7B

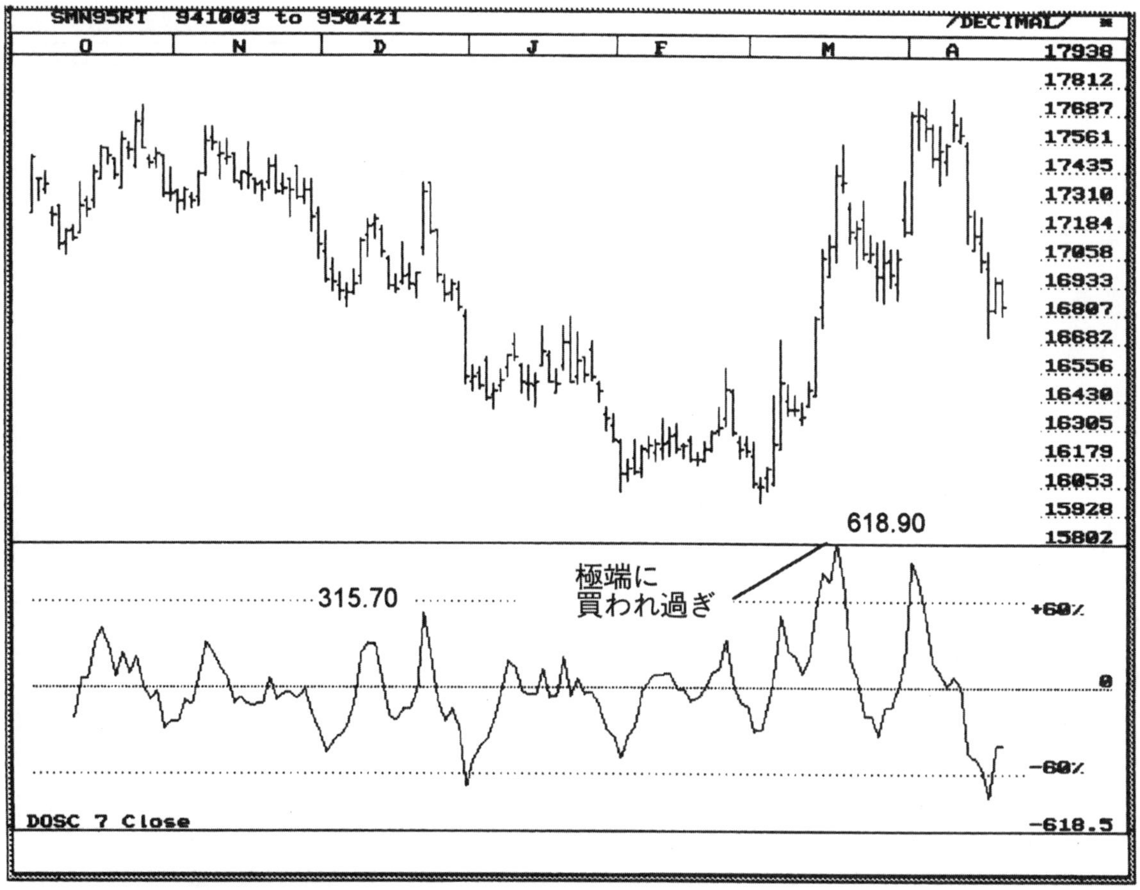

遠い位置にある利益目標は、当初は達成が難しいものであり、特に最初の上昇のあとにラインのどこかに＊0.618の押しが存在するときにはそうである。あとになって、より多くのトレーダーや当業者らがこの値動きの本当の構造を知ったときには、われわれは市場から奪い取るのにより積極的になり、自信をもってそれをするべきである。

それでは、より高い水準の17830でCOPの抵抗線を示す最初の拡張について分析してみよう。前に述べたのと同じ理由で、私は第２の拡張では、より慎重なCOPを設定した。理由はもうひとつある。**チャート15.7B**を見てほしい。

第７章では、市場が買われ過ぎとなっているときには、利益目標を接近させることを議論した。極度の買われ過ぎのエリアになっていることは、デトレンデッドオシレーターが618.90を示していることから、十分に確認される。相場はCOPの利益目標に接近しており、これが市場の置かれた状況だった。

チャート15.8

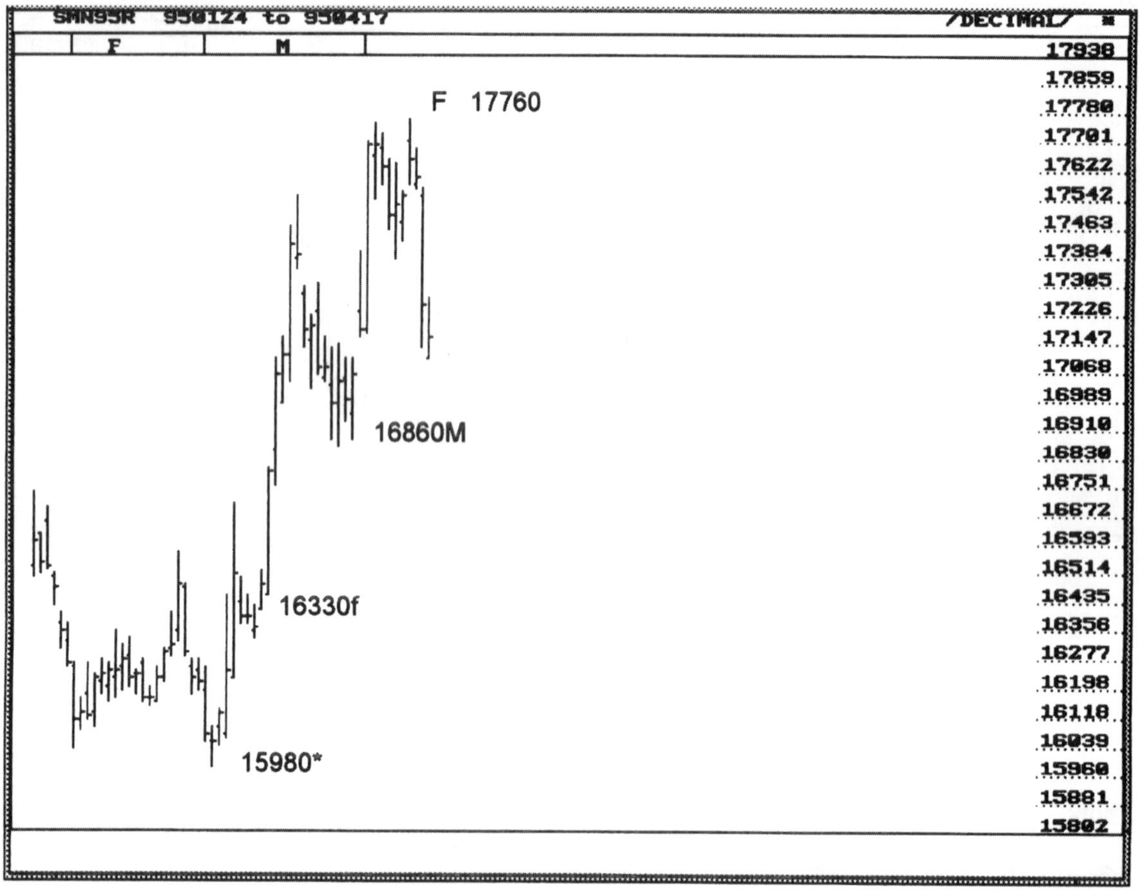

COPが達成されてから、われわれは別の利益を予約して、16630への押しによる下落の形で、＊0.618の主要ノードへとついに到達した。この水準では、プットオプションを手仕舞い、OPの18410への動きを目指して、再び買いポジションを建てることができる。このOPの動きは、日足と週足のチャートでは認識不可能である。**チャート15.8**と、それに関連したフィブノードのプリントアウトは、一連のフィブノードにどう到達したかを示している。また、**チャート15.9**は、16630までの押しと、18410までの拡張を示している。

Focus Number　File SMNDA4　　Focus# (High for the swing)
Point Number　Support Fib Nodes　　Point# (Enter highest reaction low first)

```
--------------------------------------------------------------------------------
17760    1
      ===> 17416  M
      ===> 17204  M
16860
--------------------------------------
17760    2
      ===> 17214  f
      ===> 16876  f
16330
--------------------------------------
17760    3
      ===> 17080  *
      ===> 16660  *
15980
--------------------------------------
```


チャート15.9

重要な注意事項

私のテクニックは、売りサイドでの仕掛け場を示しているものの、このトレードで私は、売るつもりはまったくない。なぜかって？　勝算がないからである。われわれは、主要な週足のOP、季節性の安値、DMAをブレイクしたスラストなどを過ぎて、穴から抜け出ようとしているのである。これらすべてに逆行することはするべきではない。

より高度なコメント

後知恵でトレードするのは、いつも簡単だ。あなたが今現在知っている情報に基づいてトレードの決定をするのが、大事なのである。**チャート15.7B**の内容に基づき、17050の最初のOPの利益目標を見直してみよう。その時点までの最大の買われ過ぎのオシレーターは315.70である。私が利食いを決定したときには、OP（価格）は買われ過ぎの近くにあった。後知恵になるが、相場はその後２倍の水準に上昇した。ただ私としては、トレードのコンテクストがその可能性を示唆していたものの、そうなることは予想できなかった。しかし、前回のオシレーターの水準が達成されると、私は第５章の戦略５の「デトレンデッドオシレーターの特別な応用」を用いて、この市場で買いを入れる理由を裏付けた。

この例ではこの後、私は17614のCOPでの手仕舞いをする意向だった。私は、以前の315.70を上回る買われ過ぎの新高値の数値の618.90を見ていた。

私がコンフルエンスの上限である16950を上回る水準で行った２回目の仕掛けは、最初の手仕舞い水準の17000付近に近いものだった。後知恵から言えば、ポジションを維持し続けるべきだったのだ。しかし、われわれがトレードをしている時点では後知恵の恩恵はないのである。

この16950で再び仕掛けるのは、上に書いたような理由によって、17000水準でポジションを維持するよりも、より安全なものだった。

テクニカル分析に基づくトレードでは、あなたは相場の価格そのものよりも、相場の変動の可能性が伴うパーセンテージに関心を持つものである。500の水準の押し目で買うほうが、スラストのあとの400の天井で買うよりもより安全といえるからである。厳格になる必要はない。パーセンテージでトレードし、口笛を吹いて銀行に行こう。

間違いをしたのだろうか？

私は、これが数カ月続くような長期トレードとなると計画したものの、私はデイリーベースのトレードをやっていた。デイリーの価格変動を有利に利用していたのだった。これは、間違いだったのだろうか。いや、そうではないと思う。この市場は、簡単に予測できて、すぐに「収穫」ができるものだったのだ。私はほかの複数のイントラデイ市場でのトレードが忙しくなり、古い友人である大豆ミールのほうは気を引くような材料がなかったことから、１日数分の見直しすらしなかった。

より簡単な収穫

注　チャート15.7A（３×３は表示していない）では、最初のスラストの上昇を含めて、ブレッド・アンド・バターのトレードが見えるだろうか。

注　COPからの下落の動きは、速くかつ過熱したものだった。これは、ダブルレポ（売り）が明確なように見えた。しかし最初と二番目のペネトレーションのバーの間隔はこれに当てはまるには広すぎたし、すべての要因が強気となるなかで、ルックアライク（そっくりさん）だけでは売る要因としては不十分だった。

短期のS&Pトレード

私は次ページのS&Pの例が特に気に入っている。それは、このトレードで得た利益のせいかもしれないし、あるいは、これが絶好の例だからかもしれない。ひとつ確実なのは、これは私が1985年以降にS&Pトレードを行ったアプローチの手法を示しているのである。値動きの荒い市場には、私はこの方法で対処するのである。

概説

最初は、トレードのコンテクストを検討する。次に、トレードの心理と市場メカニズムがどんな役割を果たしているかを調査する。われわれはステップ・バイ・ステップのプロセスを通って、トレーディング計画の各特徴を示し、このローリスク・ハイリターンで、ヒット・エンド・ランの経験のなかで、それをどう適用したかを見ていく。

チャート15.10

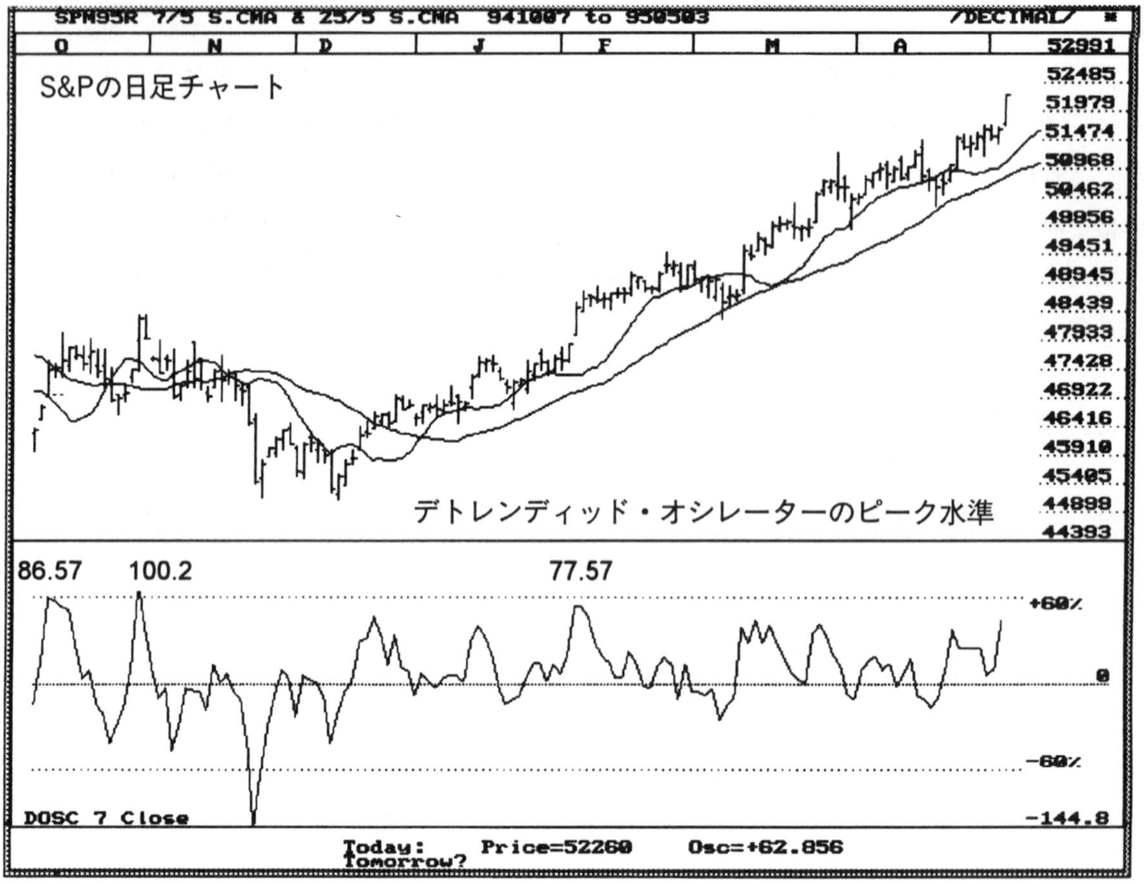

明日

7/5　MA = 51174, Q (basis OSC= 7) = -43.40851
25/5 MA = 50858, Q (basis OSC = 7) = -70.42389
3/3 MA = 51578, Q (basis OSC = 7) = -8.71582

Price of 52849 would produce Q+MAX (OSC = 7) = +100.2139
Price of 49990 would produce Q+MAX (OSC = 7)= -144.8575

トレンド

上の**チャート15.10**によると、過去数カ月にわたって25×５を上回り、１週間にわたって７×５を上回り、そして値動きから見て今現在は３×３を上回っていることは明確である。したがって、日足チャートのトレンドは上昇といえる。また、複数の

DMAが示唆していることとは、相場の深刻な下落が出現しないかぎりは「明日も」上昇を示すだろうということである。

次のステップに進む前に、このチャート（チャートは、CIS TRADING PACKAGEの「タイムセーバー」で作成）に伴う数字のついたプリントアウトの意味を説明したい。まず最初にこのチャートは、トレードが執行された日の前日となる「前日の引け」の時点で印刷された。チャートの下の一連の数字は、それぞれの価格に相当するオシレータープレディクターの数値を示している。われわれが最も関心を持つのは、最大の買われ過ぎ・売られ過ぎ水準である。

価格の52849は、「歴史的な」最大の買われ過ぎ水準の＋100.2139を示した。この略称はQ＋maxである。「歴史的」とは過去６カ月間のことである。価格の49990は歴史的な売られ過ぎ水準を示し、それはデトレンデッドオシレーターの数値の-144.8575を示す。もしあなたがオシレータープレディクターを利用できない場合には、第７章で説明した代替手法を使用することもできる。

買われ過ぎ・売られ過ぎの分析

もしデトレンデッドオシレーターの３つの天井を取って、平均する（86.57＋100.20＋77.57）÷３とすると、88.11となる。私はたいてい、数字を見て概算する。ここでは90としておこう。**付録G**に示されているこの数値に対するオシレータープレディクターのポイントは、52730の相場を示している。結論としては、この商品は相場が52730～52849の間に上昇するならば、明日には最大の伸びのポイントとなると見られる。前日の終値の段階では、われわれは最大の買われ過ぎの約62％にあり、この数値は注目するに値する高さとなっている。

方向の分析

ストレッチを例外とすると、影響している明確な方向性指標は見えない。つまり、前夜にトレードが行われたときに、私がこのチャートを見た時点では、ダブルレポも線路もヘッド・アンド・ショルダーズもフェイラーも何も出現していないと結論づけた。しかし、相場は買われ過ぎに接近していたことから、明日のトレードが引けるまでにストレッチとなっていることもあり得ると思った。上値への拡張、または抵抗線のフィブノードは算出していなかったために、ストレッチの実現性についてはまだ確信していなかった。それでも、これには大いに注目し、私のS&Pのクリップボードに追加しておいた。

チャート15.11

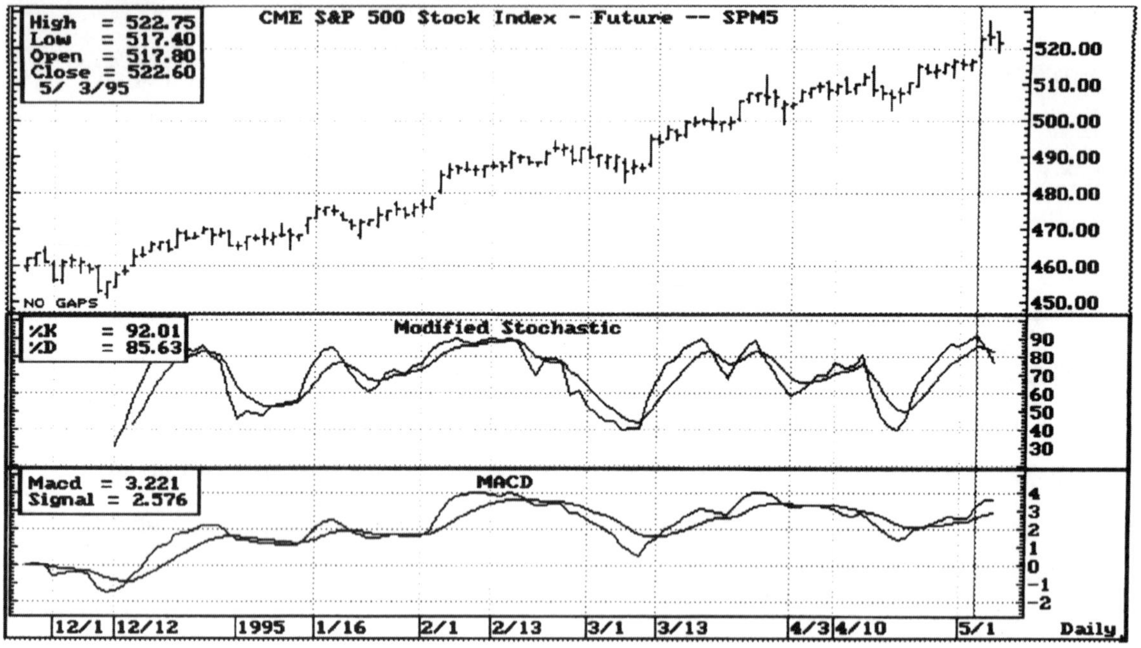

トレードの開始

翌朝の相場は、ギャップを空けて急伸して始まったあと、52230水準へと0.382の押しを付け、そして上昇を継続した。296ページにある**チャート15.16**の5分足チャートに、これが示されている。このコンテクストに基づくと、朝の時点でのトレードの可能性は上昇に対する買いだけだった。

日足、60分足、30分足チャートでのMACD・ストキャスティックスを見てほしい。これらすべては、13時まで上昇を示していた。

チャート15.12

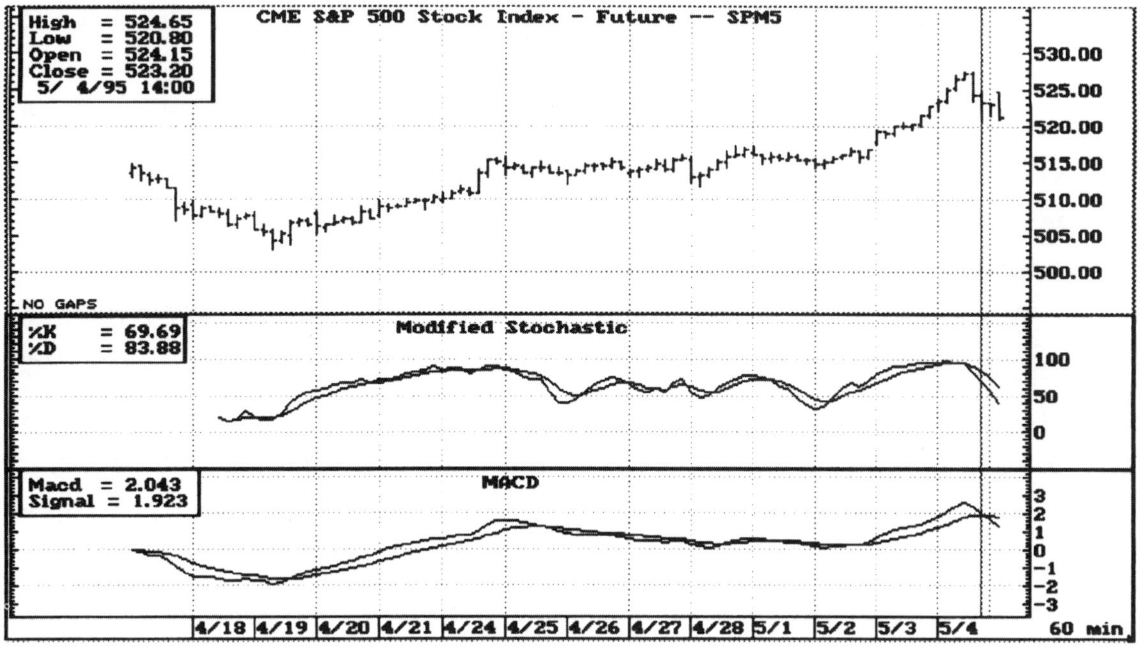

チャート15.13

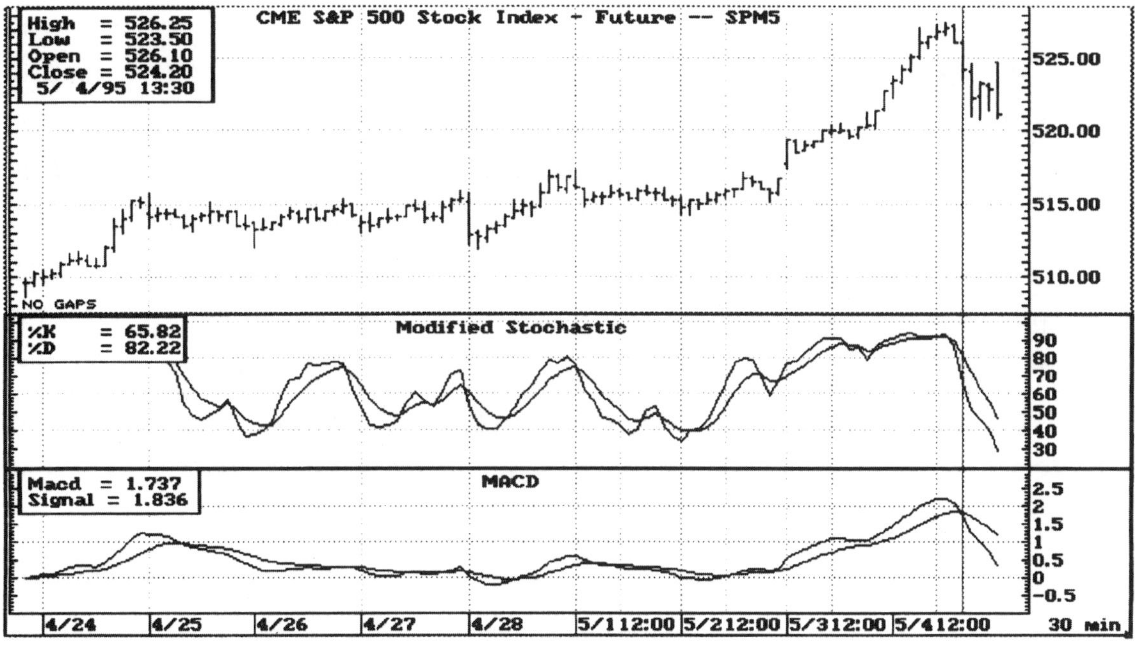

ただ、買うのに問題があるとすれば、それは価格がかなり買われ過ぎとなっていたことである。つまり、これ以上上昇が続かないというリスクは、大きなものとなっていた。

また、買った場合のどのような利益目標も、近い水準となっていたはずである。要約すると、リスク・リワード比は、私が仕掛けるのを支持するほど有利なものではなかったのだ。これらの事実から、私の関心はTボンド市場に移った。ここでは、より有利なデイトレードのチャンスがあったからである。

Tボンドでのデイトレードでひと稼ぎしたあと、私は再びS&P市場を見直した。時間は、14時15分か14時30分となっていた。高値は52745で、これは明らかに相当な買われ過ぎの水準だった。私は、14時まで30分足チャートでのMACD・ストキャスティックスが両方とも売りモードであり、60分足のストキャスティックスも売りを示していることに気づいた。60分足のMACDは、売りに近づいていた。これらの事実を総合すると、引けまでに一気に下落する可能性が大きく、(買い方になっている)新参者らに不意打ちをくわせることが分かった。14時15分ごろに見たトレンド指標から判断すると、これが実際に起きるならば、まもなく発生するとみられた。

さて、ここまで説明したことはすべて、このトレードのコンテクストである。私はすべてのトレードで、こうした理由付けをやっている。私はこうしてリスク・リワードを評価するのである。特定の市場でトレードをするかしないかを、こうやって決定するのである。要するに、大幅な買われ過ぎになったあと、イントラデイチャートでは強い下降トレンドが形成されつつあったのである。

トレードの心理

私の仕掛けと手仕舞いについて語る前に、この時点の市場の心理について分析してみよう。

買い方のトレーダーは、連日利益を収めていた。多くは数千ドルの資金で数百万ドルの利益を得るために、ポジションを2倍、3倍に増していた。利益目標を適用しているトレーダーはわずかだった。投資の本では「利を伸ばせ」と言うものの、これは市場に損切りさせろ、と言っているのと同じである。一部のトレーダーは、自信過剰で、損切りの逆指値を置いてゴルフに行ってしまった。ほかのトレーダーたちは、手仕舞って十分な利益を得たものの、「失った」利益に対する不満(欲)によって、早すぎる手仕舞いによる「失敗」を「取り戻す」ために、市場に復帰してより大きなポジションを建てた。

チャート15.14

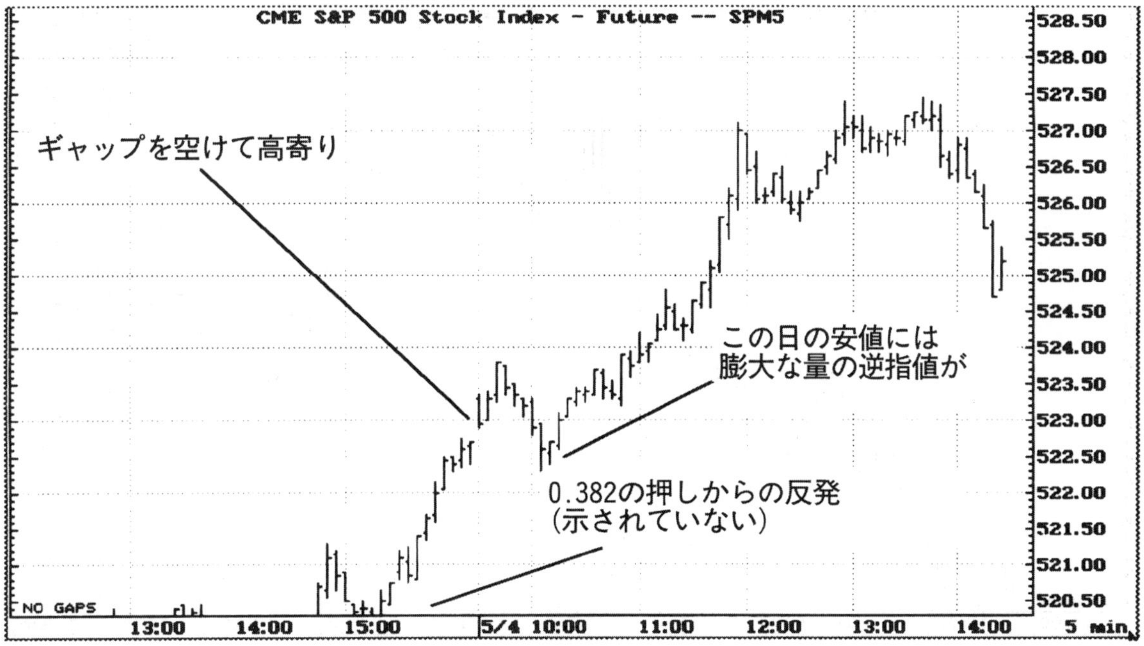

市場のメカニズム

もしあなたが市場のメカニズムについて少しでも知っているならば、この日のトレードの中盤までには、日中の安値の52230以下には、数百億の損切りの逆指値が置かれていることに気づくだろう。相場が何らかの下げを始めれば、ローカルズがこの水準で逆指値を狙い撃ちすることも知るべきである。この最後の文章を分かりやすくするために、詳しく説明しよう。彼ら（ローカルズ）は、情け容赦なく相場を売り崩し、そして売りの逆指値が執行されたならば、彼らは買い戻すのである。その後は、市場がパニックになるなかで、彼らはポジションをマルにして、大きな利益をポケットに入れるのである。シカゴ・マーカンタイル取引所（CME）の駐車場にあるたくさんのメルセデスやジャガーやBMWは、どこから来ているか分かるだろうか。彼らの仕事は、トレードの便宜を図り、市場に流動性を提供し、そしてメルセデス、ジャガー、BMWを買うのである。立会場の外のトレーダーらは、彼らの仲間になることこそわれわれの任務だということが理解できないのである。では、そのやり方である。

チャート15.15

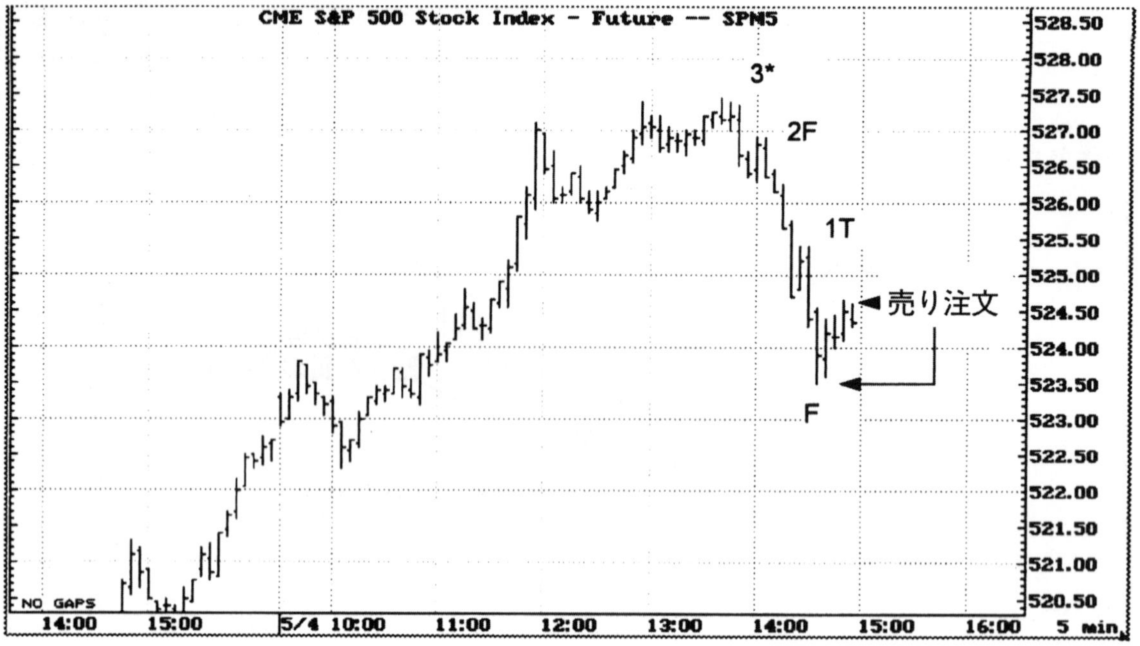

25 Apr 97 09:19:03 Updated: 00/00/0000 0.382 0.618
Focus Number File SPM051 Focus# (Low for the swing)
Point Number Resistance Fib Nodes Point# (Enter lowest reaction high first)

52350 1
===> 52423 T
===> 52467 T
52540

52350 2
===> 52480 f
===> 52560 f
52690

52350 3
===> 52501 *
===> 52594 *
52745

さて、私と同様にあなたも、終盤になってからこのトレードに気づいたと仮定しよう。ポイント3＊では、小さなウオッシュ・アンド・リンスがあり、これも下落を裏付けるサインといえることに注意してほしい。14時30分には、強い下げが発生した。フィブノードのフォーカスとリアクションの符号は、**チャート15.15**に示されている。52467〜52480がコンフルエンスエリアであることにも注目されたい。リアクションの反発に対して売るのは簡単なことである。

Kの水準での売りは、下落で利益を得るには理想的で「安全な」水準である。あなたは「ブッシュ」での損切りの逆指値のひとつを選んでもいいが、私は最低限として、52501の＊0.382ノードの上に、自分の逆指値を隠しておく。コンフルエンスエリアではなくて、52423の最初のノードの戻り（ボックス1）で売ることも、なんら差し支えはない。あなたがどれだけ意欲的かどうか次第である。私は、コンフルエンスの下限の52465で売ることにして、フォースナンバーFの安値、52350（チャートポイントB）には売りの逆指値を置いた。私は通常、逆指値で仕掛けることはないのだが、今回はそれをすることにした。それは、ローカルズやデイトレーダーで、過去の安値の52350、52320、52230の水準で、売りポジションの手仕舞い（つまり買い）を行う向きがいることを知っていたからである。また私のブローカーは、ピット（立会場）内で十分に尊敬を集めており、もし上記の買い注文が現れたならば、うまく私の注文を執行してくれることも理解していた。

このトレードでの私の最低限の目標は、その日の安値の52230を割り込むことだが、私は拡張の下落を素早く計算して、目標ポイント（OP）が52070となることを知った。この拡張は、**チャート15.16**に示されており、フィブノードのプリントアウトにも示されている。

私がなぜこの目標ポイント（OP）を選んだかって？　それはこの目標ポイント（OP）は、この日の安値のすぐ下にあり、ここがすべての損切りである売りの逆指値が仕込まれていたところだったからだ。もし相場がこの水準に達すれば、COPを維持する手立てはない。XOPは51826ではるか遠くにあり、私はその水準に達するまでに一転した急反発があると見ている。この目標ポイント（OP）は、投げの単純な過程で達成されそうだ。

では、このトレードの結果を見てみよう。ティックチャートでは52465で、私が最初の売り注文を仕込んだコンフルエンスのエリアに達した。さらに興味深いことは、二番目の仕掛けの52350の水準である。

チャート15.16

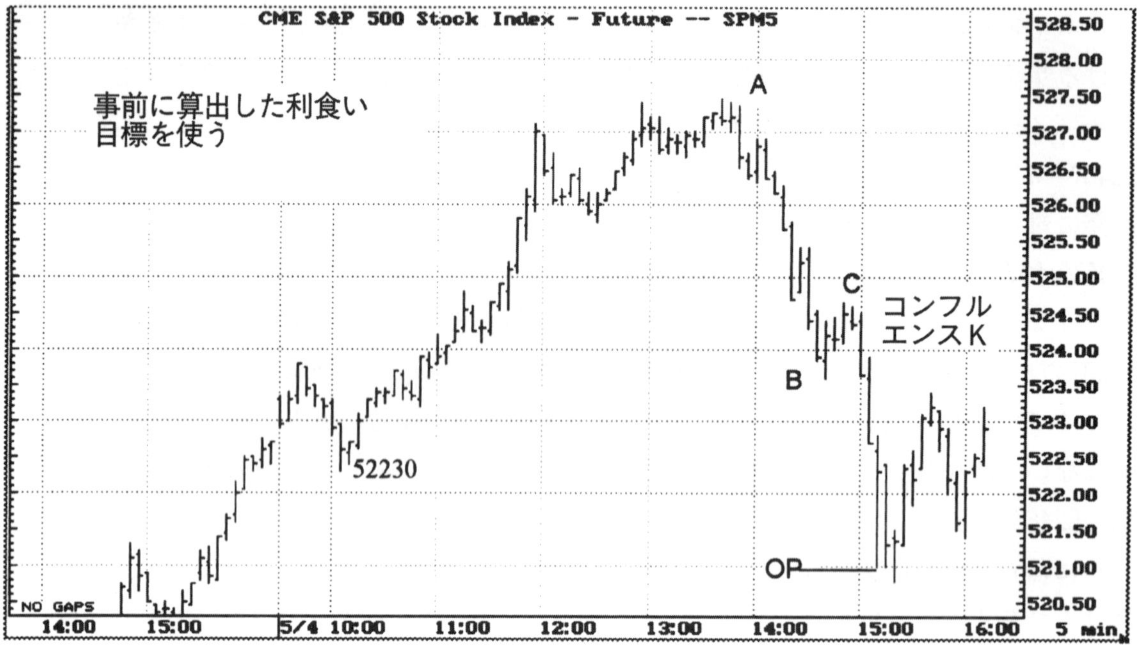

25 Apr 97 12:24:23　Updated: 00/00/0000　0.618 1.618
Point Value　Objective Points　File SPM052

A = 52745　COP = 52221
B = 52350　OP = 52070
C = 52465　XOP = 51826

より高度なコメント

タイム・アンド・セールス（**チャート15.17**のタイム・アンド・セールスは、私のデータプロバイダー、私のコンピューター、私のソフトウエアが表示したもので、私が実際に取引で使用しているものである。**付録H**の示すタイム・アンド・セールスは、取引のあとに集計されたもので、別の「より信頼できる」ソースのものである。違いを見比べると興味深い）の**チャート15.17**に注目して、相場がどのように下げたかを理解してほしい。15時06分の52390から、15時07分の52335までの間には、アップティックはひとつもない。取引所の規則では、（売りの場合）アップティックがないかぎりは、注文が執行されることはない。それが起きたのは、15時08分の52340だった。この水準の52335では、私の二番目の注文も成立した。そこから数分後の相場の変動を見てほしい。特に15時12分だ。ひとつのティックで52300から52190まで変動してい

チャート15.17

SPM5 - CME S&P 500 Stock Index - Future　　Time & Sales
5/ 4/95

15:05	523.75	523.70	523.65	523.60	523.65	523.70	523.60	523.65
	523.70	523.75	523.80					
15:06	523.75	523.80	523.75a	523.70	523.65	523.60	523.65	523.70
	523.75	523.70	523.75	523.80	523.85	523.90	523.85	523.80
15:07	523.75	523.70	523.65	523.60	523.55	523.50	523.45	523.40
	523.35							
15:08	523.40	523.35	523.30	523.25	523.20	523.15	523.10	523.15
	523.20	523.30	523.25	523.20				
15:09	523.15	523.10	523.20	523.15	523.10	523.05	523.00	522.95
	522.90	522.85	522.80					
15:10	522.75	522.80	522.75	522.70	522.65a	522.60	522.50	522.45
	522.40	522.50	522.55	522.60	522.65	522.70		
15:11	522.60	522.70	522.75	522.80	522.90	523.00	523.05	523.10
	523.00	522.90	522.80	522.75	522.70	522.80	522.90	523.00
	523.10							
15:12	523.00	521.90	521.70	521.60	521.50	521.40	521.30	
15:13	521.20	521.10	521.00	521.10	521.20	521.30	521.50	521.60
	521.70	521.80	521.90					
15:14	522.00	521.70	521.50	521.60	521.70	521.80	521.90	
15:15	522.00	521.95	521.90	522.00	521.50	522.00	522.10	522.20
	522.30	522.50						
15:16	522.40	522.00	522.20	522.30	522.50	522.40	522.20	522.10

る。さらに金床が落下するようなスピードは続き、一気に52100水準に達する。目標ポイント（OP）よりも30ポイント上でようやく支持線が入ったのは偶然ではない。5分足チャートである**チャート15.17**を、再度見直してみよう。52100の安値に対する試しは52075となっているが、これは目標ポイント（OP）からわずか1ティック高いだけである。ここで起きたことは、相場が52100を試して52075まで下げ、これによって52100の直下にあった逆指値を押し流して、そして目標ポイント（OP）で岩盤の支持線に達したということだった。

私が300から190への下げのティックを見たときには、市場はまだパンパース（新生児用紙おむつ）の時代だった（黎明期だった）。その当時は、100ポイントのティックの変動はそんなにあるものではなかった。私はフロアに電話を入れて、このティックが合っているかを確認した。フロア側の声は、しわがれて震えていた。注文担当者は私に対して、これらの2つの相場の間では、トレードが1～2件成立したものの、市場はパニック状態になりつつあると語った。彼は「われわれは、お客の注文を無視したわけではない。めちゃくちゃだ」と嘆いた。周りは騒音だらけだった。クラークらはたくさんのミス発生を懸念していたが、そうなるのも当然の状況だった。電話を切る前の相場は52100で、ここからは私の引けの利益目標まであと数ティックだった。市場ではパニックが進行していたことから、私は、「キャンセルして、再注文し」、成り行きで手仕舞った。私の生徒らやトレードの友人らは、110ポイントのティックを儲けたならば大喜びだろう。でも、私にとっては、出口の切符のようなものである。愚者と天使に関する旧い諺は、トレーディングルームの壁に張っておくべきだ。

市場と波長が合って、トレードが成功しているときには、いつもこんな具合にいく。反発の天井で売り、何の苦痛もなしで、2～3本のバーで利食いする。あまりにも話がうますぎて信じられないというならば、これらの戦略をしばらく試してもらいたい。そして「完璧なトレード」にどこまで近づけるか、自分で体験してみるといい。意外な結果に驚くかも。

質問

素晴らしい話だけど、いつもこんなふうにトレードしているのですか？

もちろん。私は常に天井で売って、大底で買うし、逆指値が執行されたことなどない。シカゴとニューヨークは、私が買い取ったし、今度はシンガポールにもビッドを入れるつもりで、押しを待っているところだ！

エピローグ

EPILOGUE

ハンク、ダン、カールのその後について知りたいという人もいるだろう。私が近況報告をしよう。

ハンクはまだがんばっている。彼はブローカーで、自分で投資顧問をやっている。彼の顧客は、先物に投資する一般の人たちの平均よりは長続きしているようで、トレード回数も多めのようだ。

カールは先物から足を洗った。ペチュニア専門の園芸会社を経営している。彼はトレードで利益を収めはしたものの、ストレスがきつすぎるし、それに伴う作業と心労を考えたならば割に合わないと考えた。彼のストロベリーペチュニアの展示は、カントリーフェアーで賞をもらった。

では、ダンは？

彼は雨粒をよけながら、先物で大儲けした。彼をうらやむ人は、教訓にも耳を傾けるべきだ。彼はバンコクを頻繁に訪問するようになったが、旅行から帰ると妻からの離婚訴訟が控えており、多額の慰謝料を払って解決することになった。ただ、問題がある。彼の妻は、財産の差し押さえができないのだ。オフショアの銀行とかにあるらしいが……。彼は、一筋縄ではいかない男だった。彼はトレードを続けているものの、彼の所在を知る者はだれもいない。

付録A

3×3DMA（ずらした移動平均線）のための計算とチャートの位置

定義

3×3DMAは、終値の3日間の単純移動平均線から計算し、それを3日分将来へずらしたものである。つなげられたDMAはトレンド指標を形成し、また、方向性シグナルを決定するツールとしても使用される。

例

1995年6月12日からトレードを開始した場合、S&P9月限の3×3は95年6月19日分を算出することができる。

まず、6月12日の終値と6月13日の終値を単純に合計する。次にその答えに6月14日の終値を合計する。そして、この3つ数値の合計を3で割る。これが、一般に知られている3日間単純移動平均線である。一般の考え方では、この結果の数値を14日の部分に記入する。ところが、われわれはこれを3（営業）日間将来へと「ずらす」のである。このため、今算出した数値は95年6月19日の3×3DMAということになるのだ。

95年	終値	3×3DMA
6-12	536.80	
6-13	540.80	
6-14	540.60	
6-15	542.80	
6-16	543.90	
6-19	549.65	539.40
6-20	549.30	541.40
6-21	548.95	542.43
6-22		545.45
6-23		547.62
6-26		549.30

付録B

フィブノードとほかのグラフィックチャートソフトを同時に作動する

トレーディング用ソフトの世界は移り変わりが激しく、新規業者や新たな技術革新が次々に生まれている。フィブノードは、ユニークで特別なフィボナッチ級数算出ソフトだが、普遍的な設計がなされている。スタンドアローンのグラフィック用ソフトではない。ほかのどんなチャートソフトとも同時に走らせることができるのだ。これによって、トレーダーは、新たなソフトの進歩があった場合でもチャートソフトを次から次へと交換できる柔軟性を手にすることとなる。さらに、この**付録B**とは別に、フィブノードの詳細について**付録F**も参照することを忘れずに。

チャートを見ながらフィブノードを作動させる

チャートを見ながらフィブノードを作動させるには、ウィンドウズの「スタート」ボタンをクリックし、フィブノードのアイコンを使用できる登録してあるプログラムバーの上に置く。そして、ほかのソフト同様、フィブノードのアイコンをクリックして立ち上げればよい。トレーダーのなかには、簡単にアクセスできるように、フィブノードのアイコンをウィンドウズのデスクトップに置いている者もいる。

フィブノードは複数の売買銘柄を追いかけるために、別々のウィンドウズで同時に複数立ち上げることが可能だ。また、応用性の高いフィブノードは、別々のウィンドウズで同じ銘柄を、異なる時間枠で同時に追いかけることもできる。

現在稼動しているチャートソフトからフィブノードへと転換するためには、いずれか一方を閉じる必要はない。「Alt」キーを押し続けながら「Tab」キーを何回か押すだけでいい。使用可能なソフトのリストが出てくる。このリストには、現在開いているソフトだけが反映されている。「Tab」キーを押すごとに、別のソフトが選択される。フィブノードか読者のチャートソフトが選択されたら、「Tab」と「Alt」の両方を離し、両者の切り替えを行う。フィブノードはそれ自体のウィンドウのなかで稼働するため、読者のグラフィックソフトに重ねても、並べても使用できる。なかには、フィブノードだけをもう１台別のコンピューターで表示させたり、使用コンピューターは同じでも別のモニターで見ているトレーダーもいる。トレーディングを行ううえでどのようにフィブノードを使用するか、細かい部分まで読者が決められるのである。あなたには、さまざまな選択の自由があるのである。

付録C

コースト・トレーディング・パッケージ（CTP）について

CTPは、すべてのディナポリの指標を持っており、数式や研究事項、設定などすべてを適正に事前プログラムされているものである。調整は一切不要だ。あらゆるプロプラエタリーの指標が含まれ、チャート上に表示される。このパッケージがあれば、ディナポリによるトレーディングテクニックを正確かつ効率的に適用するため必要なものはすべてそろうことになる。

CTPの機能

CTPは、デイトレードのためにライブストリーミングで使用することも、あるいは、終値（エンド・オブ・デイ）取引で使うこともできる。それは、あなたの選択次第なのである。例えば、本書の37ページを参照すると、日中のトレードに関して、少しだけ時間をずらしたイントラデイのデータを利用することは、エクスチェンジフィー（相場データの取引所手数料）を無駄に払うことを避けて、出費を抑制することと同様に利益があることが分かっていただけるだろう。この非常に能力の高いソフトは、ジェネシス・フィナンシャル・テクノロジー社とコースト・インベストメント・ソフトウエア社の共同開発によって作られた。引き続き開発努力が続けられている。ディナポリに関する研究は、CQGでも行えるが、価格差は大きい。CTPは極めて手ごろな価格の製品となっている。

OSと必要要件

（本稿執筆時における）CTPの最新バージョンは、ウィンドウズ95、同98、同2000、同NT、同XP上で稼働する。必要なハードディスク容量は100メガバイトに加え、読者が必要とするヒストリカルデータ分となる。メモリー容量は最低256メガバイトが推奨される。

費用

CTPは、非常に効果的に設計されており、現在使用されているあらゆるチャート作成ソフトに対して、低コストの代替品となりうる。確かに、CTPよりも廉価なものはあるだろうが、そうしたソフトは効果がないものなのである！　当社では、顧客の皆様のため極めてリーズナブルな価格設定をしている。現在の価格については、当社ウエブサイト（http://www.fibtrader.com/）を参照されたい。本稿の執筆時点では、以前のソフトがジェネシスからの購入か、CISからの購入かによって異なるが、400～795ドルでCTPを購入することが可能だ。わずかの月間使用料が適用される場合もある。

CTPの特徴

このソフトの本当の素晴らしさは、そのシンプルな点である。CTPは、複雑さを最小限に抑え、必要のあることはすべて行えるよう設計されている。**付録G**では、いくつかの分析ツールの追加のプリントアウトを見たり、CTPチャートフォーマットを見ることもできる。以下はその特徴の一部を記したものである。

- **ディナポリインディケーター**　これには、以下のディナポリ指標がすべてプリプログラミングされている。ディナポリMACD、ディナポリ優先ストキャスティックス、ディナポリオシレータープレディクター、ディナポリデトレンドオシレーター、DMA（正確には「将来へずらした移動平均線」）、ディナポリリトレイス・アンド・エクスパンションツール、ディナポリMACDプレディクター、スラストスキャナー。これらの分析ツールは、使いやすいよう色分けしてある。フィブノードはリアルタイムで自動更新する。
- **一般的な指標**　思いつくかぎりのものといっていいだろう。
- **データフォーマット**　ほとんどの一般的なデータフォーマットと互換性を有する。読み込みができるし、保存されたデータの書き出しも可能である。
- **特筆すべきメリット**　ディナポリの各指標は、トグルキーを押すだけで、チャート上で即座に表示、あるいは削除ができる。ページング機能は、ジョー・ディナポリとジェネシスのエンジニアが開発したもので、めまぐるしいデイトレードのときに役立ってくれるだろう。

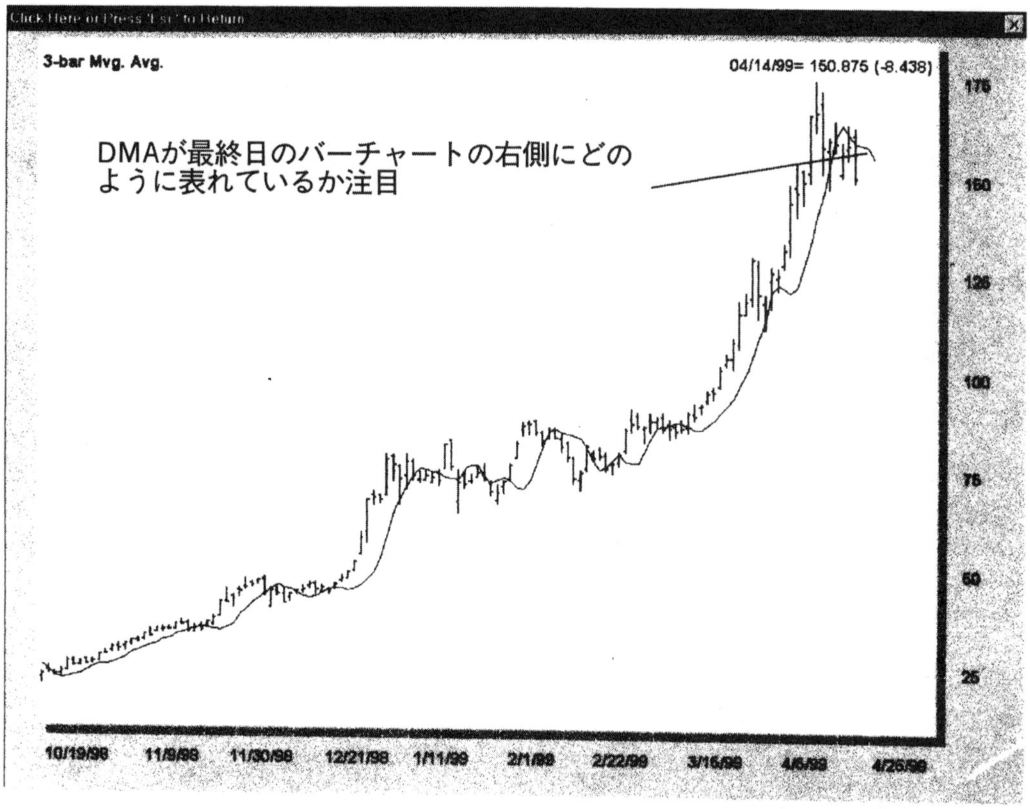

新開発やアップデートに関しては、ウエブサイトか電話で確認してほしい。

www.fibtrader.com

Eメール＝cis@fibtrader.com

電話＝941-346-3801

ファクス＝815-550-7370

付録D

トレードステーションによるインプットでディナポリレベル分析のシミュレーションを行う

MACD

（ジェラルド・アペル著、『ザ・ムービングアベレージ・コンバージェンス・ダイバージェンス・トレーディング・メソッド（The Moving Average Convergence Divergence Trading Method）』より）

スムージングファクターとして2.13、1.08、1.99を入力するには、「期間」の数値が必要となるが、これには下記の入力もプリプログラムされたMACD（これは指数MA計算式によって算出される）を使用する。MACD算出式は、**付録E**を参照。

ファストMA	8.3896
スローMA	17.5185
MACMA	9.0503

ずらした移動平均線（DMA）

3期間将来にずらした3期間の単純MA
5期間将来にずらした7期間の単純MA
5期間将来にずらした25期間の単純MA

デトレンドオシレーター

終値－N期間の単純MA
期間＝日、週あるいは月
N＝7または3

優先ストキャスティックス

優先されるスロー％Kのユーザー関数

スタディ＝優先スローK
タイトル＝修正移動平均線に基づいたスロー％K
タイプ＝ユーザー機能

※参考文献　ジョージ・プルート、ジョン・R・ヒル著『勝利の売買システム』、西村貴郁著『トレードステーション入門』、ジェラルド・アペル著『アペル流テクニカル売買のコツ』（全てパンローリング刊）

注意　ファストKはプリプログラム済み

インプット＝スローKLen（数値）、ファストKLen（数値）
優先スローK＝優先スローK［1］＋［(1÷スローKLen）×（ファストK（ファストKLen）－優先スローK［1])］

優先スロー%Dのユーザー関数

スタディ＝優先スローD
タイトル＝修正移動平均線に基づいたスロー%D
タイプ＝ユーザー機能
注意　ファストKはプリプログラム済み

インプット＝ファストKLen（数値）、スローKLen（数値）、スローDLen（数値）
優先スローD＝優先スローD［1］＋［(1÷スローDLen）×（優先スローK（スローKLen，ファストKLen）－優先スローD［1])］

優先ストキャスティックス指標

スタディ＝優先ストキャスティックス
タイトル＝修正MAに基づいたストキャスティックス
タイプ＝指標

インプット＝ファストKLen（8)、スローKLen（3)、スローDLen（3)
プロット1（優先スローK（スローKLen、ファストKLen)，"%K")
プロット2（優先スローD（ファストKLen,スローKLen,スローDLen)，"%D")

```
If CheckAlert then
begin
  If Plot1 crosses above Plot2 or
     Plot1 crosses below Plot2
     Alert=TRUE;
end;
```

プリプログラムド・トレードステーション・ストキャスティックス指標とその関数

トレードステーションには、バージョン4.0ビルド18内に４つのストキャスティックス指標がある。
以下はその指標。

●ストキャスティックス・ファスト
●ストキャスティックス・スロー
●ストキャスティックス・ファストカスタム
●ストキャスティックス・スローカスタム

これらの指標は、複数の「関数」の算出によってプロットされる。
以下はその関数。

●ファストK
●ファストD
●スローK
●スローD
●ファストKカスタム
●ファストDカスタム
●スローKカスタム
●スローDカスタム

念のために言うと、ファストK（ロウ）のフォーミュラは別として、これらのストキャスティックスの機能とそれらの関連した指標はいずれも、出版されたジョージ・レイン著のストキャスティックスプロセスの定義ではなく、そのオリジナルの計算式をの修正したものである。TradeStation PowerEditorを使用して、これらの機能のリストをチェックして、それらについて習熟したあと、これらの機能に基づいてトレードの決定を行っていただきたい。

付録E

フォーミュラと研究

レイン・ファストストキャスティックス
(ジョン・マーフィー著『テクニカル・アナリシス・オブ・ザ・フューチャーズ・マーケット［Technical Analysis of the Futures Market］』より)

$\%K = 100\,[(C-L_n) \div (H_n-L_n)]$

$\%D = 100\,(H_m \div L_m)$

略号説明

Cは直近の終値

L_nは最後のn日間の安値の最安値

H_nは最後のn日間の高値の最高値

H_mは（$C-L_n$）のm日間合計

L_mは（H_n-L_n）のm日間合計

ファストストキャスティックス
(ペリー・カウフマン著『ザ・ニュー・コモディティ・トレーディング・システムズ・アンド・メソッズ［The New Commodity Trading Systems and Methords］』より)

%Kは、上記に示されたのと同じ。

$\%D = (\%K_t + \%K_{t-1} + \%K_{t-2}) \div 3$（これは単純移動平均線のスムージング）

略号説明

%K1は、直近の期間の%K

スムージングのための修正移動平均線（MAV）を使用したファストストキャスティックス
(ペリー・カウフマン著『ザ・ニュー・コモディティ・トレーディング・システムズ・アンド・メソッズ［The New Commodity Trading Systems and Methords］』より)

$MAV_t = MAV_{t-1} + (P_t - MAV_{t-1}) \div n$

略号説明

MAV_tは、現在の修正移動平均線の値

MAV_{t-1}は、ひとつ前の修正移動平均線の値

P_tは、現在の価格

nは、「期間」の数

開始地点は、単純移動平均線の始まりと同様に算出される。

ファストストキャスティックス

%K＝100［(C-L_n）÷（H_n-L_n)］

略号説明
Cは、直近の終値
L_nは最後のn日間の安値の最安値
H_nは最後のn日間の高値の最高値

%D＝%Kの3期間の修正移動平均線

優先（スロー）ストキャスティックス

%K＝%D（上記のファストストキャスティックスからの）
%D＝%Kの3期間のMAV

MACDの計算式
（アッペルのザ・ムービングアベレージ）

$EMA1_t$＝$EMA1_{t-1}$＋SF1（P_t－$EMA1_{t-1}$）
$EMA2_t$＝$EMA2_{t-1}$＋SF2（P_t－$EMA2_{t-1}$）
MACD＝EMA1－EMA2
シグナルライン＝$MACD_{t-1}$＋SLSF（$MACD_t$－$MACD_{t-1}$）

略号説明
$EMA1_t$と$EMA2_t$は、2つの累乗指数が含まれる移動平均線の現在の価格
$EMA1_{t-1}$と$EMA2_{t-1}$は、これらのEMAの以前の価格
SF1とSF2は、$EMA1_t$と$EMA2_t$のスムージングファクター
$MACD_t$は、現在のMACDの価格
$MACD_{t-1}$は、ひとつ前のMACDの価格
SLSFは、シグナルラインのスムージングファクター
P_tは、現在の価格

指数移動平均線

（カウフマン　ニューコモディティトレーディング）（J・K・ハトソン著『フィルター・プライス・データ――ムービング・アベレージズ・バーサス・エクスポネンシャル・ムービング・アベレージズ［Filter Price Data : Moving Averages vs. Exponential Moving Averages］』テクニカル・アナリシス・オブ・ストック・アンド・コモディティーズ誌1984年５～６月号より）

$EMA_t = EMA_{t-1} + SF\ (P_t - EMA_{t-1})$

略号説明

EMA_tは、現在の指数移動平均線の価格

EMA_{t-1}は、ひとつ前のEMAの価格

SFは、スムージングファクター

P_tは、現在の価格

「概算」のスムージングファクター＝２÷（n＋１）

略号説明

nは、単純な移動平均線における「複数期間」と同数

付録F

フィブノードについて

フィブノードソフトウエアは、ディナポリレベルで教えた戦略を効果的に適用するために設計された。私自身のトレードで使用しているのとまったく同じソフトウエアである。取り替えはなく、変更点も、違いも、秘密もなにもない。クアラルンプール市場でのゴム相場、欧州株式からS&Pまですべてをトレードしている、経験豊かな個人トレーダーやマネーマネジャーなどが、米国の内外でこのソフトウエアを広く使用している。

フィブノードの機能

フィブノードは、「統合」と「非統合」のモードで販売されている。統合バージョンは、やや割高になる。

フィブノードの非統合バージョンは、データ（フィード）から独立したものである。このバージョンは、ファイルの作成でデータベースやオンラインサービスを使用することはない。あなたが、適切なポイントを入力するのである。そしてこのプログラムが展開、保存、算出して、ディナポリレベルに示されるような支持線と抵抗線を表示する。市場が高値や安値を更新した場合、あるいは新たなリアクションナンバーが要求された場合、あなたはその数字を追加するだけでよい。プログラムはその後、すでにファイルにあるデータを使用して、すべての適切なポイントを再び算出する。表示する機能には、リネッジも含まれる。しかし、コンフルエンスは、自動的には決められない。当該の市場での時間枠とボラティリティによって、大幅に異なったコンフルエンスの位置が示される可能性があるからだ。

フィブノードの統合バージョンは非統合バージョンと同様の機能ではあるものの、オンラインフィードからのリアルタイムのデータ更新という付加機能を持つ。以前のリアクションは過去データの固定されたポイントであるために、フォーカスナンバーは、あなたが契約しているリアルタイムデータフィードによって更新される。最新の値動きが新たなフォーカスナンバーを要求するときはいつも、フィブノードは適切な支持線や抵抗線を自動的に更新して計算し直す。

あなたが互換性のあるリアルタイムのデータフィードを契約していないとしても、心配する必要はない。フィブノードの統合バージョンは、比較的新しく開発されたもので、便利ではあるものの、必需品ではない。私は13年間にわたり、フィブノードの非統合バージョンを使用して、5分足チャートで活発にトレードしている。また、トレーダーらは将来、わずかな追加料金を支払えば、フィブノードの非統合バージョンを統合バージョンへ簡単にグレードアップすることも可能である。フォーカスナンバーの自動更新を除いて、このソフトウエアの2つのバージョンはまったく同じ機能だ。

オペレーティングシステム(OS)

この本の出版の時点では、フィブノードの最新バージョンは、ウィンドウズ95、98、2000、NT上で稼動する。現在のユーザーを見ると、約半分が別のコンピューターでこのプログラムを稼動しており、残りの半分のユーザーは、グラフィックスソフトウエアを使っているとの同じコンピューターでフィブノードを使用している。私は、別のコンピューターを使用するほうを好が、それはまさにユーザー次第である。グラフィックスソフトウエアを搭載したウィンドウズでフィブノードを表示する場合は、チャートのソフトウエアとフィブノードの両方を同時に見るために、17〜25インチのモニターを推奨する。別の選択肢は、ひとつコンピューターに複数のモニターを接続して、そのうちのひとつにフィブノードを表示することだ。

フィブノードのシステム要件

フィブノードのソフトウエアは精巧で綿密に規定された計算機であるため、そのシステム要件は最低限のもので済み、快適な作業のめに必要となるのは若干のメモリと2MBのディスクスペースだけである。インストールは数分ですむ。このプログラムは単純で、操作も簡単である。現在販売されている複雑なソフトウエアパッケージを理解するには通常数カ月かかるが、フィブノードの場合には、1時間もあれば効果的に使用することができる。ただ、そのプログラムの機能をすべて完全に操作するには、トレードの頻度や基本コンセプトの理解度に応じて、しばらく時間がかかる。

フィブノードを使用するためのグラフィックスプログラムの選択は重要だ。S&Pを5分間トレードするならば、最小のキーボード操作で、チャートを垂直的・水平的にリサイズする能力を持つグラフィックスソフトウエアを使用すべきである。時間枠の変更は、楽にできるはずだ。重要なチャートポイントにカーソルを動かすのも、簡単に素早くできないといけない。先物取引をやるのであれば、グラフィックスソフトウエアの選択肢として、つなぎ足のチャートを正確に処理する能力も忘れてはならない。**付録I**を参照のこと。

私の顧客の多くは、フィブノードのオートマチックバージョンを見たがっており、私は、多数の高品質グラフィックスソフトウエアの開発業者と協議して、この可能性を模索している。ただ私は、何も考えることなくチャートから直接的にフィブノードの支持線と抵抗線を自動的に引き出せるようなことが、できるとは思わないし、それを目指して努力するつもりもない。ニューラルネットワークの人たちとこれを試みたことがあるが、その結果は芳しくなかった。このようなプログラムは、高価格ですぐに売れる可能性もあるが、私の経験に基づくと、そのプログラムによって処理されたデータの価値は疑わしいものになるだろう。もしこれが可能となり、このようなソフトウエアが容易に入手できたとしても、機能性やコンセプトの履行に関して疑問の余地が出てくる。**序文**と**第1章**を参照のこと。

コスト

フィブノードは、非常に手ごろな金額で購入できる。フィブノードは、ここ数年で価格が値下がりする一方、性能や機能は向上した。私が16年かけて成し遂げたことを再現するために、スプレッドシート（表計算）のプログラムを使って試行錯誤を続けたことから見ると、このソフトウエアの販売価格は不当に安すぎるといってもいいだろう。フィブノードの多くの利点は、簡単には判断できない。それらは早いペースのトレード向けに開発されたもので、あなたがコンセプトを構築して、一定期間にわたって戦略を実行に移すまでは正しく評価できないものである。

フィブノードの機能

このプログラムの性能は、使いやすさ・ユニークな表示・組織的能力などに基づいている。その性能の一部は、以下のとおり。

- **ホットキー**　フィブノードのほとんど全部の機能が、キー１つを押すことで実行できる。複雑なコマンドラインはなく、プログラミングも必要ではない。
- **ページング機能**　アルファベット順に配列されたプルダウンメニューあるいは、＋かーのキーを押すことによって、以前に作成されたフィブノードのファイルへ効率的にアクセスできる。
- **数値の選択**　フィブノードは、デフォルトでは私が使用している数値に設定されている。しかし、あなたは役に立つと思うほぼどんな数値も簡単に選択して設定できる。この機能は、優れた検索ツールとして使用することも可能だ。
- **ファイルの複製**　この機能によって、同じファイルで異なる数値を入力したり、異なる時間枠に設定したものを自動的に作成できる。
- **トグルキー**　「ALT－Y」を押せば、0.5と0.79で算出された２つ追加したフィブノードの位置がすぐに分かる。

- **32分の１変換**　このプログラムは、Ｔボンド、Ｔノート（米財務省中期証券）あるいは地方債券のファイルを識別して、自動的に取り入れ、32分の１の表示のノードを作成する。
- **ノードの色識別**　視覚的補助として、フォーカスナンバーとリアクションナンバーは黒色で、日付・時刻表示・レシオの選択肢は前もってセットされた色になる。支持ノードと利益目標は緑色、抵抗ノードと利益目標は赤色で表示される。
- **素早い表示**　フィブノードは、トレーダーがグラフィックディスプレーや、表フォーマットの間、また押しや戻りと拡張の間で楽に表示できるようつくられている。

新規開発や更新に関しては、下記のウエブサイトでチェックするか、あるいは事務所に電話していただきたい。

www.fibtrader.com
email　coast@fibtrader.com
電話＝941-346-3801
ファクス＝941-346-3901

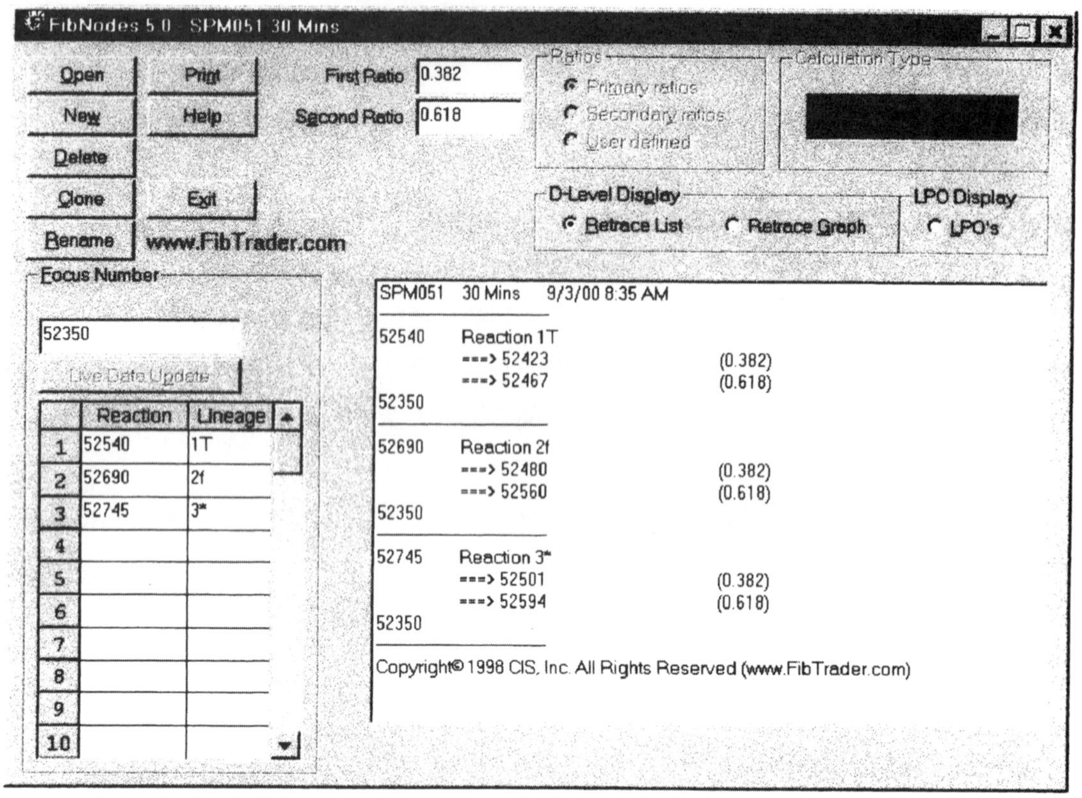
FibNodes 5.0 - SPM051 30 Mins
Open
Print
New
Help
Delete
Clone
Exit
Rename
www.FibTrader.com
First Ratio 0.382
Second Ratio 0.618
Ratios
Primary ratios
Secondary ratios
User defined
Calculation Type
D-Level Display
Retrace List
Retrace Graph
LPO Display
LPO's
Focus Number
52350
Live Data Update
Reaction Lineage
1 52540 1T
2 52690 2f
3 52745 3*
4
5
6
7
8
9
10
SPM051 30 Mins 9/3/00 8:35 AM
52540 Reaction 1T
===> 52423 (0.382)
===> 52467 (0.618)
52350
52690 Reaction 2f
===> 52480 (0.382)
===> 52560 (0.618)
52350
52745 Reaction 3*
===> 52501 (0.382)
===> 52594 (0.618)
52350
Copyright© 1998 CIS, Inc. All Rights Reserved (www.FibTrader.com)

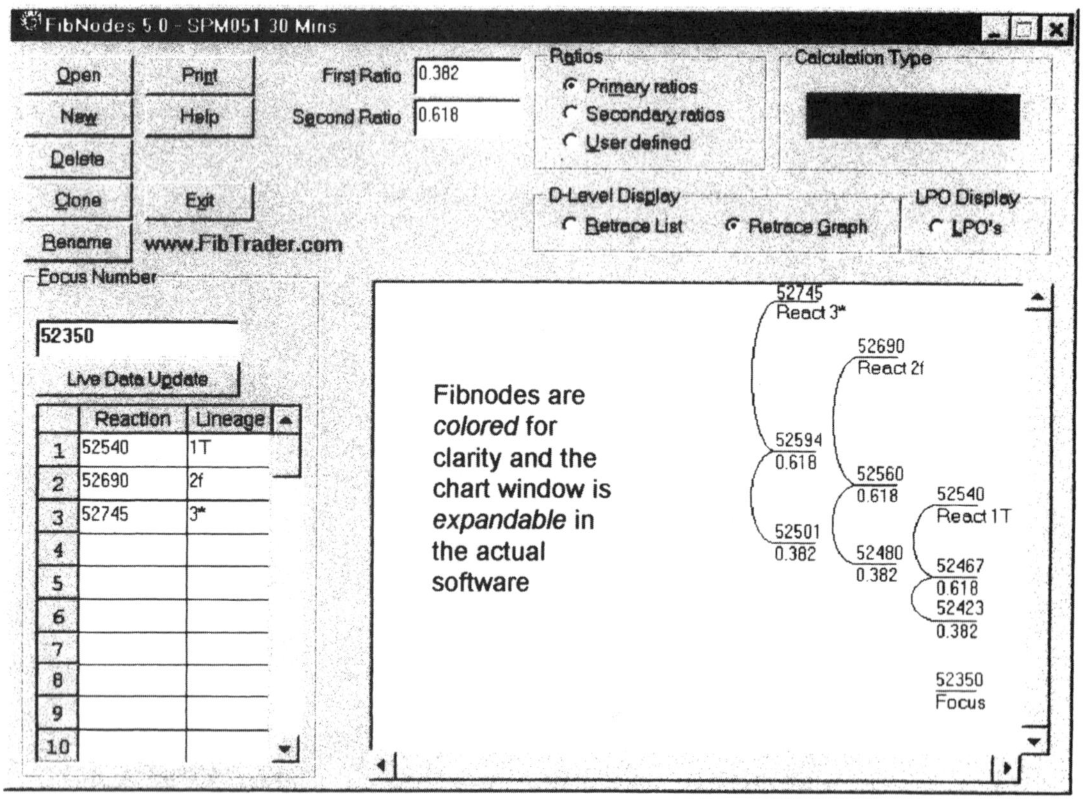
FibNodes 5.0 - SPM051 30 Mins
Open
Print
New
Help
Delete
Clone
Exit
Rename
www.FibTrader.com
First Ratio 0.382
Second Ratio 0.618
Ratios
Primary ratios
Secondary ratios
User defined
Calculation Type
D-Level Display
Retrace List
Retrace Graph
LPO Display
LPO's
Focus Number
52350
Live Data Update
Reaction Lineage
1 52540 1T
2 52690 2f
3 52745 3*
4
5
6
7
8
9
10
Fibnodes are *colored* for clarity and the chart window is *expandable* in the actual software
52745
React 3*
52690
React 2f
52594
0.618
52560
0.618
52540
React 1T
52501
0.382
52480
0.382
52467
0.618
52423
0.382
52350
Focus

付録G

オシレータープレディクター

ディナポリレベルの本文では、私はオシレータープレディクターに関する詳しい説明はしなかった。それを支える計算式は、私のトレーディングアプローチにおいて唯一特許権のある研究であるため、その優位性に注目を集めるようなことはしたくなかったのである。第７章で説明したデトレンディッドオシレーターを使えば、プレディクターとおおむね同じことが読者にもできる。ほとんどのグラフィックソフトは、今ならば無料で入手できるいくつかの低品質のソフトでさえも、デトレンディッドオシレーターを作り、正しく表示することが可能だ。デトレンディッドオシレーターよりもプレディクターが優れた点は、さまざまな角度から見た買われ過ぎ・売られ過ぎの数値を、迅速かつ簡単に得ることができ、しかも、この情報がひとつの期間早く分かるという点である。この違いがトレーダーとしての人生をかなり楽にしてくれるのだ。利食おうと考えているにせよ、利益拡大を考えているにせよ、実際の相場の動きよりも先に価格を知るということは、トレード方針を決めるときにも、そして実行に移すときにも役立つのである。

次のページの**チャートAG.1**には、オシレータープレディクターの研究が実際のどのように機能するのかが、第７章で説明した戦略１を使って表示されている。このチャートの検証も、仕掛ける（戦略２）前に、自分がどれだけ買われ過ぎ・売られ過ぎかを知ることの重要性が強調されている。

プレディクターの形式は、良き友人で同僚のブライアン・ベル氏のおかげで、初期バージョンから大きく改善されている。ベル氏は、この研究を、CQG for Windows Softwareのなかにプログラムした人物である。私たちは彼の仕事が非常に気に入ったため、彼のデザインを次の世代のコースト・トレーディング・パッケージに取り入れており、またトレードステーションに組み込まれているオシレーターブリディクターにも取り入れた。

初期のバージョンでは、われわれは単一の価格ポイント、例えば、明日（次のピリオド）の買われ過ぎ・売られ過ぎの数値となる商品先物や株式の価格水準を計算した。そして、明日の相場の極端な値を付けるポイントだけ（１つ分のバーだけ進めて）チャート上に記入した。ブライアンによるこの研究のビジョンには、このポイントを含むだけではなく、これにチャートに示されるデータのために過去に計算されていたすべてのポイントも加えられていたのである。最終的に得られるのは、独特な方法で計算された予測的な先行指標として機能する上方と下方に描かれたボラティリティバンドである。ほかのボラティリティバンドと違って、このボラティリティバンドは未来をも指し示すのである！

オシレータープレディクターの入手先について

これを執筆している時点では、この研究を入手する方法は３つある。私たちの開発したコースト・トレーディング・パッケージ（**付録C**を参照)、CQG for Windows Software、一部のバージョンのトレードステーションの３つである。私たちはトレードステーションのユーザーに、少額でELAパックを提供している。これによって、プレディクターを作ることができるだけでなく、本書で説明したすべてのディナポリ指標（フィブノードはない）を正しく表示できる。そのうち、ほかのソフトにもこの重要な指標が採用されるようになる可能性は高い。ただ、偽物にはご注意を。私たちが見たもののなかにも、オシレータープレディクターと同じ機能を持つとうたわれていたソフトのいくつかは、実際は間違った結果、あるいは低品質の結果を示した。使い始めは一連のデフォルト設定を使うことを勧めるが、自分のトレーディングスタイルに合わせてプレディクターを調整するには、種々さまざまなユーザー定義のインプットが必要になる。現在、私たちのホームページでは、この重要な指標をどのように使いこなすかについて、より詳しく議論するフォーラムが無料で開催されている。

チャートAG.1では、さまざまな水準を示しているが、これは既存のポジションを手仕舞うための理論的利益目標水準として活用できるような、プレディクターが最高の水準だと判断したものである。このことは、30分足チャートが描かれている**チャートAG.2**に特にはっきりと表れている。**チャートAG.2**は、事前に算出された水準に私たちが接近したときの相場の動きを示している。

チャートAG.1

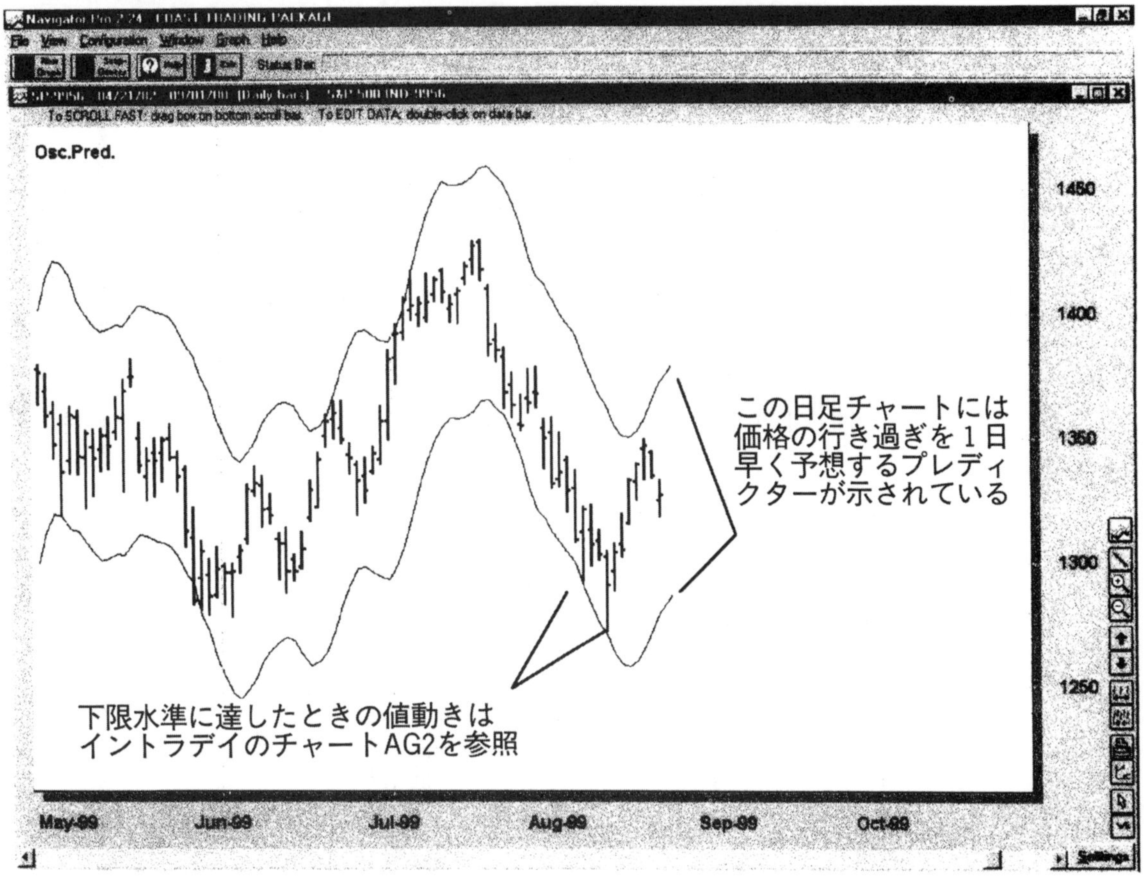

プレディクターを使って利益を得る

さて、高値や安値で利益を得る方法は分かったが、できることはほかにもたくさんある。この方法を使えば、「もしもこうならば」ゲームをすることもできる。これらのパラメータ方程式を使えば、特定の価格に伴うようなリスクを評価することも可能で、それによって、**第７章**の戦略２で説明したように、トレードをフィルターにかけることが可能となる。実際にどのように機能するかを説明しよう。あなたは未来の、例えば明日のDMAの数値を知ることができる。相場がこの数値をブレイクしないと、仕掛けのサインは出されないことも分かっている。では、許容できないような買われ過ぎ・売られ過ぎの水準を算出するデトレンディッドオシレーターの数値を、プレディクターのユーザー定義の「カスタム」の買われ過ぎ・売られ過ぎインプットに当てはめてみよう。すると、仕掛けるべきではない価格水準が事前に判明するのである。読者がこのトレードをしたいか否かは別として、この方法を使えば、詳細な情報を得たうえでの決断を下すことが可能になる。

チャートAG.2

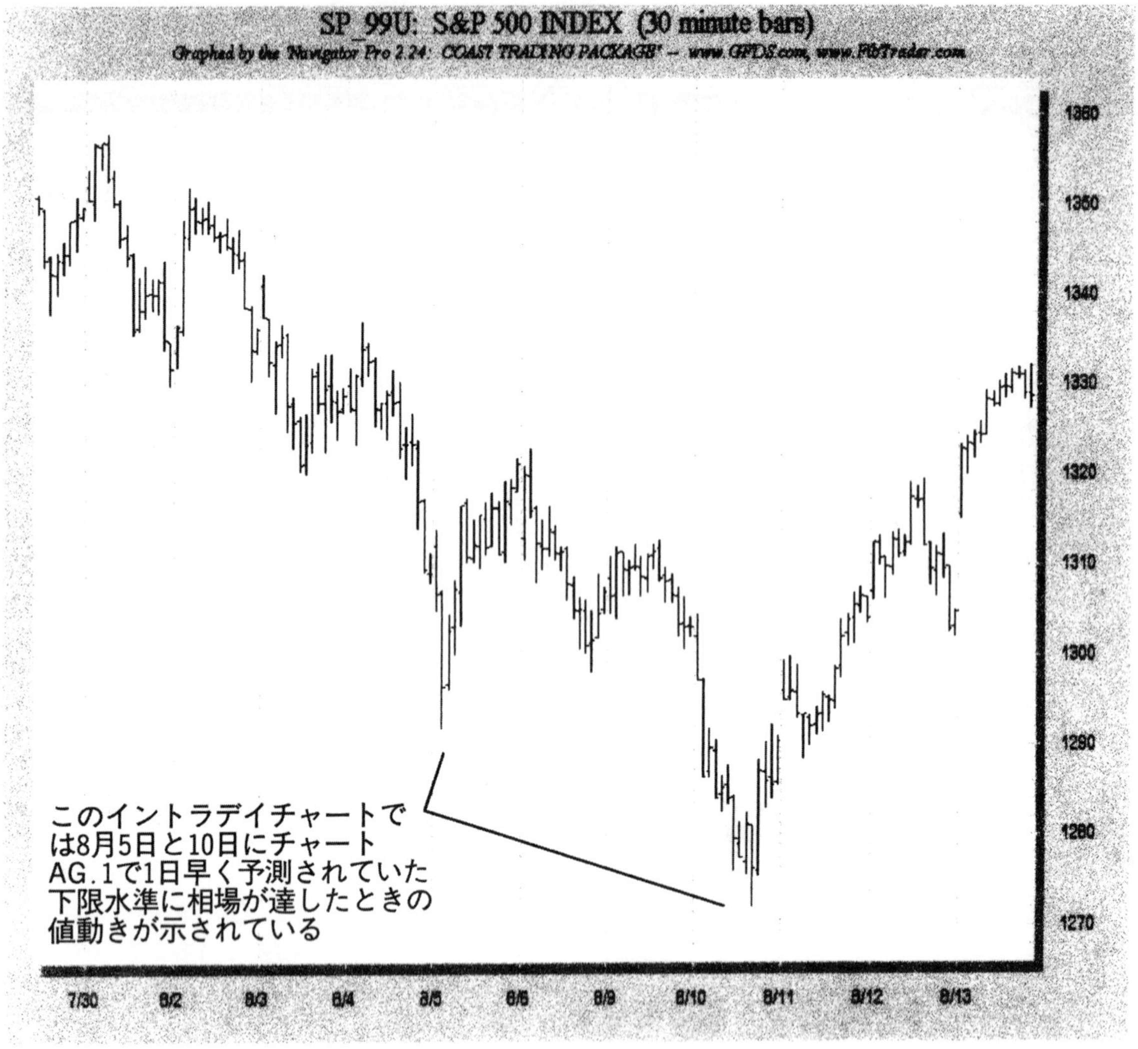

オシレータープレディクターを第15章で説明した短期S&Pのトレードに適用してみる

ユーザー定義のインプットから、90%の買われ過ぎ水準を選択すると、「翌日の」買われ過ぎ水準として52730の価格がはじき出される。その結果、私たちはどこで執行の決断を下すべきかを、事前に知ることになる。下記に示したのは、プレディクターのユーザー定義の設定画面である。

チャートAG.3

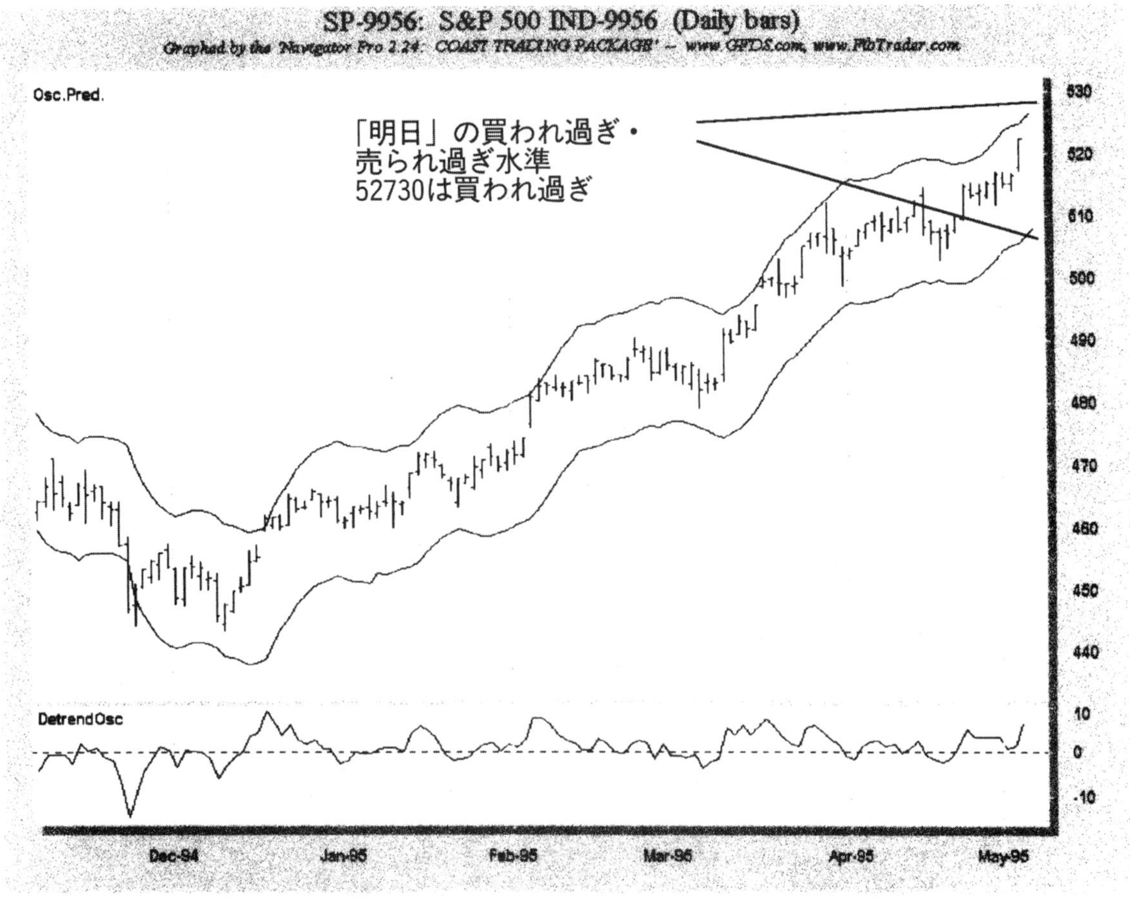
SP-9956: S&P 500 IND-9956 (Daily bars)
Graphed by the 'Navigator Pro 2.24: COAST TRADING PACKAGE' -- www.GFDS.com, www.FibTrader.com
Osc.Pred.
「明日」の買われ過ぎ・
売られ過ぎ水準
52730は買われ過ぎ
530
520
510
500
490
480
470
460
450
440
DetrendOsc
10
0
-10
Dec-94
Jan-95
Feb-95
Mar-95
Apr-95
May-95

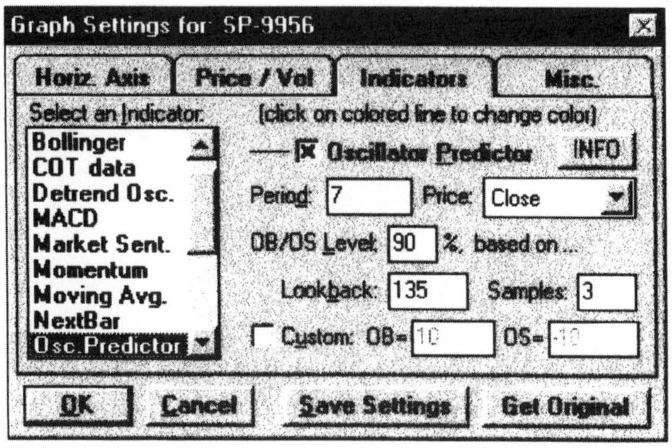
Graph Settings for SP-9956
Horiz. Axis
Price / Vol
Indicators
Misc.
Select an Indicator.
(click on colored line to change color)
Bollinger
COT data
Detrend Osc.
MACD
Market Sent.
Momentum
Moving Avg.
NextBar
Osc.Predictor
Oscillator Predictor
INFO
Period: 7
Price: Close
OB/OS Level: 90 %, based on...
Lookback: 135
Samples: 3
Custom: OB= 10 OS= -10
OK
Cancel
Save Settings
Get Original

付録H

第15章のS&Pの短期トレードとタイム・アンド・セールス（時系列ティックデータ）

ここに示すタイム・アンド・セールスの表は、フロアで実際に起きた出来事をより正確に伝えてくれる。ただこれはトレード中に私が見ていたものとは大きく異なるものである。

SPM5 - CME S&P 500 Stock Index - Future　　Time & Sales
5/ 4/95

15:07	523.70	523.65	523.60	523.55	523.50	523.45	523.40	523.40
	523.35	523.30	523.25					
15:08	523.20	523.15	523.10	523.15	523.20	523.30	523.25	523.20
	523.15	523.10	523.20	523.15				
15:09	523.10	523.05	523.00	522.95	522.90	522.85	522.80	522.75
	522.80	522.75	522.70					
15:10	522.60	522.50	522.45	522.40	522.50	522.55	522.60	522.65
	522.70	522.60	522.70	522.75	522.80	522.75	522.70	
15:11	522.60	522.50	522.40	522.35	522.30	522.20	522.10	522.00
	521.90	521.70	521.60	521.50				
15:12	521.40	521.30	521.20	521.10	521.00	521.10	521.20	521.30
	521.50	521.60	521.70	521.80	521.90			
15:13	522.00	521.70	521.50	521.60	521.70	521.80	521.90	522.00
	521.95							
15:14	521.90	522.00	522.00	522.10	522.20	522.30	522.50	522.40
	522.00	522.20	522.30					
15:15	522.40	522.20	522.00	522.10	522.15	522.20	522.10	522.00
	521.90	522.00						
15:16	522.10	522.20	522.10	522.00	521.90	522.00	522.20	522.30
15:17	522.40	522.30	522.20	522.10	522.00	522.10	522.00	522.20
	522.00	521.90						
15:18	521.80	521.75	521.70	521.60	521.70	521.80	521.90	521.80
	521.70							
15:19	521.60	521.50	521.40	521.45	521.30	521.20	521.10	521.00
	521.10	521.20	521.30					

付録Ⅰ

限月のつなぎ足チャートの作成

先物商品の限月のつなぎ足チャートを作成する方法は、ほぼ無制限にある。本書で説明したフィボナッチ分析テクニックを使う場合は、次に挙げる方法が最も有効だ。

出来高や取組高にとらわれず、トレードがあったすべての限月を使い、当限の納会日までのデータを含める。当限納会日の翌日に次の限月のデータをつなげると、ギャップが空くことがあるが、このギャップを調整しないこと。金曜日はその１週間の引けとするが、月末は曜日に関係なく、その月の最終日とする。

付録J

コースト・インベストメント・ソフトウエア製品とサービス

電話＝941-346-3801
ファクス＝815-550-7370
Eメール cis@fibrader.com
www.fibtrader.com

講義とトレーニング

ジョー・ディナポリ著『フィボナッチ・マネー・マネジメント・アンド・トレンド・アナリシス・イン・ホーム・トレーディング・コース（FIBONACCI, MONEY MANAGEMENT, AND TREND ANALYSIS in home trading course）』［内容　MP3（圧縮オーディオ）用CD、120ページの取扱説明書、高品質・ワイドスパンの高精密レシオコンパスの正しい使い方を説明した専門的解説の応用マニュアル］
トレーダーとして成功するための必需品……………………………………………375.00ドル
高精密レシオコンパスと応用マニュアルなし…………………………………………275.00ドル

高精密レシオコンパスと応用マニュアル　高精密レシオコンパスは、ドイツで製造・技術生産された高品質の建築用ツール。軽量で使いやすく、この精密機器を使えば、トレーダーは重要なフィボナッチ級数やコンフルエンス、リネッジマーキングをグラフに記入することができる。フィブノードのソフトを保有していても、一般的に高精密レシオコンパスはトレードに不可欠なツールとみなされている。応用マニュアルは60ページもある専門的に説明された解説書で、プロポーショナルドライバーの操作方法とこのディバイス活用の背景にある理論が書かれている…………129.00ドル

プライベートレッスン　２日間の集中指導をトレーディングルームで行う。参加者数限定で、資格要件が適用され、開催の回数は限られている。費用と今後の予定については、事務所に問い合わせるか、ウエブサイトのhttp://www.fibtrader.com/seminars/にアクセス。

トレーディングソフト

フィブノード5.0　独自のフィボナッチの押し・戻りと目標水準を算出するソフトウエア。慌ただしくプレッシャーの強いデイトレードや、極めて正確なストップ注文の設定と狙った「利益目標」の達成が必須のポジショントレード用に特別にデザインされたソフトである。フィボナッチの水準が計算され、「トレーディング・ウィズ・ディナポリレベル（Trading with DINAPOLI LEVEL)」で詳述されたジョー・ディナポリのアプローチと一致する方法で表示される。

非統合バージョン……………………………………………………………………395.00ドル

統合バージョン………………………………………………………………………495.00ドル

コースト・トレーディング・パッケージ　手ごろな価格の完全グラフィック・トレーディング・パッケージ。そのうえ、徹底的な戦略を学ぶのも簡単。ディナポリ指標と研究のすべての特許知識を含む。ディスカウントがあるが、若干の月間費用も必要になる。

日次バージョン………………………………………………………………………395.00ドル

イントラデイバージョン……………………………………………………………495.00ドル

参考文献

Gerald Appel *The Moving Average Convergence-Divergence Trading Method* (Signalert Corp., 150 Great Neck Road, Suite 301, Great Neck, New York 11021)

Jacob Bernstein, *Short Term Trading in Commodity Futures*, (Probus Publishing Company, 1987, ISBN 0-917253-66-3),(MBH Commodities, 60 Revere Dr., #888, Northbrook, IL 60062, 800 678-5253)

ロバート・D・エドワーズ、ジョン・マギー、W・H・C・バセッティ著『マーケットのテクニカル百科　入門編』『マーケットのテクニカル百科　実践編』(パンローリング)

Larry Ehrhart, 3700 North Lake Shore Drive, Suite 7-09, Chicago, IL 60613, 312 871-4687, 312 789-7434 •(Volume Studies)

J.K. Hutson, "Filter Price Data: Moving Averages vs. Exponential Moving Averages" *Technical Analysis of Stocks & Commodities* magazine, May/June 1984.

George Lane. Investment Educators, 719 S. Fourth Street, Watseka, IL 60970 800 962-9836, (815) 432-4334 •(Stochastics)

ジョン・マーフィー著『先物市場のテクニカル分析』(きんざい)

Markets & Market Logic by Peter Steidlmayer and Kevin Koy, (The Porcupine Press, 1986, ISBN 0-941275-00-0, 401 S. LaSalle St., Suite 1101, Chicago, IL 60605)

J・ウエルズ・ワイルダー・ジュニア著『ワイルダーのテクニカル分析入門――オシレーターの売買シグナルによるトレード実践法』(パンローリング)

Bill Williams, Ph.D., C.T.A., Profitunity Trading Group, Ltd. 2300 Pilgrim Estates Dr., Texas City, TX 77590-3750 409 945-8880, Fax 409 945-8887, e-mail ptg@phoenix.net, www.profitunity.com •(Judgmental Trading)

※参考文献　ジェラルド・アペル著『アペル流テクニカル売買のコツ』、ジェイク・バーンスタイン著『バーンスタインのデイトレード入門・実践』、ジョン・J・マーフィー著『DVD ジョン・マーフィーの値上がる業種を探せ』、『DVD ジョン・マーフィーの儲かるチャート分析』、『DVD ジョン・マーフィーの市場間分析入門』(全てパンローリング刊)

参考資料

ここにも参考となる書籍を掲載した。これらは読者にとって大きな価値を持つ可能性があると私が判断したためである。それらのなかには非常に高度な内容のものもあれば、初心者向けのものもあるため、選択して利用されたい。一部の参考文献は実際のトレードで応用するというよりも興味本位の文献であり、それ以外の参考文献はトレードの終了後に利益を維持するのに役立つものだ。ここには参考文献で取り上げた書籍の掲載はしていない。参考文献のほかには、ある特定分野の専門知識やお勧めの読み物も示している。ここに掲載しなかったほかの参考文献もある。それは、多くの出版物であったり、提供された資料そのものが、一言で解説できないものであるためだ。私は長い間この業界にいるが、多くの価値のある出版物や人物を盛り込むのを忘れた気がする。そのことに関しては、心から陳謝する。

Thomas Aspray, Boardwatch, 117 W 15th Ave, P.O. Box 2141, Spokane, WA 99210, 509 838-0434, Fax 509 747-7801

Bill Bay, 1065 US 1 North, Ormond Beach, Fl 32174 •(Volume Studies)

Thomas A. Bierovic, Synergy Futures, 519 Riva Court, Wheaton, IL 60187, 630 682-3768, Fax 630 682-3915

John Bollinger, Bollinger Capital Management, Inc., P.O. Box 3358, Manhattan Beach, CA 90266, 310 798-8855, Fax 310 798-8858

Walter Bressert, P.O. Box 8268, 9440 Doubloon Drive, Vero Beach, FL 32963, 407 388-3330, Fax 407 388-3389 •(Time Cycles)

Constance M. Brown, *Aerodynamic Trading* (New Classics Library, 1995, ISBN 0-932750-42-7, P.O. Box 1618, Gainesville, GA 30503) (Aerodynamic Investments Inc., 770 533-9161, Fax 770 536-1337 , e-mail CBspz&ibm.net, www.aeroinvest.com)

Bob Buran, Bob Buran Investment Vision, 8175 S Virginia Street, S850-359, Reno, NV 89511, 702 853-8667

Andrew E. Cardwell, Cardwell Financial Group, Inc., P.O. Box 1369, Woodstock, GA 30188 •(RSI, Divergence Techniques)

Michael Chalek, Universal Technical Systems, 6503 N. Military Trail, Suite 905, Boca Raton, FL 33496, 800 315-3893, Fax 561 989-9131, e-mail wetradeall@aol.com, www.tradefutures.com •(Non-judgmental Trading)

ローレンス・コナーズ、リンダ・ブラッドフォード・ラシュキ著『魔術師リンダ・ラリーの短期売買入門』(パンローリング)

Michael Gur Dillon, Symmetry Wave Theory, 1705 14th St., Suite 277, Boulder, CO 80302, 303 449-4601 •(Non-judgmental Trading)

Edward Dobson, *Understanding Fibonacci Numbers,* Traders Press, Inc. P.O. Box 6206, Greenville, SC 29606, 800 927-8222, Fax(803) 298-0221

※参考文献　ジョン・A・ボリンジャー著『ボリンジャーバンド入門』(パンローリング刊)

Mark Douglas, Trading Behavior Dynamics, 195 N. Harbor Drive, Suite 1603, Chicago, IL 60601
312 938-1441, Fax 312 856-2184 •(Psychology)

Dr. Alexander Elder, The Russian Exchange, 157 West 57th Street, Suite 1103, New York, NY 10019,
212 962-6894, 718 639-8889

Peter Eliades, cyclese@earthlink.net •(Cycles)

Tucker J. Emmett, *Fibonacci Cycles and Commodity Price Behavior* (Tucker Emmett, Stotler & Company, 30 South Wacker Drive, Chicago, IL 60606, 312 930-1450)

Rober Fischer, *Fibonacci Applications and Strategies for Traders,* (John Wiley & Sons, Inc. 1993, ISBN 0-471-58520-3), *The Golden Section Compass.*

Nelson Freeburg, Formula Research, 4745 Poplar Ave., Suite 307, Memphis, TN 38117,
901 767-1956, 800 720-1080, Fax 901 458-0066 •(Non-judgmental Trading)

William R. Gallacher, *Winner Take All* (Probus Publishing Company, 1994, ISBN 1-55738-533-5)

Genesis Financial Data Services, 425 Woodmen Rd., Colorado Springs, CO 80919, 800 808-3282

Joseph and Francis Gies, *Leonard of Pisa and the Mathematics of the Middle Ages*

Global Forex Trading, Ltd., 4764 Fulton Rd.#202, Ada, MI 49301, 800 465-4373, 616 974-3682 Fax
info@gftltd.com, www.gftltd.com • (Forex Dealers)

Sunny Harris, *Trading 101 - How to Trade Like a Pro* (John Wiley & Sons, 1996)
Sunny Harris & Associates, Inc., 2075 Corte del Nogal, Suite C, Carlsbad, CA 92009-1414,
888 68-Sunny, 760 930-1050, 760 930-1055 Fax, www.moneymentor.com

P.J. Kaufman, *The New Commodity Trading Systems & Methods* (John Wiley & Sons, 1987),
Maple Hill Farm, P.O. Box 7, Scotch Hollow Rd., Wells River, VT 05081, 802 429-2121,
Fax 802 429-2122

Robert Krausz & Jeanne Long, Fibonacci Trader Corp., 757 SE 17th Street, Suite 272, Fort Lauderdale, FL 33316, 512 842-1166, Fax 954 566-2427, e-mail fibbo@safari.net

Joe Krutsinger, Robbins Trading Company, Presidents Plaza, 7th Floor, South Tower,
8700 W. Bryn Mawr, Chicago, IL 60631-3507, 312 714-9000.

チャールズ・ルボー、デビット・ルーカス著『マーケットのテクニカル秘録――独自システム構築のために』(パンローリング)

Lou Mendelsohn, 25941 Apple Blossom Lane, Wesley Chapel, FL 33544, 800 732-5407,
813 973-0496, Fax 813 973-2700, lm@profittaker,com

S. Edward Moore, *Rhythm of the Markets,* 8000 River Road, Suite 11C, N.Bergen, NJ 07047,
800 686-0833, 201 861-0993, Fax 201 295-8664, rhythmofthemarkets.com

Glenn Neely, Elliott Wave Institute, 1278 Glenneyre, Laguna Beach, CA 92651, 800 636-9283,
Fax 714 493-9149

※参考文献　マーク・ダグラス著『ゾーン～相場心理学入門』、『規律とトレーダー 相場心理分析入門』、アレキサンダー・エルダー著『投資苑』、ネルソン・フリーバーグ著『DVD ネルソン・フリーバーグのシステム売買 検証と構築』、ロバート・クラウス著『ギャン 神秘のスイングトレード』(全てパンローリング刊)

Tom O'Brien, Tiger Financial News Network, 2401 W. Bay Dr., Largo, FL 33770, 727 518-9190
www.tfnn.com • (Financial News)

Merrick Okamoto, Trade Portal.com, Inc., 18 Technology Dr. #154, Irvine, CA 92619, 888 839-2227
949 450-9999 Fax, www.tradeportal.com •(Direct Access Level II Brokerage Firm)

Rich Pearce, Pearce Financial, P.O. Box 6700, Destin, FL 32550, 800 678-8030,
fibtrader@PearceFinancial.com •(Brokerage Services)

Larry Pesavento, 4625 E. Camino Rosa, Tucson, AZ 85718, 520 529-0469, Fax 520 529-0491,
www.tradingtutor.com,•(Fibonacci Analysis)

Charles Plank, Pi Inc., 23130 Hartland Street, Canoga Park, CA 91307 •(Fibonacci Analysis)

Robert Prechter, New Classics Library, P.O. Box 1618, Gainesville, GA 30503, 405 536-0309
•(Elliott Wave)

Mark Seleznov, Trend Trader, LLC, 15030 N. Hayden Rd. #120, Scottsdale, AZ 85260, 480 948-1146
480 948-1195 Fax, mark@trendtrader.com • (Brokerage Services)

Ted Tesser, Waterside Financial Services, 1035 Spanish River Road, #106, Boca Raton, FL 33492,
407 989-0642 •(Tax Consulting for Traders)

Teweles, Harlow, & Stone, *The Commodity Futures Game,* (McGraw-Hill)

Dr. Van K Tharp, IITM Inc. 8308 Belgium Street, Raleigh, NC 27606, 919 233-8855, Fax 919 362-6020
•(Psychology)

Ralph Vince, *The New Money Management* (John Wiley & Sons, 1995) www.technalink.com/rv.shtml
•(Money and Portfolio Management)

Larry Williams, Commodity Timing, 140 Marine View, Suite 204, Solana Beach, CA 92075,
619 756-0421•(Non-judgmental Trading)

Brian R. Bell, Custom Trading Solutions, 5930 S. Logan Ct., Littleton CO 80121, (877) 414-3388
www.customtradingsolutions.com

以下の方々、および会社には特に感謝を申し上げます。

Aspen Research Group, Ltd., ,P.O. Box 1370. Glenwood Springs, CO 81602, 800 359-1121

Neal Hughes, 11121 NE 97th St., Kirkland, WA 98033, 425 576-8498, neal@fibtrader.com
• Trader support and education

Elyce Picciotti, 613 North St. Patrick St., New Orleans, LA 70119, 504 488-3651 elyce@bellsouth.net

Steven E. Roehl, 108 Cristine Ct., Niceville, FL 32578-4713, 850 729-7522, Fax 850 729-2441
e-mail roehl@cybertron.com

※参考文献　ロバート・プレクター著『DVD エリオット波動～勝つための仕掛けと手仕舞い～』、バン・K・タープ著『魔術師たちの心理学』、『魔術師たちの投資術』、『DVD 魔術師たちの心理学セミナー』、ラルフ・ビンス著『投資家のためのマネーマネジメント』、ラリー・ウィリアムズ著『ラリー・ウィリアムズの短期売買法』（全てパンローリング刊）

著者について

ジョー・ディナポリ氏は、市場でのトレード経験が25年以上に上るベテランのトレーダーである。また根気強い徹底した研究家、国際的に認められた講演者、広く称賛を浴びている著者でもある。

ジョーの受けた公式の教育は、電気工学と経済学で、非公式に受けた教育は「バンカー」で身につけたものである。これは多くのコンピューターと通信機器に埋もれたトレーディングルームの別名で、この場所でジョーの初期の研究が始まった。

徹底した研究から生まれたDMA、彼が特許を持つオシレータープレディクターの開発、特に価格軸に対するフィボナッチ級数の実際的でユニークな活用方法によって、ジョーは今日最も探求心の強い専門家のひとりになっている。

ジョーは、10年あまりにわたり公認のCTA（商品投資顧問）として、米国のほか欧州やアジアの主要金融都市で独自のトレードテクニックを教えてきた。1996年には世界の23の金融センターで満員の聴衆に対してセミナーを開いた。彼の貢献は、さまざまな取引書やテクニカル分析に関する出版物となって表れている。

『マーケットのテクニカル秘録』（パンローリング）の著者、チャック・ルボー氏が彼の著作の読者に対して、成功したトレーダーのなかで最もインタビューしてほしいと望んでいるトレーダーの名前を尋ねたところ、ジョー・ディナポリ氏の名前がほかのだれよりも頻繁に挙がった。またアトランタコンスティチューション紙は、フィボナッチ級数が市場で「不思議な力」を発揮するとして、ジョーの成果を引用した。ジョーはこのほかにも、全国向け（全米向け）のTV番組に出演して市場予測、特に株式指数や金利先物の予測を驚くべき超人間的な正確さでやって見せた。

フロリダ州サラソタのシエスタキーにあるコースト・インベストメント・ソフトウエア社の社長であるジョーは、ユニークかつ革新的な方法で先行指標と遅行指標を組み合わせたものを使いながら、「精度の高い」トレーディング手法を開発・展開し続けている。ジョーは毎年、自分のトレーディングルームで回数は少ないがプライベートレッスンを行っているほか、ソフトウエアやトレーディングコース教材を通じてほかの人にトレードの手法を伝授している。

■監修者紹介

成田博之（なりた・ひろゆき）

ノースカロライナ大学ウィルミントン校卒業。シンガポールの銀行で約10年間、金融商品のディーリングをしたあと、1998年にオーストラリアに永住。日経225先物を中心に自己資金の運用を開始。その後、GCI（現GCIアセット・マネジメント）、FXCMジェパンの取締役に就任。2004年からヘッジファンドの運用に携わっている。訳書に『ピット・ブル』（パンローリング）がある。また、2003年から毎年夏に東京で行われているラリー・ウィリアムズ・セミナー（パンローリング主催）では通訳を務めるなど、同氏から絶大な信頼を得ている。

■訳者紹介

株式会社ゼネックス　翻訳グループ

商品先物・金融分野の相場・市況・分析を提供し、また商品取引員向けのバックオフィスなどのシステム開発も行う総合情報ベンダー。1981年設立。東京（本社）、ニューヨーク、シカゴ、福岡に拠点。翻訳グループは、専門分野の知識を生かしての通信社の市況翻訳や、外部依頼の翻訳などを担当する翻訳専門部門。

住所〒103-0026　東京都中央区日本橋兜町13-2　兜町偕成ビル８階

電話　03-5641-5777（代表）　FAX　03-5641-5779

ウエブサイト：http://money.genex.co.jp/

e-mail：money-wmaster@genex.co.jp

2007年11月22日　初版第1刷発行
2007年12月5日　　　第2刷発行

ウィザードブックシリーズ⑳

ディナポリの秘数（ひすう） フィボナッチ売買法（ばいばいほう）
押し・戻り分析で仕掛けから手仕舞いまでわかる

著　者　ジョー・ディナポリ
監修者　成田博之
訳　者　株式会社ゼネックス
発行者　後藤康徳
発行所　パンローリング株式会社
〒160-0023　東京都新宿区西新宿 7-9-18-6F
TEL 03-5386-7391　FAX 03-5386-7393
http://www.panrolling.com/
E-mail　info@panrolling.com
編　集　エフ・ジー・アイ（Factory of Gnomic Three Monkeys Investment）合資会社
装　丁　パンローリング装丁室
組　版　パンローリング制作室
印刷・製本　株式会社シナノ

ISBN978-4-7759-7042-3

アレキサンダー・エルダー博士の投資レクチャー

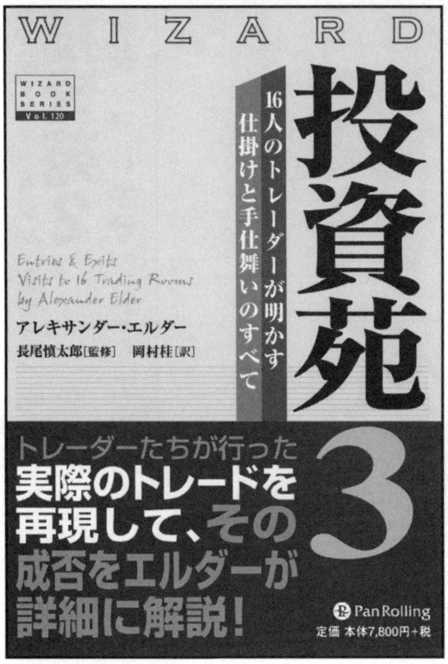

ウィザードブックシリーズ120
投資苑３
著者：アレキサンダー・エルダー

定価 本体 7,800円＋税　ISBN:9784775970867

【どこで仕掛け、どこで手仕舞う】
「成功しているトレーダーはどんな考えで仕掛け、なぜそこで手仕舞ったのか！」――16人のトレーダーたちの売買譜。住んでいる国も、取引する銘柄も、その手法もさまざまな16人のトレーダーが実際に行った、勝ちトレードと負けトレードの仕掛けから手仕舞いまでを実際に再現。その成否をエルダーが詳細に解説する。ベストセラー『投資苑』シリーズ、待望の第３弾！

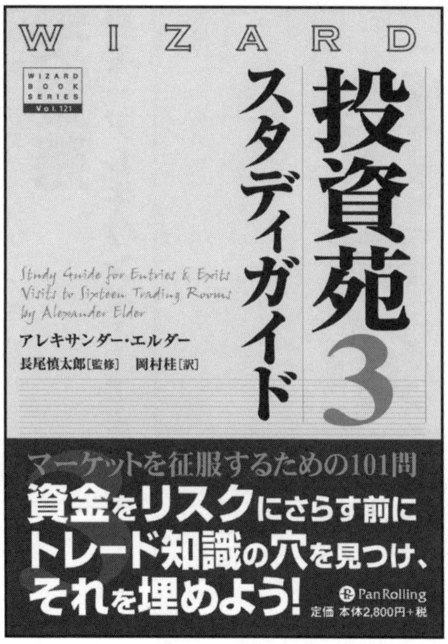

ウィザードブックシリーズ121
投資苑３ スタディガイド
著者：アレキサンダー・エルダー

定価 本体 2,800円＋税　ISBN:9784775970874

【マーケットを理解するための101問】
トレードで成功するために必須の条件をマスターするための『投資苑３』副読本。トレードの準備、心理、マーケット、トレード戦略、マネージメントと記録管理,とレーダーの教えといった７つの分野を、25のケーススタディを含む101問の問題でカバーする。資金をリスクにさらす前に本書に取り組み、『投資苑３』と併せて読むことでチャンスを最大限に活かすことができる。

DVD トレード成功への3つのM～心理・手法・資金管理～

講演：アレキサンダー・エルダー　定価 本体4,800円＋税　ISBN：9784775961322

世界中で500万部超の大ベストセラーとなった『投資苑』の著者であり、実践家であるアレキサンダー・エルダー博士の来日講演の模様をあますところ無く収録。本公演に加え当日参加者の貴重な生の質問に答えた質疑応答の模様も収録。インタビュアー:林康史（はやしやすし）氏

DVD 投資苑～アレキサンダー・エルダー博士の超テクニカル分析～

講演：アレキサンダー・エルダー　定価 本体50,000円＋税　ISBN：9784775961346

超ロングセラー『投資苑』の著者、エルダー博士のDVD登場！感情に流されないトレーディングの実践と、チャート、コンピューターを使ったテクニカル指標による優良トレードの探し方を解説、様々な分析手法の組み合わせによる強力なトレーディング・システム構築法を伝授する。

トレード基礎理論の決定版 !!

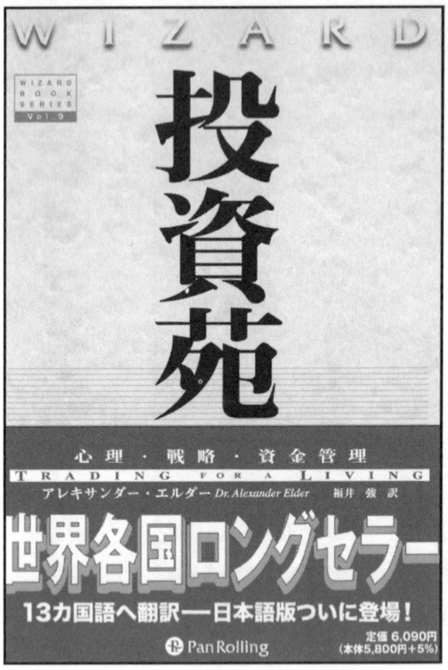

ウィザードブックシリーズ9

投資苑

著者：アレキサンダー・エルダー

定価 本体 5,800円＋税　ISBN:9784939103285

【トレーダーの心技体とは？】
それは３つのM「Mind=心理」「Method=手法」「Money=資金管理」であると、著者のエルダー医学博士は説く。そして「ちょうど三脚のように、どのMも欠かすことはできない」と強調する。本書は、その３つのMをバランス良く、やさしく解説したトレード基本書の決定版だ。世界13カ国で翻訳され、各国で超ロングセラーを記録し続けるトレーダーを志望する者は必読の書である。

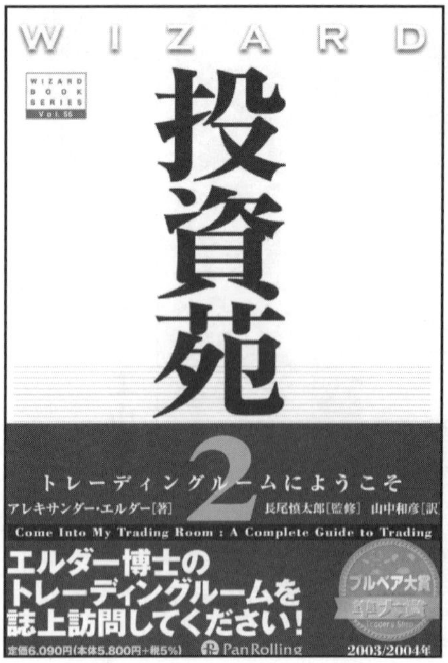

ウィザードブックシリーズ56

投資苑２

著者：アレキサンダー・エルダー

定価 本体 5,800円＋税　ISBN:9784775970171

【心技体をさらに極めるための応用書】
「優れたトレーダーになるために必要な時間と費用は？」「トレードすべき市場とその儲けは？」「トレードのルールと方法、資金の分割法は？」――『投資苑』の読者にさらに知識を広げてもらおうと、エルダー博士が自身のトレーディングルームを開放。自らの手法を惜しげもなく公開している。世界に絶賛された「３段式売買システム」の威力を堪能してほしい。

ウィザードブックシリーズ 50

投資苑がわかる203問

著者：アレキサンダー・エルダー　定価 本体2,800円＋税　ISBN:9784775970119

分かった「つもり」の知識では知恵に昇華しない。テクニカルトレーダーとしての成功に欠かせない３つのM（心理・手法・資金管理）の能力をこの問題集で鍛えよう。何回もトライし、正解率を向上させることで、トレーダーとしての成長を自覚できるはずだ。

投資苑２Q&A

著者：アレキサンダー・エルダー　定価 本体2,800円＋税　ISBN:9784775970188

『投資苑２』は数日で読める。しかし、同書で紹介した手法や技法のツボを習得するには、実際の売買で何回も試す必要があるだろう。そこで、この問題集が役に立つ。あらかじめ洞察を深めておけば、いたずらに資金を浪費することを避けられるからだ。

マーケットの魔術師 ウィリアム・オニールの本と関連書

ウィザードブックシリーズ12
成長株発掘法
著者：ウィリアム・オニール

定価 本体 2,800円＋税　ISBN:9784939103339

【究極のグロース株選別法】
米国屈指の大投資家ウィリアム・オニールが開発した銘柄スクリーニング法「CAN-SLIM（キャンスリム）」は、過去 40 年間の大成長銘柄に共通する７つの要素を頭文字でとったもの。オニールの手法を実践して成功を収めた投資家は数多く、詳細を記した本書は全米で 100 万部を突破した。

ウィザードブックシリーズ71
相場師養成講座
著者：ウィリアム・オニール

定価 本体 2,800円＋税　ISBN:9784775970331

【進化する CAN-SLIM】
CAN-SLIM の威力を最大限に発揮させる５つの方法を伝授。00 年に米国でネットバブルが崩壊したとき、オニールの手法は投資家の支持を失うどころか、逆に人気を高めた。その理由は全米投資家協会が「98 ～ 03 年に CAN-SLIM が最も優れた成績を残した」と発表したことからも明らかだ。

ウィザードブックシリーズ 93
オニールの空売り練習帖
著者：ウィリアム・オニール、ギル・モラレス
定価 本体 2,800円＋税　ISBN:9784775970577

氏いわく「売る能力もなく買うのは、攻撃だけで防御がないフットボールチームのようなものだ」。指値の設定からタイミングの決定まで、効果的な空売り戦略を明快にアドバイス。

DVDブック
大化けする成長株を発掘する方法
著者:鈴木一之　定価 本体 3,800円+税
DVD1枚 83 分収録　ISBN:9784775961285

今も世界中の投資家から絶大な支持を得ているウィリアム・オニールの魅力を日本を代表する株式アナリストが紹介。日本株のスクリーニングにどう当てはめるかについても言及する。

ウィザードブックシリーズ 95
伝説のマーケットの魔術師たち
著者：ジョン・ボイク　訳者：鈴木敏昭
定価 本体 2,200 円＋税　ISBN:9784775970591

ジェシー・リバモア、バーナード・バルーク、ニコラス・ダーバス、ジェラルド・ローブ、ウィリアム・オニール。５人の投資家が偉大なのは、彼らの手法が時間を超越して有効だからだ。

ウィザードブックシリーズ 49
私は株で200万ドル儲けた
著者：ニコラス・ダーバス　訳者:長尾慎太郎，飯田恒夫
定価 本体 2,200 円＋税　ISBN:9784775970102

1960年の初版は、わずか8週間で20万部が売れたという伝説の書。絶望の淵に落とされた個人投資家が最終的に大成功を収めたのは、不屈の闘志と「ボックス理論」にあった。

マーケットの魔術師シリーズ

ウィザードブックシリーズ19

マーケットの魔術師

著者：ジャック・D・シュワッガー

オーディオブックも絶賛発売中!!

定価 本体2,800円＋税　ISBN:9784939103407

【いつ読んでも発見がある】
トレーダー・投資家は、そのとき、その成長過程で、さまざまな悩みや問題意識を抱えているもの。本書はその答えの糸口を「常に」提示してくれる「トレーダーのバイブル」だ。「本書を読まずして、投資をすることなかれ」とは世界的トレーダーたちが口をそろえて言う「投資業界の常識」だ！

ウィザードブックシリーズ13

新マーケットの魔術師

著者：ジャック・D・シュワッガー

定価 本体2,800円＋税　ISBN:9784939103346

【世にこれほどすごいヤツらがいるのか!!】
株式、先物、為替、オプション、それぞれの市場で勝ち続けている魔術師たちが、成功の秘訣を語る。またトレード・投資の本質である「心理」をはじめ、勝者の条件について鋭い分析がなされている。関心のあるトレーダー・投資家から読み始めてかまわない。自分のスタイルづくりに役立ててほしい。

ウィザードブックシリーズ 14

マーケットの魔術師 株式編《増補版》

著者：ジャック・D・シュワッガー
定価 本体2,800円＋税　ISBN:9784775970232

投資家待望のシリーズ第三弾、フォローアップインタビューを加えて新登場!!　90年代の米株の上げ相場でとてつもないリターンをたたき出した新世代の「魔術師＝ウィザード」たち。彼らは、その後の下落局面でも、その称号にふさわしい成果を残しているのだろうか？

◎アート・コリンズ著 マーケットの魔術師シリーズ

ウィザードブックシリーズ 90

マーケットの魔術師 システムトレーダー編

著者：アート・コリンズ
定価 本体2,800円＋税　ISBN:9784775970522

システムトレードで市場に勝っている職人たちが明かす機械的売買のすべて。相場分析から発見した優位性を最大限に発揮するため、どのようなシステムを構築しているのだろうか？　14人の傑出したトレーダーたちから、システムトレードに対する正しい姿勢を学ぼう！

ウィザードブックシリーズ 111

マーケットの魔術師 大損失編

著者：アート・コリンズ
定価 本体2,800円＋税　ISBN:9784775970775

スーパートレーダーたちはいかにして危機を脱したか？　局地的な損失はトレーダーならだれでも経験する不可避なもの。また人間のすることである以上、ミスはつきものだ。35人のスーパートレーダーたちは、窮地に立ったときどのように取り組み、対処したのだろうか？

心の鍛錬はトレード成功への大きなカギ！

ウィザードブックシリーズ32
ゾーン　相場心理学入門
著者：マーク・ダグラス

定価 本体 2,800円＋税　ISBN:9784939103575

【己を知れば百戦危うからず】
恐怖心ゼロ、悩みゼロで、結果は気にせず、淡々と直感的に行動し、反応し、ただそ の瞬間に「するだけ」の境地、つまり「ゾーン」に達した者こそが勝つ投資家になる！　さて、その方法とは？　世界中のトレード業界で一大センセーションを巻き起こした相場心理の名作が究極の相場心理を伝授する！

ウィザードブックシリーズ114
規律とトレーダー
著者：マーク・ダグラス

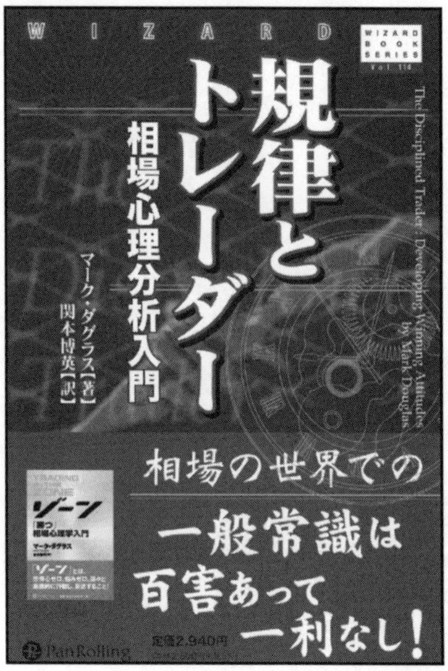

定価 本体 2,800 円＋税　ISBN:9784775970805

【トレーダーとしての成功に不可欠】
「仏作って魂入れず」――どんなに努力して素晴らしい売買戦略をつくり上げても、心のあり方が「なっていなければ」成功は難しいだろう。つまり、心の世界をコントロールできるトレーダーこそ、相場の世界で勝者となれるのだ！　『ゾーン』愛読者の熱心なリクエストにお応えして急遽刊行！

ウィザードブックシリーズ 107
トレーダーの心理学
トレーディングコーチが伝授する達人への道
著者：アリ・キエフ
定価 本体 2,800 円＋税　ISBN:9784775970737

高名な心理学者でもあるアリ・キエフ博士がトップトレーダーの心理的な法則と戦略を検証。トレーダーが自らの潜在能力を引き出し、目標を達成させるアプローチを紹介する。

ウィザードブックシリーズ 124
NLP トレーディング
投資心理を鍛える究極トレーニング
著者：エイドリアン・ラリス・トグライ
定価 本体 3,200 円＋税　ISBN:9784775970904

NLPは「神経言語プログラミング」の略。この最先端の心理学を利用して勝者の思考術をモデル化し、トレーダーとして成功を極めるために必要な「自己管理能力」を高めようというのが本書の趣旨である。

ウィザードブックシリーズ 126
トレーダーの精神分析
自分を理解し、自分だけのエッジを見つけた者だけが成功できる
著者：ブレット・N・スティーンバーガー
定価 本体 2,800 円＋税　ISBN:9784775970911

トレードとはパフォーマンスを競うスポーツのようなものである。トレーダーは自分の強み（エッジ）を見つけ、生かさなければならない。そのために求められるのが「強靭な精神力」なのだ。

相場で負けたときに読む本
～真理編～
著者：山口祐介
定価 本体 1,500 円＋税　ISBN:9784775990469

なぜ勝者は「負けても」勝っているのか？ なぜ敗者は「勝っても」負けているのか？ 10年以上勝ち続けてきた現役トレーダーが相場の“真理”を詩的に表現。

※投資心理といえば『投資苑』も必見!!

トレード業界に旋風を巻き起こしたウィザードブックシリーズ!!

ウィザードブックシリーズ1

魔術師リンダ・ラリーの短期売買入門

著者：リンダ・ブラッドフォード・ラシュキ

定価 本体 28,000円+税　ISBN:9784939103032

【米国で短期売買のバイブルと絶賛】
日本初の実践的短期売買書として大きな話題を呼んだプロ必携の書。順バリ（トレンドフォロー）派の多くが悩まされる仕掛け時の「ダマシ」を逆手に取った手法（タートル・スープ戦略）をはじめ、システム化の困難な多くのパターンが、具体的な売買タイミングと併せて詳細に解説されている。

ウィザードブックシリーズ2

ラリー・ウィリアムズの短期売買法

著者：ラリー・ウィリアムズ

定価 本体 9,800円+税　ISBN:9784939103063

【トレードの大先達に学ぶ】
短期売買で安定的な収益を維持するために有効な普遍的な基礎が満載された画期的な書。著者のラリー・ウィリアムズは30年を超えるトレード経験を持ち、多くの個人トレーダーを自立へと導いてきたカリスマ。事実、本書に散りばめられたヒントを糧に成長したと語るトレーダーは多い。

ウィザードブックシリーズ 51・52

バーンスタインのデイトレード【入門・実践】

著者：ジェイク・バーンスタイン　定価（各）本体7,800円＋税
ISBN:（各）9784775970126　9784775970133

「デイトレードでの成功に必要な資質が自分に備わっているのか？」「デイトレーダーとして人生を切り開くため、どうすべきか？」――本書はそうした疑問に答えてくれるだろう。

ウィザードブックシリーズ 53

ターナーの短期売買入門

著者：トニ・ターナー
定価 本体 2,800円＋税
ISBN:99784775970140

「短期売買って何？」という方におススメの入門書。明確なアドバイス、参考になるチャートが満載されており、分かりやすい説明で短期売買の長所と短所がよく理解できる。

ウィザードブックシリーズ 37

ゲイリー・スミスの短期売買入門

著者：ゲイリー・スミス
定価 本体 2,800円＋税
ISBN:9784939103643

20年間、大勝ちできなかった「並以下」の個人トレーダーが15年間、勝ち続ける「100万ドル」トレーダーへと変身した理由とは？　個人トレーダーに知識と勇気をもたらす良書。

ウィザードブックシリーズ 102

ロビンスカップの魔術師たち

著者：チャック・フランク　パトリシア・クリサフリ
定価 本体 2,800円＋税
ISBN:9784775970676

ラリー・ウィリアムズが11376％をたたき出して世間を驚嘆させたリアルトレード大会「ロビンスカップ」。９人の優勝者が、その原動力となった貴重な戦略を惜しみなく披露する。

相場のプロたちからも高い評価を受ける矢口新の本！

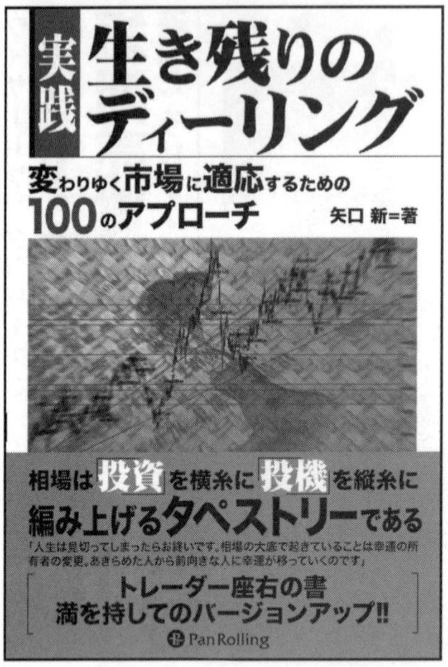

実践 生き残りのディーリング

著者：矢口新

定価 本体 2,800円＋税　ISBN:9784775990490

【相場とは何かを追求した哲学書】
今回の『実践 生き残りのディーリング』は「株式についても具体的に言及してほしい」という多くの個人投資家たちの声が取り入れられた「最新版」。プロだけでなく、これから投資を始めようという投資家にとっても、自分自身の投資スタンスを見つめるよい機会となるだろう。

なぜ株価は値上がるのか？
相場のプロが教える「利食いと損切りの極意」

著者：矢口新

定価 本体 2,800 円＋税　ISBN:9784775990315

【矢口氏の相場哲学が分かる！】
実践者が書いた「実用的」な株式投資・トレードの教科書。マーケットの真の力学を解き明かし、具体的な「生き残りの銘柄スクリーニング術」を指南する。ファンダメンタル分析にもテクニカル分析にも、短期売買にも長期投資にも、リスク管理にも資金管理にも、強力な論理的裏付けを提供。

矢口新の相場力アップドリル[株式編]

著者：矢口新
定価 本体 1,800 円＋税　ISBN:9784775990131

相場の仕組みを明確に理解するうえで最も大事な「実需と仮需」。この株価変動の本質を54の設問を通して徹底的に理解する。本書で得た知識は、自分で材料を判断し、相場観を組み立て、実際に売買するときに役立つだろう。

矢口新の相場力アップドリル[為替編]

著者：矢口新
定価 本体 1,500 円＋税　ISBN:9784775990124

「アメリカの連銀議長が金利上げを示唆したとします。このことをきっかけに相場はどう動くと思いますか？」――この質問に答えられるかで、その人の相場に関する基礎的な理解が分かる。本書を読み込んで相場力をUPさせよう。

マンガ 生き残りの株入門の入門 あなたは投資家？ 投機家？

原作：矢口新　作画：てらおかみちお
定価 本体 1,800 円＋税　ISBN:9784775930274

タイトルの「入門の入門」は「いろはレベル」ということではない。最初から相場の本質を知るべきだという意味である。図からイメージすることで、矢口氏の相場哲学について、理解がさらに深まるはずだ。

心構えから具体例まで充実のオプション実践書

最新版 オプション売買の実践
著者：増田丞美

定価 本体 5,800 円＋税　ISBN:9784775990278

【プロが実際のトレードでポイントを解説】
瞬く間に実践者のバイブルとなった初版を最新のデータで改訂。すべてのノウハウが実例を基に説明されており、実践のコツが分かりやすくまとめられている。「チャートギャラリープロ」試用版CD-ROM付き。

最新版 オプション売買入門
著者：増田丞美

定価 本体 4,800円＋税　ISBN:9784775990261

【オプション売買は難しくない】
世界的なオプショントレーダーである著者が、実践に役立つ基礎知識、ノウハウ、リスク管理法をやさしく伝授。小難しい理論よりも「投資家」にとって大切な知識は別にあることを本書は明確に教えてくれる。

オプション売買学習ノート
頭を使って覚えるオプションの基礎知識 & 戦略
著者：増田丞美　定価 本体 2,800 円＋税
ISBN:9784775990384

「より勉強しやすいカタチ」を求めて生まれたオプション書初の参考書＆問題集。身に付けた知識を実践で応用が利く知恵へと発展させる効率的な手段として本書を活用してほしい。

オプション売買の実践 ＜日経225編＞
著者：増田丞美
定価 本体 5,800 円＋税　ISBN:9784775990377

日本最大のオプション市場である日経225オプション向きの売買戦略、そしてプロたちの手口を大公開。225市場の特色に即したアドバイス、勝ち残るための知恵が収められている。

オプション倶楽部の投資法
著者：増田丞美
定価 本体 19,800 円＋税　ISBN:9784775990308

増田丞美氏がスーパーバイザーを務める「オプション倶楽部」が会員だけに公開していた実際の取引を分かりやすく解説。オプション売買の"真髄"的な内容が満載された究極の書。

プロが教えるオプション売買の実践
著者：増田丞美
定価 2,800 円＋税　ISBN:9784775990414

オプション取引が「誤解」されやすいのは株式投資や先物取引とは質もルールも全く異なる「ゲーム」であると認識されていないから。ゲームが異なれば優位性も異なるのだ。

DVDブック 資産運用としてのオプション取引入門
著者：増田丞美　定価 本体 2,800 円＋税
DVD1 枚 122分収録　ISBN:9784775961384

まずはDVDを一通り見てみよう。そしてテキストで学んだことを復習してほしい。投資家として知っておきたいオプションの本質と優位性が、初心者にも着実に理解できるだろう。